Een oude schuld

Van dezelfde auteur zijn de volgende titels verschenen:

Gesloten cirkel

Verjaard bedrog

Dodelijk inzicht

In het niets

De Catalaanse brief

Gestolen tijd

Moorddadig verleden

Verzwegen bestaan

Dodelijk negatief

Afscheid van Clouds Frome

Een schuldig huis

Onaangenaam bezoek

Bij nacht en ontij

Verboden te lezen

Een flinterdun geheim

Terugkeer naar Brighton

De Juniusbrieven

Ongewenste terugkeer

Roemloos ten onder

EEN OUDE SCHULD

Robert Goddard

Uitgeverij BZZTôH
's-Gravenhage, 2008

Oorspronkelijke titel: Found Wanting

Copyright © Robert and Vaunda Goddard 2008

© Copyright Nederlandse vertaling 2008, Uitgeverij BZZTôH bv, 's-Gravenhage

Omslagfoto: Yolande De Kort, Trevillion Images

Vertaling: De Taalscholver/Vitataal

Redactie en productie: Vitataal, Feerwerd

Zetwerk: Erik Richèl, Winsum

Druk- en bindwerk: Krips bv, Meppel

ISBN 978 90 453 0888 3

Voor meer informatie en een gratis abonnement op de BZZTôH Nieuwsbrief:
www.bzztoh.nl

LONDON

1

De hemel boven Whitehall is zo grijs als havermoutpap en de koude lucht prikt in de neus. Het is begin februari, maar op deze maandagochtend voelt het alsof de winter na een lange, klamme herfst nog maar net is begonnen. Voor Richard Eusden, die met een mok sterke, zwarte koffie het Churchill Café uit loopt en aan een van de tafeltjes op het terras gaat zitten, werkt de kou bijna verkwikkend. Hij laat zijn koffertje naast zijn stoel vallen, duwt zijn kin onder de kraag van zijn overjas en laat de warmte van de koffie in zijn handpalm trekken, terwijl hij de hem zo vertrouwde omgeving bekijkt.

Er is minder verkeer dan normaal, maar er wordt slechts langzaam gereden, dankzij de oversteekplaats naast het café. Deze piept en knippert ten behoeve van de donker geklede mannen en vrouwen die op weg zijn naar hun kantoor in de ministeries aan weerszijden van Whitehall. Velen hebben hun toegangspasjes al om de nek hangen, hun identiteit is overgegeven en wordt nu geëtaleerd. Hun werkweek staat op het punt te beginnen – variaties op een geïnstitutionaliseerd thema.

Richard Eusdens toegangspasje zit nog in zijn zak. Hij zal het pas tevoorschijn halen als hij King Charles Street al bijna door is en de dienstingang van Buitenlandse Zaken in loopt. Dat hij er zo lang mee wacht, is een bescheiden, bijna armzalige uiting van zijn individualiteit, een van de weinige opties die hij nog heeft. Een ambtenaar die met rasse schreden de vijftig nadert en voor wie een welvaartsvast pensioen niet langer een ver-van-mijn-bedshow is, kan zich het niet veroorloven een lange neus te trekken naar het regeringsapparaat waar hij ontegenzeggelijk deel van uitmaakt. Maar vanochtend hoeft hij zich niet naar kantoor te haasten. Het is nog geen half negen. Zijn trein had geen vertraging en zat niet overvol. Hij is minder moe van de reis dan anders. Hij neemt slokjes van zijn koffie en probeert het moment te koesteren. Hij weet dat hij zijn tijd nuttiger zou moeten besteden, alleen al voor het geval zijn collega's langslopen. Er zitten stukken in zijn koffertje, die hij eigenlijk afgelopen weekend had willen doornemen. Het zou schelen als hij er nu een blik op wierp. Voor je uit staren is voor iemand in zijn steeds imagogevoeligere beroepsgroep wellicht niet de slimste manier om je te profileren. Toch blijft hij staren door de stoom die uit zijn koffiemok opstijgt.

Eigenlijk, zo weet hij allang, had hij nooit ambtenaar moeten worden. Diep in zijn ziel mist hij dat o zo belangrijke vermogen om conventioneel te denken – én erin te geloven. Toen hij eenmaal ambtenaar was, had hij moeten vertrekken, zodra hij zijn vergissing inzag. Hij had weg moeten gaan, een wereldreis moeten maken op zoek naar iets anders – wat dan ook – om zijn leven aan te wijden. Toen was hij echter net getrouwd en nam aan dat er kinderen zouden komen, die behoefte hadden aan het comfort en de zekerheid die zijn carrière kon bieden. Tegen de tijd dat die aanname, plus nog een paar andere, ten aanzien van zijn huwelijk op zijn kop waren gezet, had hij zich ervan overtuigd dat het te laat was om nog van koers te veranderen. Eerlijk gezegd was het te gemakkelijk om geen moeite te doen. Nu was het echt te laat. Het leven, beseft hij donders goed, is wat je ervan maakt. En dit is wat hij van zijn leven heeft gemaakt. Hij gaat goed gekleed en verzorgt zich goed. Hij heeft al zijn haar nog en komt niet aan. Zijn blauwe ogen glinsteren nog. Zijn verstand is nog steeds scherp. De meeste mensen zouden zeggen dat hij een benijdenswaardig leven leidt. Dat probeert hij zich voor te houden, terwijl hij denkt aan de voorspelbare dag en weinig verrassende week die in het verschiet liggen. Hij is toe aan verandering, maar rekent er niet op dat die er zal komen. Hij neemt een grotere slok koffie en zet de mok op het tafeltje.

Zijn vingers hebben de mok amper losgelaten, als er aan de overkant van de straat drie keer kort wordt geclaxonneerd. Hij ziet een erwtgroene Mazda langzaam de oversteekplaats passeren, terwijl het licht oranje knippert. Het raam aan de bestuurderskant wordt open gedraaid en Eusden ziet een gezicht dat hij nét meent te herkennen als een vieze, rode gelede bus de auto aan het zicht onttrekt.

De bus past zich aan aan het verkeer voor zich en kruipt vooruit. Eusden vraagt zich af of hij de auto nog zal terugzien. Misschien is de Mazda de Cenotaaf al gepasseerd en op weg naar Trafalgar Square. Hij kent niemand die in zo'n auto rijdt. Hij heeft geen concrete reden om aan te nemen dat er naar hem werd getoeterd. Het incident dreigt al op te lossen in de eb en vloed van de ochtend.

Maar dat gebeurt niet. De Mazda maakt snel een U-bocht en draait de busbaan op, wat uiteraard helemaal niet mag, terwijl de bus eindelijk doorrijdt. De auto komt abrupt tot stilstand langs de stoeprand en de bestuurder zwaait om Eusdens aandacht te trekken. Hij is stomverbaasd. De bestuurder is Gemma, zijn ex. Hij heeft haar al een aantal jaren niet meer gezien of gesproken. Ze hebben elkaar, zoals zij hem tijdens hun laatste afspraak pijnlijk duidelijk maakte, niets te melden. Haar houding had er geen twijfel over laten bestaan dat het wel altijd zo zou blijven. Blijkbaar heeft iets haar zienswijze veranderd – iets dringends, te oordelen naar haar gedrag.

'Richard,' roept ze door het open raampje. 'Stap in.'

Eusden grijpt zijn koffertje, springt op en loopt met lange passen naar het linkerportier van de auto, waar hij vooroverbuigt om met Gemma op ooghoogte te komen. Ze ziet er jonger uit dan hij zich kan herinneren. Haar haar is korter, haar gezicht iets slanker, haar huid is glad en gloeit van gezondheid. Ze is gekleed in een zwart trainingspak en sportschoenen. Ze ziet eruit zoals ze is: fit, energiek, resoluut.

'Stap in,' herhaalt ze.

'Ik ben op weg naar mijn werk,' zegt Eusden afwijzend, zij het met niet al te veel klem. Hij wil nu al ontzettend graag dat ze niet zonder hem wegrijdt.

'Flikker op met je werk. Stap nou gewoon in.' Ze klinkt ongeduldig, maar ze kijkt hem smekend aan. Ze heeft hem nu eindelijk eens echt nodig. 'Toe, Richard.'

Over de busbaan komt er een dubbeldekker op hen af. Er moet iets gebeuren. Hij aarzelt, trekt dan het portier open en stapt in. Gemma geeft gas en rijdt met gillende banden weg.

'Sorry,' zegt ze, al wordt niet duidelijk of ze zich verontschuldigt voor haar rijstijl of voor het feit dat ze onaangekondigd weer in zijn leven is opgedokcn.

'Wat is er aan de hand, Gemma?' Als ze Parliament Square op zwenken, klikt Eusden de stoelriem vast.

'Ik was net op zoek naar een parkeerplaats toen ik jou zag. We moeten praten.'

'Waarover?'

'Marty.'

Marty Hewitson. Eusdens jeugdvriend. Gemma's andere ex. Van alle denkbare onderwerpen zou Marty wel het laatste moeten zijn wat zij met hem wil bespreken.

'Hij heeft me gevraagd iets voor hem te doen.' Ze houdt rechts aan, rijdt het plein rond en kijkt strak voor zich uit om niet het risico te lopen dat ze Eusdens blik opvangt. 'Ik wil liever dat jij het doet.'

Verbazing maakt plaats voor ongeloof. '*Waarom zou ik in godsnaam?*' luidt Eusdens instinctieve antwoord. Maar hij zegt alleen: 'O ja?' Hij kan werkelijk niet bedenken waarom hij er zelfs maar over zou peinzen een van hen beiden te helpen. Dan geeft Gemma hem een reden. Door antwoord te geven op de vraag die hij niet heeft gesteld.

'Hij gaat dood, Richard.' Ze werpt hem een snelle blik toe. 'Marty is opgegeven.'

2

'Opgegeven?' herhaalde Eusden ongelovig. Ze reden over Birdcage Walk. De ochtend zag er nog steeds uit als een werkdag, maar er was iets wezenlijk veranderd.

'Een hersentumor. Hij kan niet worden geopereerd,' zei Gemma. In haar nuchtere toon klonk verdriet door. 'Hij heeft hooguit nog een paar maanden. Het kan ook sneller gaan. Het kan elk moment voorbij zijn.'

'Heb je hem gezien?'

'Nee. Dat wil ik ook niet. Ik geloof niet dat ik dat zou kunnen verdragen, Richard. Om hem de gunst te bewijzen waar hij om heeft gevraagd, zou ik hem echter wel *moeten* opzoeken. Daarom...'

'Dacht je aan mij.'

'Marty en jij waren al jaren bevriend voordat ik in jullie leven kwam. Je zou het moeten bijleggen... voordat hij doodgaat.'

'Ja, hè?'

'Ja. Natuurlijk. Dat weet je best.' Haar zijdelingse blik betrapte hem, zijn uitdrukking onthulde ongetwijfeld meer dan zijn woorden. 'Toch?'

Richard Eusden had Marty Hewitson veertig jaar geleden leren kennen. Carisbrooke Grammar School, Newport, op het eiland Wight: een koude dag begin september 1968. Ze behoorden tot de laatste generatie jongens op het eiland die het Eleven Plus-examen moesten afleggen* en kwamen naast elkaar te staan toen de nieuwe leerlingen voor het eerste jaar die ochtend op het winderige schoolplein bijeen werden gedreven. Op zulke toevalligheden

---

* Het examen dat bepaalde welke middelbare school een leerling zou kunnen volgen.

berusten vriendschappen nu eenmaal. Ze waren beiden intelligent en nieuwsgierig, prestatiegericht, maar ook ietwat rebels. Ze trokken de zeven jaar op Carisbrooke samen op. Richard gedijde op examens, terwijl natuurtalent Marty hem moeiteloos bijhield. Toen door naar Cambridge, waar hun noodlottige verliefdheid op de betoverende Gemma Conway begon.

Het duurde meer dan twintig jaar tot het doek viel over de tragikomedie van hun driehoeksverhouding – als het al definitief voorbij was. Na Cambridge werd Richard ambtenaar, ging Marty als verslaggever voor de televisie werken en werkte Gemma aan haar proefschrift. Ze woonden alle drie in Londen. Marty leek Gemma voor zich te hebben gewonnen en Richard probeerde zijn nederlaag zo minzaam mogelijk te accepteren. Marty was toen echter al een ernstige drugsverslaving aan het ontwikkelen, iets wat Gemma niet kon accepteren. Ze verliet hem voor Richard. Ze trouwden terwijl Marty voor de commerciële televisiezender ITV in het Midden-Oosten werkte. Gemma werd docent op de universiteit van Surrey. Ze verhuisden naar Guildford. Het conformisme van de buitenwijk lokte, maar Gemma deinsde ervoor terug. Marty kwam terug uit het Midden-Oosten met een Libanees vriendinnetje op sleeptouw. Beide stellen zochten elkaar regelmatig op. Gemma kreeg een aanstelling bij de London School of Economics. Het duurde niet lang voordat ze bij Marty terug was, ondanks de drugs, al kwam Richard er pas achter toen het Libanese vriendinnetje het hem vertelde. Er volgde een scheiding. Gemma trouwde met Marty. Ze verhuisden naar Italië, waar Marty een roman zou gaan schrijven en Gemma colleges ging geven aan de universiteit van Bologna. Er volgde een soort toenadering. Richard zocht hen verscheidene keren op. Iedereen gedroeg zich uiterst beleefd, al werd niet duidelijk of ze het ook voelden. Natuurlijk werd die roman nooit geschreven. Cocaïne werd voor Marty belangrijker dan Gemma. Ze verliet hem opnieuw – voor een betrekking in Cambridge. Marty ging terug naar Londen. Het was nog altijd onmogelijk wrok tegen hem te koesteren. Richard probeerde het niet eens meer. Wel deed hij pogingen om Gemma terug te winnen. Hij kon niet anders. Het leek korte tijd vruchten af te werpen. Er was echter te vaak te veel misgegaan. Er kwam definitief een einde aan hun relatie rond de tijd dat Marty achttien maanden moest zitten voor dealen. De ervaring bleek niet afdoende. Hij werd op borgtocht vrijgelaten in verband met een tweede overtreding toen hij het land uit vluchtte. Richard, die zijn borgsom had betaald, had sindsdien niets meer van hem gehoord of gezien, op één kaart uit Uruguay na, waarop Marty hem op cryptische wijze zijn excuses aanbood. De driehoek was eindelijk verbroken. Althans, zo leek het.

'Waar gaan we heen?' vroeg Eusden toen de verkeerslichten bij Buckingham Palace op groen sprongen.

'Hyde Park. Daar kunnen we praten.'

'Oké.'

Hij maakte zijn koffertje open en haalde zijn telefoon eruit. 'Ik kan beter even bellen om te melden dat ik wat later op kantoor ben.'

'Zeg maar dat je vandaag niet kunt komen.'

'Waarom niet?'

'Die gunst waar ik het over had. Het is nu of nooit.'

'Hoe bedoel je?'

'Ik zal het je uitleggen. Dat beloof ik. Wacht alsjeblieft totdat we de spits uit zijn en ik me kan concentreren.'

Herinneringen worden met de jaren alleen maar scherper. Ze geven het verleden een magische onbereikbaarheid. De schooltijd op het eiland Wight; het studentenleven in Cambridge; de huwelijksjaren in Guildford; de avonden in de pub met Marty, terwijl hun rivaliteit om Gemma steeds sterker werd; hun discussies over politiek, economie en de toekomst van de wereld: Eusden treurde er nu om, alsof het verloren intermezzo's van tevredenheid waren, al had hij zich destijds niet tevreden gevoeld. Marty Hewitson was de beste, intiemste vriend die hij ooit zou hebben. En hij zou nooit meer zo van een vrouw houden als van Gemma Conway.

Dat waren de feiten van zijn leven. Hij kon ze niet veranderen. Hij kon niet wensen dat ze nooit waren gebeurd, zelfs als hij dat zou willen, wat natuurlijk niet het geval was.

Er was voldoende plek op het parkeerterrein bij de Serpentine. Joggers en mensen die hun hond uitlieten waren op dit tijdstip dun gezaaid. De kale bomen staken scherp als skeletten af tegen de loodgrijze lucht. Sommige ganzen sliepen nog, met hun kop onder hun vleugel, alsof ze ontkenden dat de dag was aangebroken. Alleen de meerkoeten waren in beweging. Ze verplaatsten zich luidruchtig toen Gemma snel langs de boothuizen liep. Op de achtergrond doemden de hotelblokken aan Park Lane op als de duintoppen in een zonloze woestijn.

'Waar heeft hij de afgelopen jaren uitgehangen?' Eusden was een beetje buiten adem van zijn poging haar bij te houden.

'Vooral in Amsterdam. Hij heeft niet het idee dat de politie heel erg naar hem op zoek is geweest. Toch wil hij niet het risico lopen bij terugkomst te worden gearresteerd.'

'Om wat voor gunst gaat het?'

'Hij belde vorige week. Zijn nieuws kwam als een schok en ik besefte niet hoe... zwaar het zou vallen hem terug te zien. Hij wil dat ik hem iets breng.'

'In Amsterdam?'

'Nee. Hij komt naar Brussel om me op te wachten als ik daar vanmiddag met de Eurostar aankom. Zou jij in mijn plaats willen gaan, Richard? Vanavond ben je weer thuis. Buitenlandse Zaken kan je toch wel vierentwintig uur missen?'

'Waarom heb je er zoveel moeite mee hem weer te zien?'

'Omdat ik over hem heen ben. Ik wil niet zien hoe oud of hoe ziek hij eruitziet. Ik wil niet worden herinnerd aan wat we hebben gehad en aan wat hij heeft weggegooid.'

'Je kunt het niet aan hem te zien, omdat je ooit van hem hield. Maar mij zien lukt je wel?'

'Jij gaat niet dood.'

'We gaan allemaal dood, Gemma. Alleen niet even snel.'

Ze bleef staan en keek hem aan. 'Wil je dit voor me doen?'

'Ligt eraan wat "dit" is.'

'Een of ander pakje. Ik moet het straks ophalen bij ene Bernie Shadbolt.'

'Wie is dat?'

'Iemand die Marty kent uit de gevangenis. Iemand die hij vertrouwt.'

'Waarom kan hij dat pakje dan niet wegbrengen?'

'Hij zei dat Shadbolt geen tijd had. Ik denk eerlijk gezegd dat het een voorwendsel is om mij nog een keer te zien. Misschien om te proberen... me over te halen bij hem terug te komen... voor de weinige tijd die hij nog heeft.'

'Wanneer kwam je op dat idee?'

'Toen Monica me op de mogelijkheid wees.'

Ach, ja, Monica. Eusden had zich al lopen afvragen hoelang het zou duren voordat Gemma's huisgenote uit Cambridge ter sprake kwam. Hij had zijn vragen over de ware aard van hun relatie altijd consequent weggedrukt. Vergeefs, uiteraard. 'Heeft ze je er ook op gewezen dat het niet echt slim is om voor een veroordeelde drugsdealer een pakje door de douane te smokkelen?'

'Ach, toe nou, Richard.' Gemma leek echt teleurgesteld over zijn vraag. 'Niemand probeert je erin te luizen. Marty woont in Amsterdam. Hij hóeft geen drugs te smokkelen vanaf Wight.'

'Vanaf Wight?'

Gemma zuchtte. 'Het pakje bevat een of ander familiebezit. Iets wat hij... de komende maanden bij zich wil hebben. Hoeveel dat er ook mogen zijn. Shadbolt heeft het voor hem opgehaald bij tante Lily.'

Marty's tante woonde in een Hans-en-Grietjehuisje aan de brink van St Helens, een van de mooiste dorpjes op het eiland. Voor zover Eusden wist, was ze de enige familie die Marty nog had. Het was best geloofwaardig dat zij iets voor hem zou hebben bewaard. Maar hoe onschuldig het ook klonk, het kon evengoed linke soep zijn. 'Ja, ja, Shadbolt had dus wel tijd om tante Lily op te zoeken?'

'Marty zei dat hij zaken op Wight had af te handelen.'

'Misschien op bezoek bij maatjes in Parkhurst.'

'Wie weet.'

'Verzwijg je iets voor me, Gemma?'

'Nee. Het is echt heel eenvoudig. Een van ons moet gaan. We kunnen hem niet gewoon... aan zijn lot overlaten. Ik zou het enorm waarderen als jij ging. Ik denk dat het je goed zou doen. Het zou ook goed zijn voor Marty. Ik kan je er echter niet toe dwingen. Je moet zelf beslissen.'

Het café aan de oostkant van de Serpentine was net open toen ze er aankwamen. Gemma vond het prima toen Eusden voorstelde koffie te gaan drinken, al hoefde ze hem niet verder te overtuigen. Hij had er immers al mee ingestemd het pakje naar Brussel te brengen, iets waar ze vast geen moment aan had getwijfeld.

Ze zaten aan een tafeltje bij het raam en keken over de Serpentine uit naar de brug waar ze twintig minuten eerder overheen waren gereden. Terwijl ze hun koffie dronken, viel er een ongemakkelijke stilte.

'De eerste keer dat ik je zag,' zei Eusden na enige tijd, 'had je blond haar en droeg je een haarband. Je had een bloemetjesjurk aan waar een petticoat onderuit kwam.'

'Wat wil je daarmee zeggen, Richard?'

'Ik zat gewoon te bedenken... hoe je van kledingstijl bent veranderd.'

'Tja, daar zal niemand jou van kunnen beschuldigen.'

'Zou je er nu echt zoveel moeite mee hebben om Marty terug te zien?'

'Ja, daar zou ik érg veel moeite mee hebben. Oké?'

'Oké.'

'Heb jij je paspoort bij je?'

'Wat denk je zelf? Ik was niet van plan vandaag het land uit te gaan. Ik was niet eens van plan mijn kantoor uit te gaan.'

'Het spijt me, hoor, dat het zo'n korte termijn is.' Gemma perste haar lippen op elkaar. 'Ik heb vannacht amper geslapen. Toen ik

naar bed ging, was ik nog van plan gewoon zelf te gaan. Na urenlang woelen en draaien kwam ik uiteindelijk tot de conclusie... dat
ik het niet aankon.'

'Je had me kunnen bellen.'

'Ik moest al vroeg de deur uit. Bovendien dacht ik dat je beter
zou reageren... als je me zag.' Ze zuchtte. 'Dom van me.'

'Gemma, ik heb al gezégd dat ik zou gaan. Dat moet toch
genoeg zijn.'

'Dat zal wel moeten.' Ze nam een slok koffie, keek op haar horloge en nam nog een slok. 'We moeten je paspoort ophalen voordat we naar Shadbolt gaan. De trein vertrekt om tien over half
een. We kunnen dus maar beter gaan.'

'Zeg het maar.'

'De bloemetjes op die jurk waren trouwens vergeet-mij-niet-
jes,' zei ze bij het opstaan. 'De jurk heb ik jaren geleden al naar de
tweedehandswinkel gebracht. Ik draag geen jurken meer.'

3

De omweg via Chiswick, om Eusdens paspoort op te halen, nam bijna een uur in beslag. Het liep al tegen elven toen Gemma stilhield bij de autowerkplaats van Shadbolt & Daughters aan Blue Anchor Lane in Bermondsey. Boven hun hoofd denderden de treinen van en naar London Bridge over een met onkruid begroeide spoorbrug van gele baksteen. Bernie Shadbolts bedrijfsterrein strekte zich over een lengte van drie brugbogen en bevatte twee oude bouwketen. Te oordelen naar het aantal auto's in verschillende stadia van ontmanteling en de vlammen van een booglasser die de diepe nissen van de spoorbrug verlichtte, deed hij goede zaken.

Ze liepen naar de bouwkeet waar fluorescerende lichtjes door het kippengaas voor de ramen schenen en liepen een door paraffine verwarmde wolk van sigarettenrook binnen. De rook werd uitgeblazen door een blonde vrouw met absurd grote borsten die een laag uitgesneden T-shirt en een veel te strakke spijkerbroek droeg. Ze was aan het bellen. Ze deelde de bouwkeet met een jongere, slankere vrouw in een spijkerbroek die minder onder druk stond en een hoger gesloten T-shirt onder een wijd vest. Ze had donker, halflang haar en een bleek, gespannen gezicht. Toen ze binnenkwamen, keek ze op van een computerscherm en glimlachte. Ondanks de vele verschillen vertoonden beide vrouwen een zekere zusterlijke gelijkenis. Eusden nam aan dat zij Shadbolts bedrijvige dochters waren.

'Kan ik u helpen?'

'Ik heb een afspraak met Bernie Shadbolt,' zei Gemma. 'Ik ben Gemma Conway.'

'O, klopt. Hij verwacht u. Moment.' De dochter reikte naar een telefoon die aan de muur hing, nam deze van de haak en drukte op een knop.

Ergens vlakbij begon een bel te rinkelen. Er werd snel op gereageerd. Van waar hij stond, kon Eusden het brommerige 'Ja?' horen.

'Ze zijn er, pa.' Eusden hoorde het antwoord niet, maar de dochter vertelde het hun zodra ze de telefoon had teruggehangen. 'Hij komt er zo aan.'

Het was vreemd, vond Eusden, dat ze zo vanzelfsprekend 'Ze zijn er' had gezegd, bijna alsof er op zijn aanwezigheid was gerekend. Dat idee vond hij weinig geruststellend. Zijn blik dwaalde af naar een prikbord naast de deur. Tussen verschillende fladderende prints van gezondheids- en (brand)veiligheidsvoorschriften hing een ansichtkaart aan één speld. De foto leek sterk op een Amsterdamse gracht. Hij wilde de kaart net voorzichtig omdraaien om het handschrift te bekijken, toen de deur achter hem openging.

'Môgge,' zei Bernie Shadbolt. Hij was een lange, magere man van rond de zestig met grijs stekeltjeshaar en het gezicht van een bokser. Boven de geplette neusbrug keken zijn zeegrijze ogen hen behoedzaam aan. Hij was gekleed in verschillende tinten zwart – een wollen knielange jas, poloshirt, maatbroek en schoenen met dikke zolen. Hij zag eruit als een man met wie je geen ruzie wilde krijgen.

'Ik ben Gemma Conway,' zei Gemma.

'Kunt u zich identificeren?'

'Moet dat? Ik dacht dat u me verwachtte.'

'Klopt, maar je kunt niet voorzichtig genoeg zijn.'

Eusden kende Gemma goed genoeg om te weten dat ze zich moest inhouden om niet nijdig te worden. Het lukte. 'Mijn paspoort ligt in de auto.'

'Mag ik erin kijken?'

'Vooruit dan.'

Toen Gemma naar de deur liep en Shadbolt een stap achteruit deed om ruimte voor haar te maken, richtte hij zijn aandacht op Eusden. 'Wie bent u?' Hij verspilde duidelijk geen tijd aan beleefdheden.

'Ik heet Eusden. Richard Eusden.'

'Aha. Juist.'

'Heeft u van me gehoord?'

'Klopt. Ook een paspoort bij de hand, toevallig?'

'Ja.'

'Mooi.' Shadbolt schonk hem een krampachtig lachje en gebaarde hem verder te lopen.

De paspoortcontrole stelde niet veel voor. Shadbolt leek niet echt te denken dat ze oplichters waren. 'Sorry, hoor,' zei hij, toen hij hun ieder hun paspoort teruggaf. 'Puur voor de zekerheid.'

'Richard is een oude vriend van Marty, meneer Shadbolt.' Gemma leek te denken dat ze iets moest uitleggen.

'Zeg maar Bernie.' Shadbolt schonk haar een wolfachtige grijns; toen keek hij Eusden aan. 'Marty heeft me alles over jou verteld, Richard.'

Zijn plotselinge familiariteit was verwarrend. 'Hij schatte de kans dat je mee zou komen op fiftyfifty.'

'Heeft u wat we komen ophalen?' Gemma had blijkbaar besloten niet te melden dat Eusden alleen zou gaan.

'Ja. In de kofferbak van mijn auto. Hé, luister...' Shadbolt keek op zijn horloge, een joekel van een nep-Rolex. 'Waarom gaan we niet even iets drinken bij de pub om de hoek? Jullie hebben tijd zat voordat de trein vertrekt.' Marty had hem blijkbaar goed ingelicht. 'Hiervandaan is het maar twintig minuten rijden naar Station Waterloo.'

Gemma fronste. 'Ik denk dat we eigenlijk...'

'Mooi,' zei Shadbolt. 'Laten we dan maar gaan.' Hij grijnsde. 'Ik trakteer.'

De pub om de hoek was het soort gelegenheid dat Eusden liever op maandagochtend bezocht dan op vrijdagavond. Er hingen aankondigingen van karaoke en loterijen waarmee je vlees kon winnen. Op weg naar de bar in het midden liep je langs de bescheiden inventaris van functionele tafeltjes en stoelen. Wat er aan bekleding te zien was, was open gescheurd, en het schuimrubber puilde eruit alsof het schimmel was. De pub was net tien minuten open, maar ze waren niet de eerste klanten. Een stel oude, sjofele klanten deed zich al te goed aan pinten bier en sigaretten.

Het achterdochtige gezicht van de barvrouw lichtte iets op toen ze Shadbolt zag. Hij bestelde een whisky en een zakje chips. De chips, zo werd al snel duidelijk, waren voor de pubhond, verreweg de vriendelijkste van alle aanwezigen. Gemma's verzoek om een Perrier en Eusdens bestelling van een halve pint stuitten op louter afkeuring.

'Proost.' Shadbolt nam een slok whisky. Eusden proostte, niet van ganser harte. Gemma zei niets. 'Ik kan toch niet de twee voor Marty belangrijkste mensen laten vertrekken zonder ze tenminste iets te drinken aan te bieden?'

'De twee belangrijkste...'

'Ja, Richard. Gemma en jij. Zo noemde hij jullie toen hij me vertelde over dit stukje koerierswerk.'

'Echt?'

'Toe nou. Ik vertel je toch zeker niks nieuws?'

'Misschien...'

'Jij werkt bij BZ, hè?'

'Eh, ja.'

'Dan kun je me misschien iets uitleggen. Een neefje van me zit in Irak. Hij zou graag willen weten hoe jullie Whitehall-bobo's de boel zo hebben kunnen verzieken. Als jij daar tenminste iets mee te maken had. Begrijp je wat ik bedoel?'

'Het is aardig dat je dit voor Marty hebt willen doen,' zei Gemma, die medelijden kreeg met Eusden.

'Ach, hij had nog iets tegoed.'

'Wat is het precies voor pakje?' Eusden had net zo min zin om te vragen wat Marty tegoed had van Shadbolt als dat hij over internationale politiek wilde praten.

'Wéét je dat dan niet?' vroeg Shadbolt.

'Hoe zou ik dat moeten weten?'

'Jij bent zijn jeugdvriend. Ik nam aan dat jij er alles van wist.'

'Nee, helaas.'

'Wat is het dan... Bernie?' vroeg Gemma met een gespannen lachje. 'Wat is het voor pakje?'

'Een of ander oud koffertje. En als ik "oud" zeg, bedoel ik oud. Op slot. Marty heeft natuurlijk het sleuteltje. Je zou het gemakkelijk open kunnen breken, maar dat doen we natuurlijk niet, toch? Marty zei niet wat erin zat. Waarschijnlijk vertelt hij ons alleen het hoognodige.'

'Heb je het niet aan zijn tante gevraagd?' vroeg Eusden.

'Volgens Vicky wist zij het ook niet. Als ze het wel wist, was ze niet...'

'Wie is Vicky?' vroeg Gemma.

'Mijn dochter. Je hebt haar net gezien.'

'Je bent niet zelf gegaan?'

'Neuh. Te druk. Ik dacht ook dat Vicky bij een oud wijffie beter in de smaak zou vallen. Bovendien scheelde het haar een dag mee-roken met Jules.'

'We moeten maar eens richting station.' Gemma dronk haar glas Perrier leeg. 'Je moet je een half uur voor vertrek melden.'

'Maak je niet dik,' zei Shadbolt. Hij gaf zijn glas aan de bar-vrouw om het bij te vullen. 'Ik breng jullie wel. Je kunt je auto bij de garage laten staan. Nog een biertje, Richard?'

'Nee, dank je. Ik...'

'Ik ga niet mee, Bernie,' zei Gemma ongemakkelijk, maar kordaat. 'Richard gaat alleen. Ik breng hem wel naar Waterloo. Maar toch bedankt.'

Shadbolt vertrok zijn mond tot een lach. 'Dan heb ik het zeker verkeerd begrepen.'

'Net als jij heb ik het momenteel nogal druk,' zei ze op verdedigende toon.

Eusden lachte grimmig. 'Ik, daarentegen, heb alle tijd van de wereld.'

'Afgrijselijk nieuws over Marty,' zei Shadbolt tijdens de korte wandeling terug naar de werkplaats.

'Absoluut,' beaamde Eusden.

'Zeg maar tegen hem dat als er een of andere specialist is die een manier heeft gevonden om hem te genezen, hij wat mij betreft niet over geld hoeft in te zitten.'

'Dat is erg aardig van je,' zei Gemma.

Shadbolt lachte haar stralend toe. 'Daar ben je vrienden voor.'

Hij liep voor hen uit over het terrein naar zijn auto – een oude Jaguar blonk hun tegemoet. Eusden ving een glimp op van Vicky die door het vens11gaas van de bouwkeet naar hen keek, terwijl haar vader de achterklep opendeed. 'Daar heb je het,' kondigde hij aan.

En daar had je het dan. Een gebutst, oud, leren attachékoffertje. Erg oud, zoals Shadbolt al had aangegeven. Begin twintigste eeuw, schatte Eusden. Zijn schatting was niet uit de losse pols. Daar hielpen de initialen op het deksel hem bij: CEH. Hij wist waar ze voor stonden.

'Eerder gezien, Richard?' vroeg Shadbolt.

'Nee.'

'Vreemd. Aan je blik te zien heb je het herkend.'

'Ik heb het nog nooit gezien.' Eusden keek Shadbolt recht aan. 'Maar ik herken de initialen.'

'Dacht ik op de een of andere manier al.' Shadbolt legde een wijsvinger op zijn lippen. 'Maar niks zeggen, hè? Als Marty het niet nodig vond dat ik het wist, kunnen we het maar beter zo houden.'

4

'Ik herken die initialen ook,' zei Gemma toen ze bij de werkplaats vandaan reden.

'Dat dacht ik al.'

'Ze bevestigen voor mij wat Marty me vertelde. Een familie-stuk.'

'Dan is het vreemd dat tante Lily niet weet wat het is.'

'Misschien deed ze maar alsof.'

'Ja. Misschien is ze niet de enige.'

'Denk je dat Shadbolt iets voor ons geheim hield?'

'Dat weet ik wel zeker.'

'Waarom zou hij?'

'Weet ik niet. Marty mag me alles uitleggen als ik hem zie. Hij zal me toch wel de waarheid vertellen?'

'Je draaft veel te ver door, Richard.'

'Ik hoop dat je gelijk krijgt.'

'Ik héb gelijk. Bel me als je terug bent. Dan kijk je er vast anders tegenaan.'

'Dat vraag ik me af.'

De terugreis vanuit Brussel was gereserveerd voor zes uur. Dankzij het tijdsverschil zou Eusden om half acht op Waterloo aankomen en als alles meezat, zou hij een uur later thuis zijn. Dan zou hij zijn eenvoudige taak hebben volbracht en zijn oude vriend Marty Hewitson hebben gezien, waarschijnlijk voor de laatste keer.

Het attachékoffertje ging onopgemerkt door de douanecontrole van het Eurostarstation. Eusden kwam even in de verleiding om de man die het röntgenapparaat bediende te vragen of hij kon zien wat erin zat. Te oordelen naar het gewicht, vergelijkbaar met dat van zijn eigen koffertje, zaten er documenten in.

Hij wachtte in de vertrekhal totdat er werd omgeroepen dat men in de trein van tien over half een kon stappen. Het was een rustige dag voor Eurostar. De meeste zakelijke reizigers zouden al een trein eerder hebben genomen en voor het toerisme was het een slappe tijd. Hij zat alleen, met zijn twee stuks bagage: zijn eigen koffertje en het gebutste attachékoffertje.

CEH was Clement Ernest Hewitson, een hoge pief bij de politie op het eiland Wight, de vader van Denis en Lily Hewitson, Marty's grootvader. Hij was ruim negentig geworden, maar nu was hij al ruim twintig jaar dood. Hij was een relikwie uit een tijd die voorgoed voorbij was, maar de mensen die hem hadden gekend, zouden hem nooit vergeten. De jeugdvriend van zijn kleinzoon, Richard Eusden, was een van hen.

Eusden had voor school een werkstuk gewijd aan het leven van Clem Hewitson. In zekere zin was hij de enige biograaf die de man ooit had gehad, of ooit zou krijgen. Clem was in de tachtig toen de jonge Richard met hem kennismaakte. Hij was toen al jaren weduwnaar en woonde in een kraakhelder rijtjeshuis in Cowes, net voorbij de veerpont. Maatschappelijk gezien woonde zijn kleinzoon in een andere wereld – een huis in imitatie-Tudorstijl op een slordige 2000 m² land ter hoogte van Wootton Bridge – maar met de bus was het niet ver van Cowes. De meeste zaterdagen spraken Richard en Marty af bij de Fountain Arcade, waar Richards bus uit Newport aankwam, om urenlang doelloos door Cowes te zwerven. Meestal belandden ze rond theetijd bij Clem.

De oude man was een geboren verteller, wiens leven hem een schier onuitputtelijke bron van vermakelijke herinneringen had opgeleverd. Hij was geboren in 1887, het jaar waarin Victoria haar gouden jubileum vierde als Koningin van het Verenigd Koninkrijk (iets waar hij hen keer op keer aan herinnerde). Aanvankelijk ging hij net als zijn vader werken op de scheepswerf van White's, maar hij kreeg al snel genoeg van het zware lichamelijke werk. Clems oom had in het leger gediend onder het hoofd van het politiekorps op Wight. Hij maakte van deze connectie gebruik om als agent aan de slag te gaan en werkte zich op tot de hoofdinspecteur van de bescheiden recherche die het eiland rijk was. In totaal werkte hij ruim veertig jaar voor de politie, waarvan hij vier jaar kogels en granaten ontweek aan het westelijke front tijdens de Eerste Wereldoorlog.

Richard had voor zijn werkstuk voldoende keus uit de verscheidene wapenfeiten uit Clems carrière: Suffragettes, Duitse spionnen, drijvende mijnen, brandende hooibergen, zelfmoordpogingen, ontsnapte gevangenen Clem had het allemaal meegemaakt, met een gevarieerd assortiment inbraken, brandstichtingen, fraudes en af en toe een moord. Hoe ongelooflijk het ook leek – voor de gemiddelde schooljongen was er eind jaren zestig op het eiland niets te beleven – Clem kon terugkijken op een opwindend leven en deed dat graag.

Richard hield rekening met de mogelijkheid, geopperd door zijn vader toen hij enkele van Clems verhalen aan hem vertelde, dat ze overdreven waren, of misschien zelfs verzonnen. Met tegenzin concludeerde hij dat dit misschien ook opging voor de meest opzienbarende bewering die de oude man had gedaan: dat hij in de zomer van 1909 in Cowes een moordaanslag op de twee oudste dochters van tsaar Nicolaas II had voorkomen. Zoals Clem het vertelde, waren de grootvorstinnen Olga en Tatjana in het stadje gaan winkelen tijdens een bezoek van de Russische keizerlijke familie aan de Regatta van Cowes. Clem stopte, ontwapende en arresteerde een met een geweer zwaaiende anarchist, terwijl hij probeerde in te breken aan de achterkant van de modewinkel waar de twee meisjes stonden te overleggen of ze een hoed zouden kopen of niet. Deze dappere en tijdige arrestatie leverde Clem de persoonlijke dankbetuiging van de tsaar op. 'Aardige man,' zei Clem over Nicolaas. 'Waarschijnlijk te aardig voor zijn eigen bestwil, als je bedenkt hoe het met hem is afgelopen.'

Toen duidelijk werd dat het verhaal te mooi was om waar te zijn, bracht Richard op een dag na schooltijd een bezoek aan het regionale archief in Newport en zocht hij door oude nummers van de *Isle of Wight County Press* naar de relevante week. De tsaar, tsarina en hun gezin waren in augustus 1909 in Cowes geweest, althans hun keizerlijke jacht had er aangelegd. Bovendien waren de twee oudste zusjes inderdaad gaan winkelen in het stadje. Er werd met geen woord gerept over een moordaanslag die was verijdeld door ene agent Hewitson. Het vier dagen durende keizerlijke bezoek was zonder incidenten verlopen.

Richard geneerde zich te zeer om Clem hierop aan te spreken, maar Marty had minder scrupules. Clem had zijn antwoord echter al klaar. Richard kon zich nog precies herinneren hoe de oude man er die dag uit had gezien: lang, kaal, slank, ietwat voorovergebogen, sprankelende ogen, de mond die zich krulde in een lach onder zijn geelwitte krulsnor. In de kleine zitkamer van zijn huis, waar het rook naar pijptabak en oude thee, waar het zonlicht door het raam op de kleurige tegeltjes om de haard viel, en op de ingelijste foto erboven van Clem op zijn trouwdag in 1920, toen zijn snor donker glansde en zijn rug kaarsrecht was, had hij Richard aandachtig aangekeken.

'Jij hebt mijn verhaal dus gecontroleerd, hè, knul? We maken nog wel een echte rechercheur van je.' De lach ging over in gehoest. 'Het is allemaal politiek, begrijp je? Ze konden moeilijk zeggen dat de dochters van de tsaar in Engeland niet veilig over straat konden. Daarom werd het verhaal in de doofpot gestopt. Ik had eigenlijk een eervolle vermelding moeten krijgen, maar zo gaan die dingen nu eenmaal. Waarschijnlijk kun je het beter niet in je werkstuk opnemen. Misschien is het nog steeds een staatsgeheim.'

Hoe graag hij ook wilde, Richard kon hem niet geloven. Maar je kon er nu eenmaal niet van uitgaan dat een verhalenverteller als Clem Hewitson altijd de waarheid sprak. Zo brachten zijn beweringen dat hij tijdens de Tweede Wereldoorlog was uitgeleend aan de inlichtingendienst Special Branch en dat hij nog steeds niets mocht vertellen over zijn buitenlandse missies je evenzeer aan het watertanden als aan het twijfelen. Zijn zoon, Marty's vader, Denis Hewitson, had in elk geval weinig geduld voor wat hij omschreef als het 'geromantiseer' van de oude man. Denis wijdde zich met hart en ziel aan zijn scheepsontwerpbureau in Cowes, de golfsport en zijn tuin. Richard en Marty, maar ook Clem, schoten nog wekenlang in de lach over Denis' verontwaardiging over bezoekers aan een popfestival in 1969 die een nacht op zijn grasveld hadden doorgebracht. Richards vader was al net zo puriteins, zoals het een plaatsvervangend landmeter op het platteland betaamde. Diep in zijn hart was Clem jonger dan zij beiden. Daarbij opgeteld maakte zijn sterke geheugen hem zowel fascinerend als beminnenswaardig – hij vertelde vaak hoe hij in 1901 had staan kijken naar de rouwstoet van koningin Victoria, aangevoerd door de nieuwe koning Edward VII en zijn neef de Kaiser, toen het lichaam van de statige oude dame op een prachtige winterse middag werd overgebracht van Osborne House naar het wachtende koninklijke jacht Alberta.

Uiteindelijk ontgroeiden de jongens die fascinatie. Ze zagen hem natuurlijk veel minder vaak nadat ze in de herfst van 1975 in Cambridge gingen studeren, al was geen bezoek aan het eiland compleet zonder minstens een keer bij de oude man langs te gaan. Hij klaagde nooit dat ze hem verwaarloosden. Eusden had nog ergens een foto die Gemma van hen drieën had gemaakt – Richard, Marty en Clem – op de Parade in Cowes, terwijl de RMS Queen Elisabeth 2 op de achtergrond zichtbaar was, terwijl ze de Solent op voer in de richting van Southampton. Clem was toen net negentig geworden, maar zag er nog even kwiek uit als altijd.

Eusden herinnerde zich hoe hij ooit een boek met historische foto's van het eiland had geleend uit de bibliotheek in Newport, in een poging zich een beeld te vormen van het Cowes uit Clems jeugd. Het stadje had toen een pier, vrouwen droegen lange jurken en hoeden met brede randen; de mannen droegen strohoeden en jasjes met hooggesloten kragen met mouwloze vesten eronder. Het leek wel of de zon altijd scheen, terwijl op regattadagen de wimpels aan de vele jachten flapperden en dames die ernaar keken hun parasols lieten draaien. De ironie wilde dat Eusden nu een soortgelijk boek van meer recente datum nodig zou hebben om zich zijn eigen jeugd te herinneren: de vele ijsjes op zomerdagen toen Marty en hij de bus namen naar afgelegen delen van het eiland. Van hun moeders kregen ze boterhammen en sinaasappelsap mee en ze waren vrij om het eiland te verkennen. Alum Bay, Tennyson Down, Blackgang Chine, Culver Cliff: de plaatsen waren er nog steeds, maar de tijden waren onherroepelijk veranderd.

Door de jaren heen waren Eusdens bezoeken aan het eiland steeds schaarser geworden. Zijn zus Judith woonde er nog. Met haar man runde ze een tuincentrum in Rookley. Fysiek gezien was zijn moeder er ook nog. Ze vegeteerde in een verzorgingstehuis in Seaview, maar mentaal was ze al jaren geleden vertrokken. Judith verweet hem af en toe dat hij zijn neefje en nichtje verwaarloosde. Hij kon haar niet uitleggen hoe pijnlijk hij het vond om terug te keren naar de beelden en geluiden uit zijn kinderjaren en puberteit. 'Toen je naar Cambridge vertrok, dacht ik nog dat je voor de Kerst thuis zou komen,' vertelde ze hem op een emotioneel moment na hun vaders begrafenis. 'Maar weet je, Richard? Je bent nooit meer teruggekomen. Niet echt.'

Toen Clem Hewitson in de zomer van 1983 op zesennegentig-jarige leeftijd overleed, werkte Marty in het Midden-Oosten. Hij ging niet naar de begrafenis. Eusden ging ook niet. Hij had er vaak spijt van, al geloofde hij niet dat Clem het hem kwalijk zou hebben genomen. Het was even moeilijk om de oude man te krenken als om hem te vergeten.

Toen de trein Station Waterloo verliet, keek Eusden op naar het attachékoffertje in the bagagerek boven zijn hoofd. Alleen al het zien van die initialen – CEH – had een golf van herinneringen opgeroepen. Daarom vroeg hij zich af of Marty de inhoud van het koffertje bij zich wilde hebben om op een of andere manier te schikken met zijn verleden; om zich te verzoenen met de tijden en plaatsen – en de mensen – waar hij feitelijk voor was gevlucht. Er viel moeilijk een andere reden te bedenken waarom hij het zo graag terug wilde hebben. Toch kon die er best zijn. Dat besefte Eusden maar al te goed. Over tweeënhalf uur zou hij weten of zo'n reden er was of niet.

BRUXELLES

5

Het Belgische platteland en de buitenwijken van Brussel hadden er vanuit de trein grijs en kaal uitgezien. Op station Bruxelles-Midi was er van de buitenwereld echter niets te zien. Eusden bevond zich in een door mensen gebouwde wereld van perrons en schel verlichte detailhandelsvestigingen: fastfood en confectiemode vormden bakens tussen de gestage eb en vloed van reizigers. Er was ook geen spoor van Marty op de plek waar hij tegen Gemma had gezegd dat hij zou wachten: Sam's Café, naast de roltrap vanaf het aankomstperron. Eusden maakte zich niet al te veel zorgen. Zijn trein was iets te vroeg binnengekomen en Marty was nog nooit van zijn leven op tijd geweest. Eusden wisselde tien pond voor euro's bij het grenswisselkantoor van Western Union naast het café, bestelde een koffie en ging aan een van de tafeltjes aan de voorkant zitten.

Tien minuten later begon hij zich licht zorgen te maken. Marty was niet gezond. Het was gemakkelijk je voor te stellen dat hem iets noodlottigs was overkomen. Eusden besloot op het aankomst-scherm te zoeken naar treinen uit Amsterdam.

Hij was net opgestaan uit zijn stoel, toen er een man met een koffiekopje in zijn hand het café uit kwam lopen en naast zijn tafeltje bleef staan: een lange man van middelbare leeftijd met brede schouders in een donker pak en een stijlvolle flessengroene overjas. Hij had een ingevallen gezicht met een scherpe neus onder een grijze spuuglok. Achter zijn goudgerande bril glinsterden licht-blauwe ogen. Hij stond Eusden, zo te zien doelbewust, in de weg.

'Neemt u me niet kwalijk,' zei hij in een beschaafd Duits aan-doend accent. 'Bent u Richard Eusden?'

'Ja.'

'Mag ik bij u komen zitten?' Hij zette zijn koffiekopje op het tafeltje en stak zijn hand uit. 'Ik ben Werner Straub.' Zijn mondhoeken krulden omhoog in een uiterst flauwe glimlach. 'Een vriend van Marty.'

'O ja?'

Ze gaven elkaar een hand. Straubs handdruk was hard en koud.

'Ja. Zullen we gaan zitten?'

Ze gingen zitten. Straubs blik viel meteen op het attachékoffertje dat samen met Eusdens eigen koffertje op de stoel naast hem stond. Opeens leken het gegalm van het omroepsysteem en het geroezemoes van langslopende reizigers ver weg, alsof ze in een onzichtbare luchtbel zaten.

'Het verbaast u misschien dat ik weet wie u bent.' Straub sprak zacht, maar was goed te verstaan. 'Marty had me verteld dat zijn ex-vrouw zou komen.'

'De plannen zijn gewijzigd.'

'Dat weet ik. Ze heeft hem daarna nog gebeld.'

'Aha. Juist.' Dat was wél een verrassing. Gemma had niet gezegd dat ze van plan was Marty te bellen. Eusden zou denken dat ze liever geen tekst en uitleg had gegeven.

'Daarna belde Marty mij. Ik was al onderweg, begrijpt u.'

'Waar ís Marty?'

'Keulen. Hij is daar gisteren aangekomen vanuit Amsterdam. We hadden een afspraak.'

'En uw relatie met hem is...'

'We zijn zakenpartners, maar ook vrienden.' Straub dronk van zijn koffie. 'Nog niet zo lang als jullie, natuurlijk.'

Eusdens verbazing maakte plaats voor verwarring. Straub leek absoluut niet het type man dat bevriend zou raken met Marty, laat staan zaken met hem zou doen.

'Waarom heeft Marty u gestuurd in plaats van zelf te komen?'

'Hij voelt zich helaas niet zo goed. Een zware hoofdpijn. U weet toch van de... tumor?'

'Ja, ik heb het gehoord.'

'Zo sneu.' Nog een slok koffie. 'Dat zal u verdriet hebben gedaan.'

'Dat klopt.'

'Hij ligt te rusten in het hotel. Morgen zal hij zich wel weer beter voelen, denk ik. De hoofdpijnen... komen en gaan. Het is jammer dat u hem niet zult zien. Ik weet dat hem dat spijt.'

'Mij ook.'

'Maar er is niets aan te doen. U heeft... het artikel dat hij wil hebben meegebracht?'

'Ja.' Eusden trok het attachékoffertje op zijn schoot en was om een of andere vreemde reden blij met het excuus om het vast te pakken. 'Dit is het.'

Straub keek aandacht naar de initialen. 'CEH. Zijn grootvader, nietwaar?'

'Precies.'

'Mooi. Ik zal het van u overnemen. Dan bent u vrij om naar huis te gaan.' Straub stak glimlachend zijn hand uit. Hij leek te verwachten dat Eusden het koffertje ter plekke aan hem zou geven. Toen Eusden geen aanstalten maakte, kreeg Straubs glimlach iets verbaasds en trok hij zijn hand langzaam terug. 'Is er iets wat... je dwarszit, Richard? Ik mag toch wel Richard zeggen, hoop ik. Noem mij maar Werner. We zijn tenslotte allebei vrienden van Marty. We proberen hem allebei... te helpen.'

'Hoor eens, ik wil niet wantrouwend overkomen, maar... ik ken u niet.'

'Nee. Natuurlijk, ik begrijp het. Er is ook helemaal geen haast. Mijn trein vertrekt pas over een uur. We kunnen een beetje praten. We kunnen elkaar leren kennen.' Straub beet een stukje van het koekje dat hij bij zijn koffie had gekregen en kauwde. De nieuwsgierigheid waarmee hij Eusden ondertussen aankeek, leek vooral goedmoedig. Toen veegde hij een kruimel van zijn vingers en zei: 'Jij bent Marty's oudste vriend en ik ben waarschijnlijk zijn laatste. Jij kunt mij over zijn verleden vertellen. Ik kan jou over zijn heden vertellen.'

'Vertel maar.'

'Hij is een van die mensen die het leven van anderen... leuker maakt. Ik heb hem leren kennen in verband met een zakelijke transactie. Ik mocht hem meteen. Ik werd zijn vriend. Ik zal hem missen als hij zo snel overlijdt als de artsen zeggen.'

'Denkt u misschien dat ze ernaast zitten?'

'Nee, maar... misschien is er nog hoop. Daar hebben onze zaken ook mee te maken. Weet jij wat er in het koffertje zit, Richard?'

'Ik heb geen idee.'

'Maar je hebt zijn grootvader wel gekend.'

'Desondanks heb ik geen idee hoe het eigendom van een man die al twintig jaar dood is Marty nu kan helpen.'

'Het is, zoals zo vaak in deze wereld, een kwestie van geld.' Straub leunde voorover en ging nog zachter praten. 'Er is een arts in Zwitserland die Marty misschien soelaas kan bieden. Niet dat hij hem kan genezen, begrijp je, maar hij kan hem wel meer tijd geven. Een jaar of twee, in plaats van een paar maanden. Hij heeft een speciale kliniek in Lausanne. Die is erg exclusief. Erg duur. Marty zou het zich nooit kunnen veroorloven daarheen te gaan.'

'Hoe duur is erg duur?'

'Het gaat om enkele honderdduizenden euro's.' Straub haalde zijn schouders op. 'Vroeger gebruikten artsen bloedzuigers. Nu zuigen ze het geld van je bankrekening. Dat noemen ze vooruitgang, nietwaar?'

'Wilt u zeggen dat... wat er in dit koffertje zit enkele honderdduizenden euro's waard is?'

'Voor de juiste koper wel, en zo'n koper heb ik gevonden. Dat is mijn werk. Ik breng eigenaars en verzamelaars bij elkaar. Voor Marty heb ik harder onderhandeld dan ik voor de meeste klanten zou doen. Met resultaat. Zodra ik het artikel heb overgedragen en het geld in ontvangst heb genomen, kan Marty naar Lausanne. Ik reken geen commissie, Richard. We moeten onze vriend de beste behandeling gunnen. Vind je niet?'

'Natuurlijk.' Eusden keek naar het koffertje, naar het gebarsten leer, de roestige vergrendelingen. 'Het is alleen... moeilijk te geloven dat Clem zoiets kostbaars bezat.'

'De waarde wordt bepaald door wat iemand ervoor wil betalen.'

'En wat is het... Werner?' Eusdens lippen vormden een glimlach. 'Wat is het voor... artikel?'

Straub grimaste. 'Ik wou dat ik je vraag kon beantwoorden. Marty heeft echter gezegd... dat je het niet mag weten.'

'Waarom niet?'

Weer een grimas. 'Ik denk dat het een andere versie is van je eerdere vraag. Dat zou je aan Marty moeten vragen, niet aan mij. Ik ben slechts zijn... vertegenwoordiger.'

'Waarom doe ik dat niet gewoon? Geef me zijn nummer maar, dan bel ik hem meteen op.'

'Hij zei dat hij een pil in zou nemen en ging slapen om van zijn hoofdpijn af te komen. We kunnen hem beter niet storen. Hij zal zijn telefoon sowieso wel hebben uitgezet.'

'Mag ik zijn nummer niet hebben?'

'Het zou geen zin hebben, Richard. Hij zou niet opnemen.'

'Dat brengt me in een lastig parket, Werner. Ik heb je nog nooit eerder gezien. Uit je verhaal maak ik op dat dit koffertje erg belangrijk is voor Marty. Je vraagt me feitelijk om het over te dragen aan een vreemde, zonder enige garantie dat het ooit op de juiste bestemming aankomt.'

'Je vertrouwt me niet.' Straub fronste teleurgesteld zijn wenkbrauwen. 'Dat vind ik erg vervelend.'

'Het spijt me, maar het is niet anders.' Eusden probeerde kalmer over te komen dan hij zich voelde. Misschien vertelde Straub de waarheid. Misschien ook niet. Eusden had zo weinig harde feiten om op af te gaan, dat hij het onmogelijk kon beoordelen. Eén ding wist hij echter zeker: onder de gegeven omstandigheden kon hij het koffertje niet aan Straub geven. Hun ontmoeting zou niet tot een overdracht leiden. Gelukkig bevonden ze zich op een openbare plaats. Eusden kon elk moment opstaan en weglopen, met het koffertje.

'Misschien moet je Marty toch maar opbellen.'

'Ja, misschien wel.'

'Sta mij toe.' Straub haalde een telefoon uit zijn zak, toetste een nummer in en gaf deze aan Eusden.

Nadat de telefoon verscheidene malen was overgegaan, meldde een geautomatiseerde stem dat het gesprek niet kon worden aangenomen. Eusden sprak geen boodschap in. Hij keek naar Straub. 'Voicemail.'

'Ik heb je gewaarschuwd.'

'Geef me het nummer van het hotel.'

'Misschien heeft hij doorgegeven dat hij niet wil worden gebeld.'

'Dat risico neem ik.'

'Goed dan.' Straub noemde het nummer. Eusden toetste het in. Er werd meteen opgenomen. 'Hotel Ernst.'

'Ik wil graag een van uw gasten spreken,' zei Eusden. 'Marty Hewitson.'

'Uw naam, alstublieft.'

'Richard Eusden.'

'Moment, graag.'

'Ze verbinden me door,' zei Eusden tegen Straub. Zijn gezicht verried geen enkele reactie.

Hij moest even wachten. Toen kwam de receptioniste weer aan de lijn. 'Er wordt niet opgenomen in de kamer van meneer Hewitson.'

'Is hij er wel?'

'Dat weet ik niet. Wilt u een boodschap achterlaten?'

'Ja. Vraag hem mij terug te bellen.' Eusden gaf zijn mobiele nummer. 'Heeft u dat?'

De receptioniste herhaalde het nummer en vroeg: 'Kan ik nog iets anders voor u doen?'

'Misschien.' Eusden dacht een secondelang na en zei: 'Heeft u nog kamers voor vannacht?'

'Vannacht? Ik zal even kijken.' Een korte stilte. 'Ja, we hebben nog kamers beschikbaar.'

'Mooi.' Nu reageerde Straub wel, zij het zeer subtiel. Hij trok zijn wenkbrauwen iets op. 'Dan wil ik graag een kamer reserveren.'

De reservering was snel gemaakt. Eusden verbrak de verbinding en gaf de telefoon terug aan Straub.

'Reis je mee naar Keulen, Richard?' vroeg hij.

'Wat kan ik anders doen? Als ik Marty niet kan spreken.'

'Hij heeft vrij zware medicijnen. Waarschijnlijk wordt hij niet wakker als de telefoon overgaat.'

'Of hij is zó opgeknapt dat hij een wandeling is gaan maken.'

'Niet waarschijnlijk.'

'We komen er vanzelf wel achter als we er zijn, nietwaar?'

'Ja, dat klopt.' Straub glimlachte. 'Ik zal natuurlijk graag samen met je reizen.' Zijn glimlach werd breder. 'Zo, dat is geregeld.'

'Ja.' Een dure regeling, dacht Eusden. De kosten van de treinreis naar Keulen, 250 euro voor een kamer in Hotel Ernst; nóg een niet-geplande vrije dag: Het was moeilijk om Marty deze plotselinge invloed op zijn leven niet kwalijk te nemen.

'Ik denk dat ik nog een kopje koffie neem,' zei Straub. 'Wil jij ook?'

'Nee, bedankt.'

'Zo terug.'

Hij stond op en liep met zijn lege kopje in de hand naar de toonbank. Terwijl hij in de rij ging staan, haalde Eusden zijn telefoon tevoorschijn om Gemma's nummer te bellen.

'Hallo.' Eusden vloekte binnensmonds. Hij had Monica aan de lijn. Althans, hij nam aan dat het Monica was, al hadden ze elkaar nog nooit gesproken. Ze had precies het soort irritant opgewekte stem dat hij zich bij haar had voorgesteld.

'Is Gemma er?'

'Spreek ik met Richard?'

'Ja.' Weer een ingeslikte vloek.

'Hai. Met Monica.'

'Natuurlijk. Hallo. Luister...'

'Gemma staat net onder de douche. Londen is maar een vieze stad, vind je niet? Ach, misschien merk je dat niet als je hier woont, maar...'

'Heeft zij net met Marty gebeld?'

'Pardon?'

'*Heeft zij net met Marty gebeld?*'

'Dat weet ik niet, Richard.' Eusden vroeg zich af of haar gebruik van zijn naam zo irritant bedoeld was als het op hem overkwam. 'Is het belangrijk?'

'Heel belangrijk.'

'Nou, dan zal ik haar wel vragen of ze je terugbelt.'

'Oké. Ze heeft mijn nummer.' Eusden keek naar Straub. Hij stond nu vooraan en het leek erop dat zijn koffie werd gezet. Tijdens het wachten stond Straub zelf ook te bellen. 'Wat spookt die slijmbal nu weer uit?' mompelde Eusden.

'Wat zei je?' vroeg Monica.

'Niets. Sorry.' Opeens voelde hij niets voor het idee dat Gemma hem tijdens zijn treinreis zou bellen, terwijl Straub hem als een sfinx aan zat te kijken. 'Bij nader inzien, zeg maar tegen Gemma dat ik haar nog wel bel.'

'Wanneer wil je dat doen? We zitten om vijf uur in de bioscoop. Ben jij naar *Notes on a Scandal* geweest, Richard?'

'Wát?'

'Niets, laat maar. Ik wou alleen maar zeggen dat het misschien beter is als je wacht met bellen totdat je weer thuis bent.'

'Totdat ik thuis ben.' Straub had zijn telefoon dichtgeklapt en rekende zijn koffie af. 'Ja, dat is een geweldig idee.'

KÖLN

6

Avec Thalys, découvrez le plaisir de voyager à votre rythme en Europe. Zo luidde de wervende tekst in het dienstrooster dat Eusden bij zijn treinkaartje naar Keulen had gekregen. Plezier en eigen tempo lagen helaas ver buiten zijn bereik. Hij zou al heel blij geweest zijn met geruststelling en logica, maar die waren evenmin te vinden. Terwijl de Thalys zich pijlsnel in oostelijke richting door de late middag en vroege avond boorde, probeerde hij zijn reisgenoot te doorgronden – vergeefs.

Het was net zo gemakkelijk om Werner Straub inlichtingen te ontfutselen als om een paling vast te pakken. De man wist elke vraag te pareren met een wedervraag. Ondanks zijn pogingen om zo min mogelijk los te laten twijfelde Eusden er niet aan dat Straub aan het einde van hun reis meer van hém te weten was gekomen, vooral over Clem Hewitson, dan hij over zichzelf had verteld.

Ook de boodschap die Gemma op zijn telefoon had ingesproken, had zijn problemen niet verminderd. Omdat hij had geraden dat ze toch zelf zou proberen hem te bellen, had hij zijn telefoon op de voicemail gezet en tijdens een bezoek aan het toilet had hij gekeken of er berichten waren. Ja hoor, ze had gebeld, al schoot hij er weinig mee op.

'*Wat is er aan de hand, Richard? Monica zei dat je gespannen overkwam. Het spijt me dat ik je niet heb verteld dat ik Marty zou bellen om hem te vertellen dat jij in mijn plaats zou komen. Ik heb het vrij impulsief besloten. Ik heb hem trouwens niet zelf gesproken, maar dat zal hij je zelf al wel hebben verteld. Hij heeft mijn boodschap toch wel gekregen, hoop ik? O ja, natuurlijk, anders zou jij er niets van weten. Je zult nu wel op de terugweg zijn. Bel me even als je thuiskomt.*'

In Keulen was het ijskoud. Ze liepen het station uit en staken een winderig plein over waar de imposante kathedraal hoog boven uittorende. Volgens Straub was Hotel Ernst maar een klein stukje lopen en daar was Eusden blij om.

Het hotel zag er net zo chic uit als de kamerprijzen impliceerden. Het geschitter van de foyer deed vermoeden dat alle luxe hem zou compenseren voor het ongemak van zijn aanwezigheid in Keulen. Marty beknibbelde duidelijk niet op zijn onkosten. Maar ja, bedacht Eusden, zijn vriend had nog maar weinig toekomst over om zich zorgen om te maken.

'Ik zal meteen even naar boven gaan om te zien hoe het met Marty is.' Straub duwde hem met zachte hand bij de balie vandaan. 'Wacht jij maar in de bar, Richard.'

'Ik kan net zo goed alvast inchecken.'

'Doe dat later maar. Als Marty zich beter voelt, wil hij je natuurlijk meteen zien.' Straub glimlachte. 'Waarschijnlijk wil hij je een borrel aanbieden.'

Na hun verbale steekspelletjes in de trein was Eusden te moe om tegen te stribbelen. Bovendien kon hij wel een borrel gebruiken. Hij liep naar de bar, terwijl Straub in de richting van de liften liep.

In vijf minuten tijd maakte Eusden korte metten met een dubbele gin-tonic, die hij op de rekening van Marty's kamer wilde laten zetten. De bar was schaars verlicht en ingericht met houten panelen, de sfeer was rustgevend. Hij begon na te denken over een gepast scherpe begroeting voor zijn vriend. Toen liep Straub naar binnen, in zijn eentje.

'Hoe is het met hem?' vroeg Eusden toen Straub naast hem ging zitten.

Straub schonk hem een raadselachtig glimlachje. 'Ik heb geen idee.'

'Hoe bedoel je?'

'Marty is er niet, Richard.'

'Is er niet? Bedoel je dat... hij de deur uit is gegaan?'

'Niet helemaal.' De ober kwam bij hun tafeltje staan. Straub bestelde een drankje, richtte vervolgens zijn aandacht weer op Eusden en mompelde vertrouwelijk: 'Ik zal je de situatie uitleggen, Richard, maar ik moet je wel verzoeken om kalm – en rustig – te blijven. Marty's welzijn is ervan afhankelijk.'

'Wát?'

'Ik meen het.' Straubs indringende blik liet daar geen twijfel over bestaan. 'Je moet verstandig zijn. Marty's leven hangt ervan af. Begrijp je me?'

'Nee, ik begrijp het niet. Wat wil je in godsnaam...'

'*Kalm en rustig.*' Straub leunde met zijn ellebogen op het tafeltje en zette zijn vingers tegen elkaar. Hij hield zijn hoofd enigszins schuin en keek Eusden aan. 'Ben je dat?' Aan de vraag lag een dreigement ten grondslag dat nog dreigender leek doordat het impliciet bleef – en op zachte toon werd uitgesproken.

'Ik luister,' zei Eusden op vlakke toon.

'Mooi. Nu...' Straub stokte toen zijn drankje werd neergezet: bloedrode Campari. In een geladen stilte schikte de ober onderzettertjes en gratis nootjes. Vervolgens gleed hij weg. Straub praatte verder. 'Marty is gisteren niet naar Keulen gekomen, Richard. Ik ben hier alleen heen gereisd. Ik heb onder zijn naam een kamer genomen. Ik heb zijn telefoon meegenomen. Zo kwam ik erachter dat jij hem in Brussel opwachtte.'

'Hoe heb...'

'Alsjeblieft.' Straub gebaarde hem driftig te zwijgen. 'We hebben niet veel tijd. Ik zal je alles vertellen wat je moet weten. Marty is in Hamburg. Hij zit opgesloten in het appartement van mijn moeder. Ik heb hem vastgebonden aan een stoel en zijn mond dicht geplakt. Hij zit daar nu,' Straub keek op zijn horloge, 'al bijna vierentwintig uur. Mijn moeder is op vakantie, snap je. Ze komt pas medio volgende week thuis. Daardoor kan niemand Marty redden van dood door uitdroging.'

'Je... maakt zeker een grapje.'

'Nee. Jij kunt hem redden, Richard. Je bent zelfs de énige die hem kan redden. Ik heb een sleutel in mijn zak die past op een bagagekluisje op het centraal station van Hamburg. In het kluisje ligt een bos sleutels voor het appartement, met een label. Op dat label staat het adres. Om tien over negen vertrekt er een trein naar Hamburg. Deze komt vannacht om kwart over één aan. Je kunt die trein maar beter nemen. Als je vriendschap met Marty iets voor je betekent, zúl je die trein ook nemen. Natuurlijk wil ik wel iets terug voor die sleutel, namelijk het attachékoffertje.' Straub leunde achterover en hief zijn glas. 'Proost.' Hij nam een slokje.

Eusden staarde hem aan, kon een moment lang geen antwoord formuleren. Die man moest toch gek zijn om zo ver te gaan? Maar misschien was hij niet zo ver gegaan. Er bestond een kans dat dit een truc was om Eusden over te halen het koffertje af te staan. Maar waarom? Wat kon er in het koffertje zitten om dit te rechtvaardigen?

'Misschien geloof je me niet.' Straub leek met griezelig gemak zijn gedachten te lezen. 'Als dat zo is, heb je hier misschien iets aan.' Hij haalde zijn telefoon tevoorschijn, drukte op een paar toetsen en hield het omhoog zodat Eusden het scherm kon zien. 'Een gevangen beeld dat alle twijfel zal wegnemen.'

Eusden tuurde naar het scherm. Hij zag Marty, ouder en magerder dan hij zich hem herinnerde, maar evengoed direct herkenbaar aan zijn bos krullen en zijn geprononceerde voorhoofd. Hij droeg een spijkerbroek, sweatshirt en sportschoenen en zat op een rechte houten stoel. Zijn enkels waren aan de stoelpoten vastgebonden, zijn schouders waren naar achteren getrokken en zijn polsen waren achter hem vastgebonden. Hij zag een glimmende vlek waar zijn mond was bedekt met een stuk breed plakband. Van de rugleuning zag hij een strakgespannen koord buiten beeld verdwijnen naar een ankerpunt. De achtergrond deed denken aan het interieur van een huis. De tijdsaanduiding eronder gaf aan dat de foto gisteravond was gemaakt: *22:32, 04.02.07.*

Straub stopte de telefoon terug in zijn jasje. 'Het koffertje, Richard. Ik moet het hebben.'

'Dit zal niet ongestraft blijven.'

'Ik denk toch van wel. Marty wil vast niet dat je naar de politie gaat. Neem dat maar van mij aan. Of nog beter, vraag het Marty als je hem ziet.'

'Hij is ziek. Dat weet je. Hoe moet hij dit in godsnaam doorstaan?'

'Ga erheen en je weet het.'

'Jij bent een kille klootzak, hè?'

Zo te zien vond Straub de beschuldiging wel vleiend. 'Het koffertje, Richard. Ik wil het nu graag hebben.'

Eusden aarzelde even, maar het eenvoudige, onverteerbare feit was dat hij geen keus had. Hij tilde het attachékoffertje op en reikte het aan.

'Dank je.' Straub legde het plat voor zich op het tafeltje. Uit zijn zak haalde hij een kleine sleutel waarmee hij de sloten openmaakte. Toen hij het deksel omhoog deed, kon Eusden niets van de inhoud zien. Hij hoorde het geluid van paperassen die werden doorzocht. Vervolgens knikte Straub fronsend. 'Mooi,' zei hij. Hij deed de koffer dicht en sloot deze af. Hij glimlachte. 'Uitstekend zelfs.'

'Heb jij je... verzamelstuk?'

'Ja.'

'Ik hoop dat je het al je smerige trucs waard vindt.'

'Dat lijdt geen twijfel.' Straub graaide in een andere zak. Toen hij zijn hand over tafel uitstrekte en opende, zag Eusden een andere sleutel in zijn handpalm liggen, groter en grover dan het sleuteltje waarmee hij de koffer open had gemaakt. 'Kluis nummer drieenveertig, Richard. Volgens mij wordt het tijd dat je gaat. Je moet die trein halen. Na vijfenveertig uur halen ze die kluisjes leeg. Ik heb het vanochtend om acht uur in gebruik genomen. Het is dus zaak dat je er morgenochtend voor acht uur bent. De trein van tien over negen is de laatste van vandaag. Die moet je halen. Ik stel voor dat je richting station gaat. Nu.'

HAMBURG

7

Achteraf begreep Eusden niet goed hoe hij de vier uur durende treinreis naar Hamburg had volgehouden. De trein was oud, traag en vies, de route een grauwe tocht door donkere industriesteden en stukken platteland. De meeste passagiers leken even blij om aan boord te zijn als hij. Ze reisden, net als hij, omdat er niets anders op zat.

Eusden was ernstig in de verleiding gekomen om Gemma deelgenoot te maken van zijn zorgen om Marty en de woede die hij voelde, omdat hij in deze positie was gebracht. Gemma kon echter niets doen; ze zou zich alleen maar zorgen gaan maken. Het was uiteindelijk niet haar schuld dat Straub voor een van hen beiden een val had gezet. Eusden vermoedde dat het mogelijk wel gedeeltelijk Marty's schuld was, en hij was van plan die verdenking uit te spreken zodra hij zeker wist dat zijn vriend ongedeerd was. Tot die tijd kon hij niets anders doen dan uitkijken over de verduisterde Noord-Duitse Laagvlakte en zijn frustratie onderdrukken.

Op Centraal Station Hamburg was het niet druk om kwart over één 's nachts, en een verdovende kou maakte zich meester van de holle lege ruimten. Eusden, uitgeput van slapeloosheid en zorgen, ging zo snel als hij kon op zoek naar de bagagekluisjes en maakte nummer drieënveertig open.

De sleutels lagen erin, zoals Straub had beloofd. Met label en al. Het adres dat er in grote blokletters op was geschreven, zei hem niets. Hij kon alleen maar hopen dat een taxichauffeur het zou kunnen vinden.

De nacht was stil en ijskoud. Hij stapte in de taxi die vooraan stond in een rijtje min of meer dezelfde roomwitte Mercedessen en toonde de chauffeur het adreslabel. De man wierp er een blik op en knikte. Meteen daarna reden ze weg.

Na een rit van tien minuten door een verlaten stadscentrum waren ze op de plaats van bestemming: Brunnengasse, een tot voetgangersgebied verheven verbinding tussen de hoofdweg en een zijstraat met woonhuizen. Er stonden bescheiden, maar keurige appartementenblokken die waren opgeleukt met bloembakken voor de ramen en stofdoekbalkonnetjes. Het huisnummer op het adreslabel was zes: één deur gaf toegang tot twaalf appartementen, elk uitgerust met elektronische deurbellen, intercom en brievenbussen naast de ingang. Er was echter geen manier om erachter te komen welk appartement van Straubs moeder was.

Eusden maakte de voordeur open en begon de namen naast de huisdeuren van de appartementen te lezen. Pas op de derde verdieping vond hij wat hij zocht: FRAU B. STRAUB. Hij belde aan. Er werd niet op gereageerd. Hij probeerde het opnieuw en drukte zijn oor tegen de deur. Hoorde hij daar een gedempte kreun? Misschien. Misschien ook niet. Hij deed de deur van het slot en duwde deze open.

De foto op Straubs telefoon had hem een idee gegeven van wat hij te zien zou krijgen, maar in feite zag hij maar heel weinig. Het was donker in het appartement; slechts een deel van het tapijt voor hem werd verlicht door het amberkleurige schijnsel van een straatlantaarn. Opnieuw hoorde hij een zacht gekreun dat blijkbaar uit dezelfde kamer kwam. Eusden zocht naar het lichtknopje en klikte het aan. Er gebeurde niets.

Opnieuw klonk er gekreun. Luider deze keer. Hij liep naar de amberkleurige lichtvlek en betrad aan de verschillende bultige schaduwen te zien de zitkamer. Een paar ramen keken uit op de appartementen ertegenover. Toen zijn ogen aan het duister waren gewend, bleek één schaduw een figuur te zijn die op de grond lag. Het was Marty. Hij had op een bepaald moment zijn stoel omgegooid, maar zat er nog steeds aan vast. Hij was op zijn linkerzij gevallen.

'Ik ben het, Marty.' Eusden boog zich over hem heen. Hij rook de scherpe geur van oud zweet en urine. Marty boog zijn hoofd en draaide met zijn ogen. 'Wacht even.' Eusden trok voorzichtig aan het rechteruiteinde van het plakband en trok het zo voorzichtig mogelijk los.

'Blij je te zien, Coningsby,' fluisterde Marty hees. Dat hij Eusden aansprak bij zijn bijnaam uit hun studententijd was bemoedigend. Het was een verwijzing naar zijn zogenaamde afstamming van de achttiende-eeuwse hofdichter Laurence Eusden, ooit dominee van Coningsby, in Lincolnshire. Ze waren er op een zaterdag vanuit Cambridge heen gereden, om in de voetsporen van de dichter te treden. Het enige wat ervan terechtkwam, was dat ze in de dorpspub zo dronken waren geworden dat ze er hadden moeten overnachten voordat ze terug konden rijden. 'Niet dat... ik je kan zien.'

'De lichten doen het niet.'

'Werner heeft de hoofdschakelaar uitgezet. Gelukkig wordt dit blok centraal verwarmd, anders was ik doodgevroren. De groepenkast hangt in de kast in de hal.'

'Oké. Momentje.'

Eusden liep terug naar de hal en deed de kastdeur open. Nadat hij een strijkplank tegen zich aan had gekregen, vonden zijn vingers de groepenkast. Hij zette alle schakelaars omhoog, waarna de plafondlampen in de hal en de zitkamer begonnen te branden. Snel liep hij terug.

Het was een grimmig tafereel. Marty lag er als een zielig gekneveld hoopje mens bij, op de plek waar hij was gevallen. Hij was aanzienlijk grijzer dan de laatste keer dat ze elkaar hadden gezien. En magerder. Hij zag eruit als een oude man, maar klonk nog steeds als de jongere versie van zichzelf die Eusden zich herinnerde. 'Als je nog steeds zo goed bent in knopen losmaken als bij de padvinders, gaat het sneller als je een mes uit de keuken haalt.' Een hoofdbeweging wees Eusden in de juiste richting.

Net als de zitkamer was de keuken ouderwets ingericht. Frau Straub leek niet gediend van moderne fratsen. In een van de laden

53

ontdekte Eusden wel verschillende joekels van messen. Hij koos wat hem het scherpste leek.

'Wees in godsnaam voorzichtig,' zei Marty schor toen Eusden aanstalten maakte hem los te snijden. 'Ik wil niet doodbloeden nadat ik vierentwintig uur lang vastgebonden en gekneveld in dit hellegat heb doorgebracht.'

'Ik bén voorzichtig. Kijk maar.' Hij sneed Marty's polsen los en begon aan de touwen om zijn enkels. Toen die ook los waren, trok hij de stoel weg. Hij keek toe terwijl Marty zich langzaam naar voren liet rollen. Marty kreunde en zijn gezicht vertrok van de pijn toen hij langzaam zijn armen en benen strekte.

'Hoe voel je je?'

'O, gewéldig, dank je.' Marty hapte naar adem toen het bloed naar zijn afgeknelde ledematen terugstroomde. 'Hoe voel ik me? Hoe dénk je dat ik me voel?'

'Sorry.'

'Maakt niet uit. Je bent tenslotte gekomen. Wat had ik anders moeten doen?'

'Waar gaat dit over, Marty?'

'Heeft Werner je dan niets verteld?'

'Weinig.'

'Hm. Dat ligt voor de hand.' Marty hoestte en ging rechtop zitten, leunend tegen de stoel. 'Zou je... een glaasje water voor me willen halen?'

'Natuurlijk. Daar had ik zelf aan moeten denken.'

Eusden vulde een glas met water uit de kraan. Marty dronk het in één keer leeg en hield het glas omhoog om het bij te laten vullen. 'Nooit geweten dat Duits kraanwater zo lekker kon zijn.'

'Je kunt beter niet te snel te veel drinken.'

'Goed, zuster. Ik zal het volgende glas heel langzaam leegdrinken.' Marty liet zijn hand langs het touw glijden waarmee de stoel nog aan de radiatorpijp vastzat. 'Daarna ga ik proberen op te staan.'

Eusden liet het glas opnieuw vollopen. Gehoorzaam dronk Marty het deze keer langzaam leeg; zijn hand trilde terwijl hij het vasthield. Hij schonk Eusden een bedroefd lachje. 'Het spijt me dat ik er zo'n stinkboel van heb gemaakt, Richard.'

'Zit daar maar niet over in.' Eusden ging in een fauteuil zitten. 'We maken wel weer schoon schip.'

'Gemma heeft je zeker overgehaald om voor haar in de plaats te gaan?'

'Klopt.'

'Had ik al verwacht.'

'Echt waar?'

'Ik kan haar lezen als een boek. Jou ook, trouwens. Ik neem aan dat je Werner het attachékoffertje hebt gegeven.'

'Ik heb het hem niet zozeer gegéven. Het was zijn prijs voor dit adres en de sleutels. Ik had weinig keus.'

'Je had hem kunnen vertellen dat hij de pot op kon. Ik ben stervende, Richard. Heeft Gemma het daar niet over gehad?'

'Daar heeft ze het inderdaad over gehad.'

'Mijn leven redden is dus hooguit van tijdelijke aard.' Marty hief een trillende hand. 'Begrijp me niet verkeerd. Ik ben blij dat je er bent. Heb je gezien wat er in het koffertje zat?'

'Nee.'

'Maar Werner heeft het opengemaakt waar je bij zat?'

'Ja. Hij was er erg tevreden mee.'

'Dat wil ik geloven. Was hij alleen?'

'Ja. Wie had er verder nog moeten zijn?'

'Toen we hier zondagnacht aankwamen, wachtte ons een zware jongen op. Ziek of niet, als we met z'n tweeën waren geweest, had ik het misschien van Werner kunnen winnen. Misschien had hij die vent speciaal voor de gelegenheid ingehuurd. Je mag blij zijn dat hij jou niet ook nog in elkaar heeft geslagen. Waarschijnlijk vertrouwde hij erop dat wie van jullie ook kwam opdagen, Gemma of jij, mee zou werken. Het was een makkie voor Werner.'

'We moeten aangifte doen bij de politie, Marty. Jij bent gegijzeld, verdomme. En ik ben beroofd.'

'Laat toch zitten.'

'*Laat zitten?*'

'Ik bedoel dat ik niet naar de politie kan. Werner weet dat.'
Marty dronk nog wat water. Toen zette hij zich schrap tegen de stoel en ging moeizaam rechtop staan.

'Voorzichtig.'

Eusden stond al naast hem, maar Marty gebaarde dat hij hem moest laten begaan en glimlachte koppig toen het hem lukte overeind te blijven.

'Wat is er gebeurd nadat je het koffertje had overhandigd?' vroeg hij, terwijl hij over zijn stoppelige kin streek.

'Toen heb ik de trein hierheen genomen.'

'Ik wist niet dat er vanuit Brussel rechtstreekse treinen reden.'

'We waren al in Keulen. We zijn samen op gereisd. Straub beweerde dat jij in Hotel Ernst op ons zat te wachten. Daar begon hij over zijn... leveringsvoorwaarden.'

'Keulen? Ach, dat is natuurlijk ook wel logisch. Een uur van Frankfurt Airport met de hogesnelheidstrein. Hij zal er wel vroeg zijn.'

'Denk je dat hij het land uit wil?'

'Nee. Hij heeft een afspraak met iemand die daar vanuit de Verenigde Staten aankomt. Iemand met wie we samen een afspraak hadden. Het ziet ernaar uit dat ik... geen zaken meer met hen doe.'

'Wát voor zaken, Marty?'

'Dat wil je niet weten.'

'Na zo'n dag als vandaag wel.'

'Weet je dat zeker?'

Eusden knikte met nadruk. 'Héél zeker.'

'Oké. Weet je wat, ik ga even douchen. Het water zal wel koud zijn, maar dan stink ik tenminste niet meer zo. Je hebt zeker niet toevallig schone kleren meegebracht?'

'Ik was op weg naar kantoor.'

'Dat had ik al aan je kleren kunnen afleiden. Maakt niet uit. Misschien heeft Werners moeder nog niet alle kleren van zijn vader weggedaan. Misschien wil jij daarnaar kijken terwijl ik een douche neem. Kijk dan ook of die ouwe bes nog iets te eten in de koelkast heeft laten liggen toen ze voor twee weken naar de zon verdween.' Marty liep wankelend door de kamer. 'Als ik schoon ben en niet meer zo'n honger heb, zal ik je vertellen wat je denkt dat je wilt weten.'

8

Marty's verwachtingen over Frau Straubs behoudzucht bleken te kloppen. In de grootste slaapkamer stond een kast vol pakken, overhemden, truien en broeken die zo uit de mode waren dat ze niet eens meer voor retro door konden gaan. Eusden haalde de minst gedateerde kledingstukken eruit en legde ze op het bed. Toen liep hij naar de keuken. Daar was aanzienlijk minder te halen: een paar tarwecrackers in een blikje, een in cellofaan verpakt stukje emmentalerkaas en enkele flesjes Löwenbräu. Hij trok een van de biertjes voor zichzelf open en liep terug naar de zitkamer.

Toen hij naar binnen liep, begon de telefoon te rinkelen. Aangezien het inmiddels vijf voor half drie was, leek het hem niet waarschijnlijk dat de zus van Frau Straub vanuit Stuttgart belde. Misschien was het een verkeerd nummer. Al met al hoopte hij van wel.

Na tien tot twaalf keer overgaan bleef het even stil. Toen werd er opnieuw gebeld. Hij nam op.

'Hallo?'

'Kijk in de brievenbus.'

'Wat? Wie...'

Maar de verbinding was al verbroken. Eusden legde neer en keek uit het raam de nacht in. Toen liep hij naar het lichtknopje en deed het licht uit. Het werd stikdonker in de kamer. Hij liep naar het raam en keek de straat in. Er was niets te zien. Na enig geworstel met de dievenklauwen lukte het hem het raam open te krijgen. Hij leunde voorover om meer te kunnen zien, maar er was helemaal niets te zien.

In de badkamer was de douche nog steeds aan. Marty kon de telefoon niet hebben gehoord. Eusden overlegde met zichzelf wat hij moest doen. De boodschap kon zijn bedoeld om hem of Marty naar buiten te lokken; anderzijds zou Straub vast niet zijn enige sleutelbos hebben afgestaan. Als zijn 'zware jongen' had gebeld, kon deze waarschijnlijk zelf binnenkomen. Bovendien had hij Eusden bij aankomst al kunnen opwachten als hij dat had gewild. Op een gegeven moment zouden ze toch moeten gaan. Eusden liep naar de deur.

Tegen de tijd dat hij beneden was, was zijn zelfvertrouwen aanzienlijk geslonken. Door het raam naast de voordeur zag hij alleen het lege stuk trottoir dat werd verlicht door de lamp boven de deur. Daarachter verdween alles in fluwelige schaduwen. Hij haalde een paar keer diep adem om te kalmeren. Eigenlijk hoorde hij thuis te zijn, in Chiswick, in diepe slaap verzonken na een weinig inspannende dag in Whitehall. In plaats daarvan was hij in Hamburg en gedroeg hij zich als een spion uit de koude oorlog die midden in de nacht een geheim pakje ophaalde.

Uiteindelijk werd hij zijn eigen zorgelijkheid zat en trok hij de deur wijd open. Op straat was er geen beweging te bespeuren. Er doemde geen schaduw in menselijke gedaante op. De brievenbussen waren maar een paar passen verder. Hij nam aan dat het kleinste sleuteltje aan de bos op het slot op Frau Straubs bus zou passen en dat was ook zo.

In de brievenbus lag een royaal gevulde bruine envelop. Hij haalde deze eruit, deed de brievenbus dicht en ging weer naar binnen. Er stond geen naam of adres op de envelop. Deze was duidelijk niet per post bezorgd. Ook was de envelop niet dichtgeplakt. Eusden trok de envelop open. Tot zijn verbazing zat er een dikke stapel bankbiljetten in. Het bovenste was een biljet van 100 euro. Net als de volgende. Hij hapte naar adem, schoof de envelop in zijn zak en rende naar boven.

'Waar heb jij in hemelsnaam uitgehangen?' wilde Marty weten toen Eusden het appartement binnen wandelde. 'Ik kom onder de douche vandaan en jij bent ineens verdwenen.' Hij zag er bizar uit in een wit overhemd, een trui met pied-de-poule-motief en een tweedbroek die zo'n vijf centimeter boven zijn sportschoenen ophield. Hij had een flesje bier in zijn ene hand en een homp kaas in zijn andere.

Zijn haar was nog nat en hij had een handdoek om zijn nek hangen om de druppels op te vangen. 'Bovendien heb je de lampen uitgedaan. Probeer je me soms de stuipen op het lijf te jagen?'

'De telefoon ging. Om een speciale bestelling te melden.' Eusden haalde de envelop uit zijn zak. 'Die ben ik net gaan ophalen.'

'Wat zit erin?'

'Geld. Zo te zien is het nogal veel.' Eusden liet de envelop op de salontafel vallen. 'Kijk zelf maar.'

Marty ging in de fauteuil zitten en zette het flesje bier op tafel. Hij propte het stuk kaas in zijn mond en schrokte het naar binnen terwijl hij de stapel bankbiljetten in een waaier uitvouwde en toen telde. 'Nondedju,' zei hij toen hij klaar was. 'Dat is tienduizend euro. Wat zei de beller?'

'Alleen "Kijk in de brievenbus." Verder niets.'

'Het moet van Werner zijn.'

'Denk je?'

'Verder is niemand me een cent verschuldigd, Richard. Dit is mijn vergoeding. Een schijntje vergeleken bij de winst die hij hoopt te maken. Maar genoeg, zo heeft hij ongetwijfeld uitgerekend, om me ervan te overtuigen het op te geven en naar huis te gaan.'

'En doe je dat?'

Marty nam een slok bier en leunde achterover in de stoel. 'Het zou de tijd die ik nog heb een stuk aangenamer maken. Het zou bovendien mijn huisbaas erg blij maken.'

'Maar het zou niet genoeg zijn om de rekening van die Zwitserse specialist te betalen, hè? Niet van...' Eusden zweeg. Het onbegrip op Marty's gezicht maakte hem duidelijk wat hij al had moeten raden. 'Er bestaat geen kliniek in Lausanne die een revolutionaire behandeling biedt, zeker?'

'Ben bang van niet. Leuk bedacht, maar... nee.'

'Straub zei dat je het geld dat je zou verdienen door de inhoud van het koffertje te verkopen daarvoor nodig had.'

'Wel zo goed dat hij heeft gelogen. Aangezien dit al het geld is waar ik op kan rekenen.'

'Bedoel je dat je er genoegen mee neemt?'

'Dat zou wel verstandig zijn, denk ik. Wat hij me hier heeft laten doorstaan was het zuur. Dit is het zoet.'

'Laat je Straub dan zomaar zijn gang gaan?'

'Ga zitten, Richard. Je ziet er opeens erg vastberaden uit. Zo ken ik je niet.'

Eusden ging zitten. 'Je zou alles uitleggen, Marty.'

'Ja, weet ik, maar met dit geld... wordt alles anders.'

'Hoe anders?'

'In de zin dat ik niet met lege handen weg hoef te gaan. Een dodelijke ziekte verandert je kijk op het leven, neem dat maar van mij aan. Nu kan ik zelf twee weken naar de zon, en nog heel wat langer ook.'

'Is dat genoeg?'

'Wat wil je dat ik zeg? Diep in mijn hart ben ik altijd al een hedonist geweest. Het heeft geen zin om je alles te vertellen als we er niets aan gaan doen.'

'Wé?'

'Ik kan niet alleen verder, dat is zeker. Al met al kunnen we er het beste meteen een punt achter zetten. Haal hier maar genoeg uit voor een vliegticket terug naar Londen. Dan zit je woensdag weer achter je bureau. Als je dan je koffie drinkt, die vers is gezet door je voluptueuze secretaresse, zul je blij zijn dat je excursie naar Hamburg alleen maar een kortdurende, nare herinnering was. Als je er over een paar weken zin in hebt, kun je naar Amsterdam komen en dan geven we een deel van Werners poen uit aan een kroegentocht.'

'Je lijkt te zijn vergeten dat je me het grootste deel van dit bedrag nog verschuldigd bent voor die borgsom.'

'Au.' Marty's gezichtsuitdrukking deed vermoeden dat hij het echt was vergeten. 'Oké. Eerlijk is eerlijk. Jij hebt er recht op, dat is niet te betwisten. Pak wat je wilt. Zit over mij maar niet in. Arm sterven stelt niks voor.'

'Het geld kan me niet schelen, Marty. Ik ben alleen geïnteresseerd in de waarheid. Je denkt toch niet dat je me zo kunt afkappen, hè?'

'Waarom niet? Je zult me niet opnieuw vastbinden, wel?'

'Ik heb Clem bijna net zo goed gekend als jij. Wat had hij in zijn bezit dat die engbek van een Straub voor een smak geld zou kunnen verkopen?'

'Een flinke smak, waarschijnlijk.' Marty glimlachte wrang. 'Sorry. Het is écht het beste als ik je niets vertel.'

'Hoe heb je Straub leren kennen?'

'Onze onderzoeksrichtingen... overlapten.'

'Onderzoek naar wat?'

Marty's glimlach werd bijna krampachtig. Hij gaf geen antwoord.

'Clem is een keer naar Hamburg geweest, hè?'

'O ja?'

'Dat weet je best. In de trein, op weg hierheen, herinnerde ik me dat hij erover heeft verteld. Een van zijn missies voor de geheime dienst, een tijdje na de oorlog. We dachten altijd dat hij die verhalen verzon, maar waarschijnlijk heeft hij die reis naar Hamburg echt gemaakt.'

'Waarschijnlijk? Hoe waar is waarschijnlijk?'

'Zeg dan maar dat het niet waar is.'

Marty antwoordde niet. Zijn glimlach kreeg nu iets wazigs.

'Waarom ben je hier zondagavond heen gekomen?'

'Werner zei dat hij hier iets had wat me zou interesseren. Hij loog, uiteraard.'

'Maar waarom trapte jij erin?'

'Ik ben goed van vertrouwen.'

'Toe nou, Marty. Jij dacht dat het waar kon zijn. Waarom? Iets wat met Straubs vader te maken had, misschien? Wat deed hij voor zijn beroep?'

'Journalist. Werkte voor de plaatselijke krant. Het *Hamburger Abendblatt*.'

'Toen Clem hier was?'

'Waarschijnlijk. Als hij hier echt is geweest.'

'Wat zat er in het koffertje?'

'Jij geeft het niet op, hè?'

'Nee, dat klopt.'

'O, god.' Marty wreef zich over zijn gezicht en nam nog een slok bier. Hij keek Eusden lange tijd aandachtig aan. 'Als je hierbij betrokken raakt, krijg je er geheid spijt van, weet je, echt waar.'

'Ik bén er al bij betrokken.'

'Nee. Je bent erdoor beïnvloed. Je bent er niet bij betrokken. Er is een groot verschil. Ik zit niet achter het snelle geld aan, zoals Werner lijkt te denken. Ik ben op zoek naar... zingeving, denk ik. Toen de arts me vertelde dat het einde oefening was, ging ik nadenken over hoe ik de weinige tijd die ik nog heb moet besteden. Gewoon lekker zo doorgaan in Amsterdam. Of... iets anders. Toen herinnerde ik me Clems attachékoffertje.' (Marty had zijn grootvader altijd Clem genoemd, zodat hij eerder overkwam als een oude vriend dan als een familielid.) 'Toen hij overleed, kwam het koffertje bij tante Lily terecht. Toen ik er eindelijk aan toe kwam haar op te zoeken, zei ze dat ik het moest meenemen. Ze dacht dat ik wel iets met de inhoud zou kunnen doen. Ik heb de papieren doorgenomen, maar kon er geen chocola van maken. Daarom... vroeg ik haar om het koffertje voor me te bewaren. Ze draaide het op slot en gaf het sleuteltje aan mij. Volgens mij vermoedde ze wel dat het... belangrijk was. Op dat moment begreep ik niet hoe het belangrijk kon zijn, maar nu wel. Net als Werner.'

'Wat zat er dan in?'

'Dat is een lang verhaal en ik ben hondsmoe. We kunnen geen van beiden helder denken. Met jouw hulp zou ik misschien achter de waarheid kunnen komen, zelfs zonder koffertje. Ik weet het nog niet zeker. Het zou wel betekenen dat Buitenlandse Zaken het enige tijd zonder jou moet stellen. Je zou een... belofte moeten doen. Dus slaap er maar een nachtje over. Er staat een eenpersoonsbed in de logeerkamer. Omdat ik ziek ben, mag ik in het grote bed van moeder Straub. Laten we een paar uurtjes pitten. Als je er morgen nog zo over denkt, zal ik je alles vertellen.' Marty trok een vermoeide grijns. 'Tot in het kleinste, ongelooflijke detail.'

9

Eusden schrok wakker. Er was een nieuwe dag aangebroken, grijs en niet van harte. Het stoffige licht maakte de anonieme inrichting zichtbaar van een kamer die hij niet direct herkende. Even zou hij niet eens hebben geweten waar hij was. Toen stroomde de vloedgolf van gebeurtenissen van de dag ervoor terug in zijn bewustzijn. De stilte om hem heen werd meteen oorverdovend.

Hij kleedde zich snel aan, terwijl hij Marty's naam riep, maar kreeg geen antwoord. Het appartement was maar klein. Binnen luttele seconden had hij vastgesteld dat hij alleen was.

Toen zag hij dat de envelop vol geld nog op de salontafel in de zitkamer lag. Als Marty er al geld uit had gehaald, was het niet veel. Was dat, vroeg Eusden zich af, zijn idee van een eerbaar afscheid? Een schuld afgelost, maar een geheim bewaard. Hij kon alleen herhalen wat hij had gezegd toen zijn vriend zijn borgtocht had verbeurd. 'Marty, wat ben je toch een klootzak.'

'Dat is nog eens aardig,' zei Marty, die net binnenkwam toen Eusden hem stijf vloekte. 'Met "Goeiemorgen" zou ik al heel tevreden zijn geweest.' Hij droeg een parka en had een weekendtas in één hand. Hoe bleek, mager en ongeschoren hij ook was, hij zag er bijzonder opgewekt uit en at een zoute krakeling. 'Je dacht toch niet dat ik hem was gesmeerd?'

'Dat zou niet voor het eerst zijn,' zei Eusden defensief.

'Een reputatie is een zware last.' Marty hing zijn jas op en slenterde de zitkamer in.

'Waar zat je dan?'

'In het hotel waar ik gisterochtend had moeten vertrekken. Werner had mijn rekening betaald, de schat, en gevraagd of ze mijn spullen wilden inpakken en bewaren totdat ze werden opgehaald. Als jij nu eens koffie gaat zetten, trek ik mijn eigen kleren

64

aan. Na het ontbijt mag je mijn tandenborstel gebruiken. Is dat nou niet aardig?'

Toen Marty vijf minuten later de keuken binnen liep in een schoon sweatshirt en dito spijkerbroek, stond er een mok koffie op hem te wachten. Gretig trok hij het cellofaan van een pakje Camelsigaretten. 'Kijk niet zo afkeurend,' zei hij, toen hij Eusden zag huiveren. 'Weinig kans dat ik aan longkanker overlijd, niet-waar?' Hij gaf zichzelf een vuurtje, ging aan de keukentafel met formicablad zitten en nam een slok koffie. 'Waarom ruik ik geen gebakken spek?'

'Omdat er geen spek in huis is. Het ontbijtmenu bestaat uit cornflakes – zonder melk.'

'Oké. We gaan wel ergens ontbijten. In de tussentijd...'

'In de tussentijd heb jij het nodige te vertellen.' Eusden ging tegenover Marty zitten en zwaaide overdreven met zijn handen om de rook te verdrijven, terwijl hij op zijn koffie blies.

'Betekent dat dat je meedoet?'

'Dat zal dan wel.'

'Daar neem ik geen genoegen mee, Richard.'

'Wat moet ik je dan toezeggen?'

'Bel je werk en zeg dat je de rest van de week vrij neemt. Drin-gende persoonlijke omstandigheden. Bijzonder verlof. Je parkiet is van zijn stokje gevallen, of verzin maar wat. Zeg tegen BZ dat ze de boom in kunnen.'

'Er is vast nog niemand op kantoor; het is daar een uur vroe-ger, weet je wel.'

'Spreek dan een bericht in. Nog beter. Dan hoef je niets uit te leggen.'

'Uiteindelijk zal ik het wél uit moeten leggen.' Ergens diep in Eusdens bewustzijn was hij bezig aan een reeks berekeningen. Hij moest erachter komen wat Clem Hewitsons geheim was. Hij kende zichzelf goed genoeg om te weten dat het hem lang, mis-schien wel de rest van zijn leven, dwars zou zitten als hem dat niet lukte. Zijn eigen verleden was te sterk verbonden met zijn herinneringen aan de oude man om gewoon weg te kunnen lopen. Hij was zich er ook van bewust dat een deel van hem de intrige en onzekerheid van de afgelopen vierentwintig uur erg opwindend had gevonden. Hij had in maanden – zo niet jaren – niet meer zo intens geleefd. Benepen terugsluipen naar zijn bureau in Whitehall was echt geen optie. 'Oké. Ik zal ze bellen.' Hij stond op en wilde naar de logeerkamer lopen. Mijn telefoon zit in mijn tas.'

'Nee.' Marty greep zijn arm toen hij langsliep. 'Gebruik de vaste telefoon.'

'Wat?'

'Ik meen het. Zet je mobiele telefoon uit en laat hem uit. We mogen van nu af aan niet op te sporen zijn.'

Eusden keek zijn vriend ongelovig aan 'Toe nou, Marty. Het kan niet..'

'Ja, dat is het wel.'

'Ik hoop dat je een goed verhaal hebt.'

'Dat mag je zelf beoordelen.'

'Lorraine, met Richard. Ik ben bang dat ik je opnieuw moet vragen mij te verontschuldigen. Ik zit met een... familiecrisis. Ik blijf tot het einde van de week weg. Ik heb nog vrije dagen genoeg, dus lijkt het me op zich geen probleem. Ik bel je wel als ik wat meer duidelijkheid heb. Tot kijk.' Eusden legde de hoorn op de haak en liep terug naar de keuken. 'Geregeld,' zei hij.

'Vrije dagen genoeg? Doe je dan nooit leuke dingen?'

'Kunnen we ter zake komen?'

'Nou, nee. Ik wil hier zo snel mogelijk weg. Ik heb al veel te lang naar die donkerbruine muren gekeken. Laten we inpakken en wegwezen. Er is een café om de hoek dat net opening toen ik in de taxi langsreed. Daar kunnen we ontbijten. Ze zullen er vast betere koffie hebben dan wat jij net uit een potje hebt geschraapt.'

'Wanneer houd je op me aan het lijntje te houden, Marty?'

'Als ik mijn eerste sigaret na het ontbijt opsteek. Als jij een beetje opschiet, zal dat niet lang duren.'

Eusden waste en schoor zich in rap tempo. Als puntje bij paaltje kwam, had hij net zo weinig zin om in het appartement te blijven hangen als Marty. Ze namen niet de moeite om achter zich op te ruimen. ('Dat is Werners probleem,' stelde Marty. 'Hij heeft nog ruim een week voordat *Muttie* terugkomt van Majorca.') Ze gooiden de deur achter zich dicht en liepen weg zonder nog één blik achterom te werpen, waarbij ze nadrukkelijk de blik ontweken van een buurvrouw die haar hond uitliet.

Na een paar minuten lopen, kwamen ze op een groot met klinkers bestraat plein. Café Sizilien bevond zich op een hoek. Verscheidene Hamburgers op weg naar hun werk zochten troost bij koffie en croissants. De ochtend was zo koud dat enige versterking wel op haar plaats was. Marty bestelde twee gekookte eieren en at verscheidene broodjes met dik boter en jam. Eusden deed met hem mee, verbaasd over hoeveel trek hij had. De koffie, zoals Marty al had beloofd, was een grote verbetering vergeleken bij Frau Straubs oploskoffie.

'Geen spoor van Werners zware jongen,' zei Marty, die de klanten vanaf hun tafeltje bij het raam bestudeerde terwijl hij frambozen-jam van zijn vingers likte. 'Hij gokt erop dat ik er met het geld vandoor ga.'

'In plaats daarvan... pik je gewoon het geld in.'

'Jij krijgt je aandeel heus wel.'

'Dat bedoelde ik niet.'

'Nee, dat zal ook wel niet. Sorry.' Marty stak zijn tweede Camel van die dag op. 'Goed, waar zal ik beginnen?'

'Bij het begin bijvoorbeeld.'

'Gemakkelijker gezegd dan gedaan. Maar ik zal het proberen.' Marty haalde zijn portefeuille tevoorschijn en viste er iets kleins en duns uit. Hij legde het voor Eusden neer. 'Wat maak jij hiervan?'

Het was een gedeelte van een envelop waar twee postzegels op waren geplakt. Op de kleinste stond het hoofd van een koning onder het woord DANMARK. Op de grootste stond een ploeger die met moeite zijn paard in bedwang hield op het moment dat er een vliegtuig over kwam. Onder de ploeger stonden de woorden DANMARK LUFTPOST. Over beide postzegels was één stempel gedrukt: KØBENHAVN LUFTPOST 17.5.27.

'Wat moet ik ervan maken?' vroeg Eusden.

'Deens, toch?'

'Duidelijk.'

'Een postzegel ter waarde van 25 øre van koning Christiaan X met een luchtposttoeslag van 25 øre. Uit mijn vaders postzegelverzameling. Ik heb er pas na zijn dood naar gekeken. Ik bedoel maar, filatelie? Ik weet wel wat leukers. De vraag is waar hij ze vandaan had.'

'Geen flauw idee.'

'Jawel, dat heb je wel. Van wie zou een schooljochie dat postzegels verzamelt zoiets bietsen?'

'Van zijn vader?'

'Precies. Clem.'

'Clem heeft dus post uit Denemarken gekregen.'

'Ja, en hij moet de brief bewaard hebben, want in 1927 was mijn vader nog maar zes. Hij ging pas zo'n beetje vanaf zijn twaalfde postzegels verzamelen.'

'Oké. Maar...'

'Wist jij dat Clem Deens sprak?'

'Wat?'

'Nou ja, *sprak* is misschien wat overdreven, maar hij kon het in elk geval wel lezen.'

'Dat meen je niet.'

'Ja, wel. Jij vroeg me wat er in het attachékoffertje zit. Het antwoord luidt: een verzameling brieven, die in de loop van de jaren twintig en dertig van de twintigste eeuw aan Clem zijn geschreven. In het Deens. Dat verklaart ook waarom ik er geen chocola van kon maken toen ik door de inhoud van het koffertje spitte.'

'Wie had de brieven geschreven?'

'Iemand die Hakon Nydahl heette. Kapitein – ofwel *Kaptajn* – Nydahl, zoals hij zijn brieven ondertekende. Kun jij je herinneren dat Clem die naam ooit heeft genoemd?'

'Nee.'

'Ik ook niet. En Kopenhagen? Heeft hij ooit toegegeven dat hij daarnaartoe is gegaan?'

'Dat weet ik niet precies. Er waren niet veel Europese steden waar hij naar eigen zeggen níet is geweest.'

'Dat is waar, maar we weten dat hij correspondeerde met iemand uit Kopenhagen, dus ligt het wel voor de hand, hè? Als je wilt weten waaróver ze correspondeerden, moet je het een Deense vertaler vragen. Waarschijnlijk probeert Werner er momenteel net één in te huren.'

'Waarom is het zo belangrijk?'

'Aha, die vraag brengt ons op Werners vader: Otto Straub. Dankzij hem weten we dat Clem in het voorjaar van 1960 naar Hamburg kwam. Ik kan me niet herinneren dat ik mijn ouders daar ooit over heb horen praten. Misschien heeft hij gewoon niet verteld waar hij naartoe ging, laat staat dát hij ergens naartoe ging. Toch was Clem hier. Waarom? Om te getuigen tijdens een rechtszaak waar Otto voor zijn krant over schreef. Clem liet ons geloven dat hij hier net na de oorlog kwam, als je je dat kunt herinneren, vlak voordat hij met pensioen ging. Dat was natuurlijk kolder. In 1960 was hij al drieënzeventig jaar.'

'Waar ging die rechtszaak over?'

'Anastasia.'

'Pardon?'

Marty grinnikte. 'Je hebt me wel gehoord.'

10

Anastasia. Een levende en dode legende. Eusden wist wat de geschiedenis over haar vertelde. Geboren in 1901 als vierde en jongste dochter van tsaar Nicolaas II. Vermoord door sovjetrevolutionairen in 1918, samen met haar ouders, zusjes en broertje. Hij kende eveneens de hardnekkige legende dat zij de massamoord bij Jekaterinenburg zou hebben overleefd. Een paar jaar later dook er in Berlijn een vrouw op die beweerde Anastasia te zijn; de rest van haar leven wist ze veel mensen te overtuigen dat zij Hare Keizerlijke Hoogheid Grootvorstin Anastasia Nikolajevna was, terwijl anderen, vooral nog levende familieleden van Anastasia, sceptisch bleven. De meningen waren nog steeds verdeeld toen Anna Anderson, zoals de vrouw bekend kwam te staan, in 1984 overleed. De discussie verhardde zich echter toen in de jaren negentig de stoffelijke resten van de tsarenfamilie werden opgegraven uit hun massagraf in de buurt van Jekaterinenburg en werden geïdentificeerd aan de hand van DNA-onderzoek, een test waarbij Anna Anderson postuum door de mand viel. Daarmee liepen alle boeken, films rechtszaken en samenzweringstheorieën van de voorgaande zeventig jaar stuk op genetica. De vrouw die had beweerd Anastasia te zijn, werd ontmaskerd als bedriegster.

Dit was alles wat Eusden zich herinnerde, al besefte hij dat hij de meeste details was vergeten. Hij had een boek over het onderwerp gelezen en een paar televisiedocumentaires bekeken, die beweerden het complete verhaal te brengen. Hij had door verschillende tijdschriftartikelen gebladerd die het mysterie onderzochten en ettelijke krantenartikelen doorgenomen over de verwikkelingen in de zaak. Hij kon zich goed herinneren hoe Marty en hij theorieën hadden besproken, nadat ze in Cambridge het tendentieuze boek *Het dossier Romanov* diagonaal hadden doorgelezen, al was hij de theorieën zelf vergeten. Hun interesse was gevoed door Clems luchtige bewering Anastasia – de echte Anastasia – te hebben ontmoet tijdens zijn kennismaking met de tsarenfamilie in Cowes in augustus 1909. Hij zou het keizerlijke jacht hebben bezocht om zich door de tsaar en tsarina te laten bedanken voor het verijdelen van de aanslag op hun oudste dochters Olga en Tatjana, en Anastasia had even met hem gepraat. 'Een vrijpostig meisje,' was het enige dat hij er later over zei. Ze zou toen acht jaar zijn geweest, dus misschien was het niet zo vreemd dat hij zo summier was.

Maar misschien, moest Eusden nu overwegen, was Clems afwijzende houding een rookgordijn geweest. Anders werd het lastig te verklaren waarom hij in het voorjaar van 1960 in Hamburg was om te getuigen in de civiele rechtszaak die Anna Anderson had aangespannen om te worden erkend als het enige nog levende kind van de laatste tsaar van het Russische Rijk.

'Ik had geen idee dat mijn poging uit te zoeken wie Clems mysterieuze Deense penvriend was me naar Anastasia zou leiden.' Marty stak zijn derde Camel aan met wat nog resteerde van zijn tweede. 'Ik was gewoon op zoek naar iets wat mijn gedachten kon afleiden van... nou ja, van de dood eigenlijk; mijn eigen dood, om precies te zijn. Hoe dan ook, ik ging naar Kopenhagen om informatie in te winnen over Hakon Nydahl. Hij was een Deense marineofficier die promotie maakte dankzij een aantal vertrouwelijke benoemingen door het Hof. Er is een kort stukje over hem geschreven in de Deense tegenhanger van het *Biografisch woordenboek*. Hij is geboren in 1884 en dat maakte hem een paar jaartjes ouder dan Clem. Zijn bescheiden rol in de geschiedenis speelde hij in 1920, toen de moeder van de tsaar, de oud-tsarina Maria Fjodorovna, terugkeerde naar haar geboorteland Denemarken, waar ze bekend was onder haar oorspronkelijke Deense naam, Dagmar. Toen de sovjets na de Russische Revolutie de jacht op leden van de tsarenfamilie openden, had zij op de Krim gewoond en werd ze geëvacueerd op een Brits oorlogsschip. Haar zus was de weduwe van Edward VII, koningin Alexandra. Nadat ze enige tijd bij haar had doorgebracht, vertrok Dagmar naar Kopenhagen, waar ze ging wonen in het huis in het badplaatsje Klampenborg, dat Alexandra en zij als vakantie-huis aanhielden. Koning Christiaan X, haar neef, stelde Nydahl aan als haar zaakwaarnemer. Dat is hij, plichtsgetrouw en nimmer afla-tend, gebleven totdat zij in 1928 overleed. Anna Anderson deed zich toen al publiekelijk voor als Anastasia, maar Dagmar deed haar af als een bedriegster zonder zelfs de moeite te nemen haar te ontmoeten. Over Nydahl is niet veel meer te melden, als je de offi-ciële archieven moet geloven. Hij is nooit getrouwd en overleed in 1961 op zevenenzeventigjarige leeftijd.'

'Hoe kwam hij dan in contact met Clem?' vroeg Eusden, toen er niet meteen een uitleg volgde.

'Dat heb ik me natuurlijk ook afgevraagd. Er bestaat geen voor de hand liggend verband. Toch moet dat er wel zijn geweest. Waarom zou Clem anders de moeite hebben genomen om Deens te leren?'

'Waarom zou hij dat überhaupt hebben gedaan? Een hoveling als Nydahl moet Engels hebben gesproken.'

'Misschien om reden van geheimhouding? Clem kon er zeker van zijn dat niemand in onze familie – laat staan, in Cowes – in staat zou zijn om brieven in het Deens te lezen.'

'Maar wat was er dan zo geheim aan?'

'Dat heb ik geprobeerd uit te zoeken. Eerst leverde dat helemaal niets op. Toen deed ik wat ik meteen had moeten doen: op zoek gaan naar Nydahl op internet. Op de honderden websites over Anastasia wordt hij één keer genoemd. Het is wel duidelijk dat er veel mensen in cyberspace overtuigd zijn dat zij echt Anastasia was en dat het DNA-bewijs is vervalst. Ik heb een paar voelsprieten uit-gestoken en Werner reageerde. Hij reageerde vooral op mijn naam. Hij probeerde namelijk al jarenlang uit te zoeken wie Clem Hewit-son was vanwege het artikel dat zijn vader had geschreven over Clems mysterieuze deelname aan de zaak-Anna Anderson. Blijk-baar wilden de rechters Nydahl horen over Dagmars houding ten opzichte van de eiseres. Nydahl zei dat hij te ziek was om te getuigen, maar gaf aan dat Clem hun alles kon vertellen wat ze moesten weten. Net als de meeste toeschouwers kon Otto Straub zich niet voorstellen wat deze gepensioneerde Britse politieman ermee te maken had. Ze zijn het ook nooit te weten gekomen, want toen Clem naar Hamburg kwam werd hij *in camera* gehoord. Tot op de dag van vandaag weet niemand wat hij heeft gezegd.'

Ze liepen het café uit en Marty stelde voor om naar de ringweg langs het stadscentrum te wandelen. Aan de overkant van de weg, achter een flink stuk landschappelijk verfraaid groen, stond het gerechtsgebouw van Hamburg: drie neogotische blokken met mansardedaken en moderne uitbouwen. Het uitzicht werd bemoeilijkt door mist en natte sneeuw die de gevoelstemperatuur verder omlaag bracht. Het verkeer op sneeuwbanden denderde ritmisch langs.

'Daar zijn Anna Andersons rechtszaken gehouden,' zei Marty. 'Ik neem aan dat je de precieze details van haar verhaal niet meer kent. Ik was ze in elk geval zelf vergeten. Ze stormde in 1922 de openbaarheid in en bleef de tien jaar daarna familieleden van de Romanovs lastigvallen om door hen te worden erkend. Ze liet zich onderhouden door aanhangers die oprecht in haar geloofden of anders hoopten in een later stadium van haar te kunnen profiteren. Berlijn, Parijs, New York, verschillende Duitse *Schlösser*: ze was voortdurend onderweg, wist de een te charmeren en te overtuigen, terwijl ze anderen beledigde en afstootte. Ze had ook een groot aantal lichamelijke en psychische aandoeningen en werd verschillende keren in ziekenhuizen en gestichten opgenomen. Uiteindelijk spande ze in 1938 een rechtszaak aan in Berlijn om de Duitse banktegoeden van de tsaar op te eisen. Er stond zeker nog geld van hem op Duitse bankrekeningen, mogelijk zelfs behoorlijk veel. Als ze had gewonnen, was ze ongetwijfeld met andere landen in de slag gegaan. Zo zou de Bank of England naar verluidt een flinke som gelds van de dode, maar officieel alleen vermiste tsaar in bewaring hebben.

'Dat herinner ik me nog wel,' zei Eusden. 'De vermiste miljoenen van de tsaar.'

'Ja. Nou ja, banktegoeden of luchtkastelen, we zullen het nooit weten. De zaak werd niet-ontvankelijk verklaard. Anna's advocaten gingen in beroep. Het beroep werd opgeschort, omdat de oorlog uitbrak. De verslagen van de rechtszaak kwamen in de Russische sector terecht, wat de boel hopeloos vertraagde. Uiteindelijk besloten haar advocaten de Romanovs aan te klagen om erkenning af te dwingen. Hun doelwit was een achternicht van de tsarina, Barbara, hertogin van Mecklenburg, omdat ze toevallig in Duitsland woonde. Hamburg was een voor alle partijen geschikte plaats om de rechtszaak te voeren. De zaak begon in januari 1958 en duurde, dankzij ettelijke vertragingen, opschortingen en ziekten, drie jaar. Uiteindelijk werd Anna's claim afgewezen. Haar advocaten gingen – opnieuw – in beroep. Er verstreken nog eens drie jaar voordat het beroep in behandeling werd genomen en de beroepszaak nam eveneens drie jaar in beslag. In februari 1967 werd de zaak eindelijk verworpen. Gedurende deze hele tijd had Anna als een excentrieke kluizenares in een chalet in het Zwarte Woud gewoond, met een stuk of zes honden en ruim twintig katten. Ze heeft de rechtszaal nooit betreden. Tijdens de eerste rechtszaak is een van de rechters haar gaan ondervragen – niet dat hij daarmee veel opschoot. Een jaar nadat ze de beroepszaak had verloren, is ze naar de Verenigde Staten vertrokken, waar ze trouwde met een excentrieke sympathisant die Jack Manahan heette. Hij was professor Oost-Europese geschiedenis aan de universiteit van Virginia. Ze sleet haar laatste levensjaren als mevrouw Manahan in Charlottesville, Virginia. Veel mensen, onder wie haar man, bleven geloven dat zij Anastasia was. De DNA-deskundigen vertellen ons echter dat ze in werkelijkheid Franziska Schanzkowska was, een Poolse fabrieksarbeidster die gebruikmaakte van een fysieke gelijkenis met Anastasia om zichzelf opnieuw uit te vinden als Russische prinses – met verbluffend succes.'

'Heeft Clem ooit gezegd of hij geloofde dat ze echt Anastasia was of niet?' vroeg Eusden.

'Niet dat ik me kan herinneren.'

'Denk je dat hij de rechters heeft verteld wat hij dacht?'

'Dat lijkt me wel. Als ze hem ernaar hebben gevraagd. Maar we weten niet wát ze hem hebben gevraagd.' Marty tuurde naar het rechtsgebouw. 'Laat staan wat hij heeft geantwoord.'

Ze liepen terug via de chique winkelstraten van de stad naar de Jungfernstieg, aan de oevers van Hamburgs antwoord op het Meer van Genève: de Binnenalster. Marty leidde Eusden het imposante Hotel Vier Jahreszeiten binnen voor koffie met taart. Hij probeerde nog steeds zijn gedwongen etmaal vasten te compenseren, legde hij uit, terwijl hij een kleffe punt taart naar binnen werkte. 'Bovendien,' vertelde hij, 'lieten Anna's advocaten belangrijke getuigen hier logeren. Hier likten ze hun wonden of proostten ze op kleine overwinningen. Ik weet niet of Clem hier heeft overnacht. Dat is afhankelijk van wie zijn onkosten betaalde, neem ik aan.'

'Wie zou dat kunnen zijn?' vroeg Eusden.

'Goede vraag. Volgens Werner had zijn vader gezegd dat Nydahl als getuige werd opgeroepen nadat de Deense regering het hof geen inzage had willen toestaan in een document dat bekendstaat als Dossier Zahle. Herluf Zahle was de Deense ambassadeur in Duitsland toen Anna voor het eerst opdook. Koning Christiaan droeg hem op om vast te stellen of zij echt Anastasia was. Ik vermoed dat hij probeerde te beslissen welk standpunt hij ten opzichte van zijn tante Dagmar moest innemen *als* de claim gegrond was. Hoe dan ook, Zahle leek in eerste instantie te denken dat Anna was wie ze zei. Hij betaalde al haar medische onkosten – ze leed een paar jaar aan tuberculose – en hielp haar bij verschillende gelegenheden. Hij nam pas afstand toen een Berlijnse krant een bericht plaatste over Schanzkowska, en zelfs toen maakte hij duidelijk dat hij het niet geloofde. Het dossier bevatte al zijn bescheiden met betrekking tot de zaak. Cruciaal materiaal, dat de Denen achterhielden. Wie weet waarom? Nydahl was een vriend van Zahle en door het hof aangesteld als Dagmars zaakwaarnemer. Hij moet hebben geweten wat er in het dossier stond. Vandaar de poging hem als getuige op te roepen. Hij beriep zich echter op een ziekte, wat oprecht kan zijn geweest, aangezien hij het jaar erop overleed. Clem was zijn gekozen vervanger. Op het eerste gezicht een bizarre keuze. Er moet echter ergens druk zijn uitgeoefend, om ervoor te zorgen dat hij binnenskamers is gehoord. Clem wás ongetwijfeld de beste keuze. Om redenen waar jij en ik alleen maar naar kunnen raden. Werner, daarentegen, zal die redenen wel kennen, zodra hij de brieven heeft laten vertalen. Tenzij hij stiekem een stoomcursus Deens heeft gevolgd en ze zelf kan lezen. Dat zou me niet verbazen.'

'Met wie heeft hij afgesproken op Frankfurt Airport?'

'Met een excentrieke Amerikaanse miljonair die verre familie is van Jack Manahan en bereid is een fortuin neer te tellen voor bewijs dat Jacks vrouw de enige echte Anastasia was.'

'Maar dat kan ze niet zijn geweest. Het DNA-bewijs heeft dat uitgesloten. Dat heb je net zelf gezegd.'

'O, Richard, je bent altijd al veel te deterministisch geweest.' Marty schonk hem een goedmoedig superieur glimlachje. 'Ze kan alles zijn wat mensen willen geloven dat ze was. De DNA-techniek die begin jaren negentig werd gehanteerd, is nu sowieso omstreden. Er waren te veel valse resultaten, zowel positief als negatief. Trouwens, waarom zou je op DNA-bewijs vertrouwen, waar, op een paar bollebozen in witte jassen na, niemand iets van kan begrijpen, als er harde, tastbare, *zichtbare* bewijzen zijn? Anna Anderson had niet de goede lengte, schoenmaat, oorgrootte om Franziska Schanzkowska te zijn, maar wel om Anastasia te zijn. Ze had een litteken op haar schouder op de plek waar Anastasia een moedervlek had laten verwijderen. Haar grote teen vertoonde dezelfde vergroeiing als bij Anastasia en haar zussen. Bovendien was iedereen die haar ontmoette het erover eens dat ze een aristocrate was, iets wat voor een Poolse fabrieksarbeidster geen gemakkelijke rol was. En dan hebben we het nog niet over al die dingen die zij wist en die alleen Anastasia kon weten. Tijdens de rechtszaak getuigde een grafoloog dat er geen twijfel aan was dat Anna's en Anastasia's handschrift dat van een en dezelfde persoon waren.'

'Mooi. Maar waarom hadden ze dan niet hetzelfde DNA?'

'Hoe moet ik dat weten? De opgraving van de stoffelijke resten bij Jekaterinenburg was toch al verdacht. Het is wel duidelijk dat de autoriteiten al jaren – misschien al wel sinds 1918 – hadden geweten waar ze lagen, voordat ze besloten hen op te graven. Het DNA bewees alleen maar dat ze Romanovs waren. Het was aan pathologen om uit te maken wélke Romanovs. De tsaar en zijn gezin, ongetwijfeld. Jammer genoeg lagen ze er niet allemaal. De tsarevitsj en *een* van zijn zussen ontbraken. Het is vrijwel zeker dat de jongste zus, Anastasia, er niet bij lag, ondanks pogingen van de Russen om te bewijzen dat Maria de ontbrekende zus was. Wat Anna Andersons DNA betrof, dat haalden ze uit een darmmonster dat ze vonden in het ziekenhuis in Charlottesville waar ze een paar jaar voor haar dood was geopereerd. Niemand zou kunnen aanvoeren dat dát sluitend bewijs was.'

'Wat wil je daarmee zeggen, Marty? Dat de KGB het ziekenhuis in sloop en monsters verwisselde?'

'Ik wil er helemaal niets mee zeggen. Ik ben er alleen bij betrokken geraakt, omdat...' Marty maakte zijn zin niet af. Hij kreunde en duwde één hand tegen zijn voorhoofd.

'Wat is er?'

'Niets. Ik... heb af en toe pijn.' Hij trok een gezicht. 'Blijkbaar worden ze steeds erger, naarmate de tumor groeit. Deze kan mijn gezichtsvermogen aantasten, mijn gehoor, mijn spraakvermogen. Ik kan toevallen krijgen en god mag weten wat nog meer. O, ik heb nog heel wat om naar uit te kijken.'

'Hoor eens, Marty, ik...'

'Het maakt niet uit, Richard. Het maakt echt niet uit. Ik ga dood, maar niet vandaag of morgen. Waarschijnlijk niet deze week, laat staan volgende week.'

'Maar evengoed...'

'Ja? Evengoed wát?'

'Waarom zetten we Werner en zijn gekonkel niet uit ons hoofd? Jij hebt wat geld. Waarom geef je het niet gewoon uit... aan iets leuks?'

'Het is gereserveerd.' Marty glimlachte. 'Een oude schuld aan een vriend.'

'Laat dat nou maar zitten.'

'Oké. Als je erop staat.'

'Inderdaad.'

De glimlach werd breder. 'We zullen zien. Maar Werner? Nee. Ik kan hem niet uit mijn hoofd zetten.'

'Wat kun je eraan doen?'

'Proberen een spaak in zijn wiel te steken.'

'Hoe?'

'Ik heb een idee, en als ik me goed herinner, heb jij beloofd me te helpen. Het wordt tijd om te gaan.'

'Waar gaan we heen?'

'Om te beginnen gaan we naar een warenhuis. Zoals je nu gekleed bent, kan ik niet samen met je worden gezien, Richard. Dat is slecht voor mijn imago. Bovendien neem ik aan dat je op een gegeven moment toch wel schone kleren aan wilt. Daarna gaan we naar het station. We moeten een trein halen.'

11

'Waarom Århus?' Eusden keek naar zijn treinkaartje. Marty en hij zaten naast de fruitautomaat in een kleine bar boven de perrons op Centraal Station Hamburg te lunchen met bier en bagels. Ze hadden een half uur voordat ze in de stoptrein naar Denemarken moesten stappen. De sneltrein hadden ze al gemist.

'Herinner jij je dat ze de tsaar en zijn gezin ceremonieel hebben herbegraven in Sint-Petersburg toen de pathologen en genetici eindelijk klaar met hen waren?'

'Ja.' Eusden nam maar aan dat Marty's antwoord uiteindelijk zou leiden tot een antwoord op zijn vraag.

'In de Petrus en Pauluskathedraal op 17 juli 1998: precies tachtig jaar na de massamoord in Jekaterinenburg. Tijdens de dienst noemden de priesters de overledenen niet bij hun naam, weet je. Ze noemden hen 'Christenslachtoffers van de Revolutie'. De orthodoxe Kerk heeft nooit formeel erkend dat zij een tsarenfamilie begroef. Bovendien is geen van de koninklijke families in Europa naar de begrafenis gekomen. Maar goed, in september vorig jaar hebben ze eindelijk ook Dagmar daar herbegraven. Niemand twijfelde aan haar identiteit en ze had altijd gezegd dat ze bij haar man begraven wilde worden, de vader van Nicolaas II, tsaar Alexander III. Daarom is ze opgegraven uit de kathedraal van Roskilde – waar leden van het Deense koningshuis traditioneel werden begraven – en naar Sint-Petersburg verscheept.

Tijdens de opgraving gebeurde er echter iets vreemds. Er rende een man de crypte binnen die probeerde het te verhinderen. Zijn protest stelde niet veel voor. Hij werd gearresteerd en later vrijgelaten zonder te zijn aangeklaagd. Waar zijn protest over *ging*, is nooit helemaal duidelijk geworden. Waarschijnlijk zou het helemaal nooit in de krant zijn gekomen, als de man niet een vrij bekende kunstenaar was. Althans, in Denemarken: Lars Aksden.'

'Nooit van gehoord.'

'Nee. Ik ook niet. Werner wel. Lars Aksden, zo blijkt, is een achterneef van Hakon Nydahl.'

'Echt waar?'

'Ja. Echt waar. Nydahls zus trouwde in een boerenfamilie op Jutland: de Aksdens. Lars is haar kleinzoon. Zijn oudere broer heet Tolmar Aksden. Ooit van hem gehoord?'

'Ik geloof van niet.'

'Misschien toch wel. Mjollnir, dat Scandinavische megaconcern. Scheepvaart, hout, hotels, elektronica... Valt het muntje al?'

'Oké, Marty, zo is het leuk geweest. Natuurlijk heb ik over hen gehoord. Mjollnir koopt X; Mjollnir verkoopt Y. Je kunt het financiële katern in de krant amper doorlezen zonder een kop met die strekking tegen te komen.'

'Tolmar Aksden is bestuursvoorzitter en directeur van het bedrijf. Het is van hem. Hij ís Mjollnir.'

'Dan heeft hij de capriolen van zijn broer bij Dagmars opgraving waarschijnlijk niet kunnen waarderen.'

'Waarschijnlijk niet. Al kom je daar niet achter. Die man laat niets los. Hij laat de aandelenkoers van Mjollnir voor zich spreken.'

'Dan heeft het ook geen zin hem om details over zijn oudoom te vragen.'

'Klopt. Misschien zijn andere familieleden wel wat... spraakzamer.'

'Woont er familie in Århus?'

'Nu je erover begint, ja. Zijn zus woont op de boerderij, ten zuiden van Århus. Zij en haar man leiden het bedrijf. Tolmars zoon, Michael, studeert aan de universiteit van Århus. Lars verdeelt zijn tijd tussen Kopenhagen en de boerderij. Nou ja, "boerderij" is niet het goede woord. Het is meer een hofstede. Sinds zijn escapade te Roskilde heeft hij zich blijkbaar het grootste deel van de tijd daar schuilgehouden.'

'Wat handig.'

'Het is het proberen waard, vind je niet? Werner zal de komende dagen zijn handen wel vol hebben aan de vertaling van de brieven en het onderhandelen over de prijs die hij ervoor wil hebben. We kunnen een voorsprong op hem behalen.'

'Áls Lars of een van de anderen al weet wat het geheim van hun oudoom was. En áls ze al bereid zijn om erover te praten.'

'Doe niet zo pessimistisch. Ik durf te wedden dat Lars er maar al te graag over wil praten.' Marty grijnsde. 'We moeten het gewoon beleefd vragen.'

Ze dronken hun bierglas leeg en liepen naar de trap in de richting van de perrons. Het lawaai van omroepberichten rees samen met het denderen van aankomende en vertrekkende treinen op naar het dak van het station. Hun trein stond al wel aangegeven op de borden, maar was nog niet binnen. Marty stak een sigaret op en keek leunend op de reling neer op het komen en gaan.

'Ik ben gek op stations,' merkte hij op. 'Grote stations bedoel ik, zoals dit. Iedereen gaat ergens heen. Ze komen samen en verspreiden zich vervolgens weer. Noord, zuid, oost, west. Eindeloze... mogelijkheden.'

'Hoe lang zijn we onderweg naar Århus?' vroeg Eusden.

'Pakweg zes uur.'

'Zés uur? Hadden we niet kunnen vliegen?'

'Je vergeet het grote voordeel van reizen per trein, Richard: anonimiteit. Zolang we binnen de EU blijven, hoeft niemand ons paspoort te zien. Zodra we een luchthaven binnenlopen, is het uit met de pret. Ik denk niet alleen aan mijn eigen sores, hoor. Nu werken we incognito. Daarom is de trein een slimme keus. Laat trouwens je mobiele telefoon met rust. Als je wilt bellen, kun je beter een telefooncel in stappen. Helemaal niet bellen is nog beter.'

'En Gemma dan? Moeten we haar niet...'

'Op de hoogte houden? Waarom zou je?'

'Misschien maakt ze zich zorgen.'

'Dan had ze maar mee moeten komen, vind je niet? Eerlijk gezegd ben ik blij dat ze dat niet heeft gedaan. Ik ben blij dat ze jou in haar plaats heeft gestuurd.' Marty keek Eusden aan. 'De vraag is of jij er blij mee bent.'

'Ik denk van wel.'

'Dénk je dat alleen maar?'

'Je vertelt me toch wel alles, hè, Marty?'

'Alles wat ik weet.'

'Had Otto Straub een... eigen theorie... over waar Clem en Nydahl mee bezig waren?'

'Volgens Werner dacht hij dat Clem ergens in de loop van de jaren twintig door de Britten naar Kopenhagen was gestuurd om Nydahl te helpen bij het beperken van eventuele schade naar aanleiding van Anna Andersons claim dat zij Anastasia was. De koningin-moeder, Alexandra, was tenslotte Dagmars zuster. Het zou begrijpelijk zijn als zij wilde helpen.'

'Waarom Clem?'

'Nou, in augustus 1909 was Alexandra ook in Cowes voor de regatta. Zij was toen koningin. Misschien was ze onder de indruk van hoe Clem de moordpoging verijdelde én zijn mond erover dicht hield.'

'Maar wat kon Clem – of anders Nydahl – überhaupt doen? Je zei dat Dagmar Anna Anderson afdeed als bedriegster zonder haar zelfs maar te bezoeken.'

'Heb ik dat gezegd?' Marty keek geschrokken. 'Dat is niet helemaal juist. Dat komt door de tumor. Opmerkelijk genoeg is dit een van mijn goede dagen.'

'Wil je alsjeblieft het verhaal "helemaal juist" vertellen, voordat we in Århus iedereen op stang jagen?'

'Op stok ligt meer voor de hand. Ja, goed. Maar niet nu.' Marty knikte naar een trein die het station binnen reed. 'Dat is de onze, denk ik.'

Zodra ze het station uit reden in de trein, begon Marty zijn verhaal. Een waterig zonnetje scheen door hun raam naar binnen. Marty zag er moe uit, zag Eusden. Hij had moeite zich te concentreren. Het was gemakkelijk te vergeten hoe ziek hij eigenlijk was.

'Oké, waar was ik gebleven? Dagmar. De keizerin-moeder. Niet dom, blijkbaar. Ze besefte dat als ze toegaf dat haar zoon en kleinzoon dood waren, ze uit de kibbelende neven een officiële troonopvolger moest aanwijzen, waarmee ze de Romanovs onvermijdelijk tegen elkaar zou opzetten. Ze loste het probleem op door consequent vol te houden dat de tsaar, tsarina en hun gezin nog leefden, ergens in Rusland, een handig verzinsel dat tijdens haar leven de eenheid in de familie in stand hield, maar uitsloot dat ze Anna Anderson als Anastasia zou erkennen. Toch negeerde ze haar niet bepaald. In de herfst van 1925 liet ze haar dochter Olga, die in Kopenhagen bij haar woonde, naar Berlijn reizen om Anna in het ziekenhuis op te zoeken. Olga leek ook te geloven dat het meisje Anastasia was, maar veranderde van gedachten toen ze in Kopenhagen terugkwam. Haar terugkeer viel samen met de dood van koningin Alexandra in Engeland. Als gevolg daarvan werd Dagmar depressief, iets waar ze nooit meer helemaal overheen kwam. Het is moeilijk te zeggen wat ze misschien had gedaan als ze fit en gezond was gebleven. Ze wees Anna nooit echt af als bedriegster. De zogeheten Verklaring van Kopenhagen waarin twaalf leden van de familie, onder wie Olga, Anna's bewering dat ze Anastasia was formeel van de hand wezen, werd pas opgesteld na Dagmars dood, meteen daarna zelfs.'

'Maar Olga zou toch niet hebben getekend tenzij ze geloofde dat het juist was? We hebben het hier wel over haar eigen vlees en bloed.'

'We hebben het ook over de Russische tsarenfamilie van de negentiende eeuw. Het was feitelijk een apart ras. Er bestond een enorme belemmering om Anna's claim te aanvaarden, een belemmering die Anna zelf had veroorzaakt. Daarmee bedoel ik niet haar koppige en lichtgeraakte karakter, al zal dat haar geen goed hebben gedaan, zelfs al strookte het met wat mensen zich van Anastasia herinnerden. Nee, nee, het echte probleem zat 'm in haar verhaal over hoe ze aan de massamoord was ontsnapt.'

'Ze overleden in een kogelregen in een kelder, niet waar? Hoe kon ze daar uit komen?'

'Ze zei dat ze achter haar zus Tatjana stond en buiten westen raakte toen haar zusje boven op haar viel. Ze werd wakker op een boerenkar waarop de familie Tschaikovsky, bestaande uit moeder, dochter en zoon, wegreed. De zoon, Alexander Tschaikovsky, was bewaker geweest in Jekaterinenburg. Toen hij besefte dat ze levend onder de stapel lichamen lag, had hij haar gered. Ze smokkelden haar naar Roemenië en gingen in Boekarest wonen, waar zij in december 1918, vlak voor de geboorte van een zoon, met Alexander trouwde. Terwijl ze gevangen had gezeten, was ze door een andere bewaker verkracht. Ze liet het jongetje adopteren door Alexanders zus. Daarna, toen haar man het leven liet tijdens een vechtpartij op straat, besloot ze hulp te zoeken bij haar familie en vertrok ze, samen met Alexanders broer Serge, naar Berlijn, waar haar tante, prinses Irene, woonde. Na aankomst in Berlijn verdween Serge op onverklaarbare wijze. Ze overtuigde zich van het idee dat hij was vermoord en dat zij door haar familie zou worden afgewezen. Daarom probeerde ze een einde aan haar leven te maken door in het kanaal te springen. Ze werd gered en belandde in het ziekenhuis, waarna ze met geheugenverlies naar een gesticht werd gestuurd en Fräulein Unbekannt werd genoemd – juffrouw Zonder Naam dus. Geleidelijk maakte ze duidelijk wie ze in werkelijkheid was en een medepatiënte die begin 1922 werd ontslagen, kwam met het verhaal naar buiten. Met als gevolg algehele hysterie en aanhoudende strijd.

Vergeet echter niet dat de waarheid, als het de waarheid was, voor iedere rechtgeaarde Romanov volkomen onacceptabel – intrinsiek onverdraaglijk – was. Een dochter van de tsaar kon geen kind krijgen van een ongeletterde boer die gevangenenbewaarder was geworden. Dat kón gewoon niet.'

'Maar als ze was verkracht?'

'Dat maakte niets uit. Een dochter van de tsaar die dat verhaal vertelde, was per definitie geen dochter van de tsaar. Ze had moeten doodgaan in plaats van zoveel schande te verdragen. Daarom moest Anastasia wel dood zijn.'

'Maar jij gelooft niet dat ze doodging, hè?'

'Ik weet niet wat ik moet geloven. Haar tegenstanders beschuldigden haar ervan dat ze een ambitieuze Poolse fabrieksarbeidster was, die naar Berlijn was gekomen om actrice te worden en probeerde zichzelf te verdrinken toen ze besefte dat haar droom niet zou uitkomen. Vervolgens kwam haar droom ironisch genoeg alsnog uit, dankzij de rol die ze zo handig speelde tijdens haar verblijf in het gesticht. Dat blijkt tenminste uit het DNA. Het DNA van mevrouw Manahan en dat van een achterneef van Franziska Schanzkowska komen exact overeen. Misschien wel te exact, aangezien er aanwijzingen bestaan dat de oma van deze achterneef maar een halfzus van Franziska was, wat zo'n exacte overeenkomst onmogelijk zou maken.'

'Wat bewijst dat het monster uit het ziekenhuis niet echt was.'

'Het bewijst niets, Richard. Niets bewijst iets. Ik ben de afgelopen weken echt een expert op het gebied van Anastasia geworden en het enige wat ik over deze zaak zeker weet, is dat er niets zeker is en waarschijnlijk nooit zal worden.' Marty geeuwde en strekte zijn armen achter zijn hoofd alsof het onderwerp hem verveelde. Toen begon hij te grinniken om een binnenpretje. 'Maar ik zei "waarschijnlijk". Het kan ook meezitten, nietwaar?'

ÅRHUS

12

Eusden bracht het grootste deel van de reis slapend door; zodra het ritme van de trein zich liet voelen, deden de korte, angstige uren van de nacht ervoor zich gelden. Marty sliep eveneens – de diepe slaap van een zieke man.

De middag was overgegaan in de avond toen ze naar het noorden reden, tussen vlakke, op sommige plaatsen ondergesneeuwde velden en lijkbleke stammen van zilverberken door. Toen hij tijdens een wakker moment aandachtig naar zijn vriend had zitten kijken, die in de stoel tegenover hem lag te slapen, was het Eusden opgevallen hoeveel ouder en zwakker en zieker Marty eruitzag als hij zijn fonkelende ogen niet open had, als zijn stem niet intoneerde. Zijn zoektocht was meteen ook een vlucht voor zijn eigen sterfelijkheid. In dat opzicht was de tocht gedoemd te mislukken. Hij kon hooguit zijn eigen manier kiezen om te falen. Het was een troosteloze waarheid om te bevatten, terwijl de lucht boven Jutland steeds donkerder werd.

Het zoveelste station in de zoveelste stad. In Århus was het vroeg in de avond, koud, klam en donker. Toen ze hun taxichauffeur vroegen of hij een goed hotel wist, prees hij het Royal de hemel in, op grond van het feit dat het beschikte over een casino waar hij eens een avond met winst had afgesloten. Ze gingen er niet op in.

Het Royal bleek naast een eigen roulettetafel nog andere voordelen te hebben: gerieflijke kamers en een centrale ligging naast de kathedraal in het oude stadshart. Op weg naar hun kamers in de geriatrische lift besloten ze na het uitpakken iets te gaan eten.

Eusden had zich gehouden aan Marty's verbod op het gebruik van zijn mobiele telefoon, al vond hij het een overdreven voorzorgsmaatregel. Hij wilde echter niet dat Gemma zich zorgen maakte. Hij belde haar met de vaste telefoon in zijn kamer, voelde zich heimelijk opgelucht toen noch zij, noch Monica opnam en sprak een boodschap in om haar te laten weten dat alles goed was gegaan en dat hij een paar dagen bij Marty zou blijven voordat hij weer naar huis ging. Hij had feitelijk geen woord gelogen.

Tegen de tijd dat Eusden hem weer tegenkwam bij de receptiebalie, had Marty al een deel van zijn euro's omgewisseld in Deense kronen en inlichtingen ingewonnen omtrent de plaatselijke horeca. Ze liepen naar het voetgangersgebied langs de rivier waar een aantal bars en brasseries was gevestigd en Marty selecteerde de Argentinsk Bøfhus, omdat ze er naar verluidt de grootste biefstukken buiten Buenos Aires serveerden.

'Fijn dat je in burger bent, Coningsby,' zei hij, terwijl hij zijn vork in een zeven centimeter dik lendenstuk boorde. 'Al zie je er eigenlijk nog niet sjofel genoeg uit om onopvallend met mij mee te kunnen.'

Eusden glimlachte tolerant. 'Ik koop morgenochtend wel wat tweedehands kleding als je het echt zo belangrijk vindt.'

'Te laat. Ik heb het over vannacht. Over wat we gaan doen als we deze mastodonten hebben verorberd.'

'Je hebt toch niet het waanidee opgevat om een nacht door te halen, hè, Marty? Als dat zo is, kun je mij afschrijven. Ik zou je willen aanraden om er zelf niet eens aan te beginnen.'

'Het is zakelijk, Richard, niet voor de lol. Moet je dit zien.' Marty haalde een krantenbericht uit zijn zak en vouwde het op tafel uit. Boven een Deenstalige kop stond een korrelige foto van een jong stel dat een bar uit kwam. De jonge man was lang en mager met een smal gezicht. Hij droeg een piratenbaardje en een bandana, maar was verder volgens de laatste mode uitgerust in slecht passende camouflagekleding. De houding van de jonge vrouw deed vermoeden dat ze zou vallen zodra hij zijn arm weghaalde. Zij was tenger en bleek, met blond stekeltjeshaar en grote, starende ogen; haar zwarte kleding glansde leerachtig in het flitslicht van de camera. Haar metgezel gebaarde woedend naar de fotograaf, maar zij leek zich niet bewust van wat er aan de hand was – ze leek zich helemaal nergens van bewust.

'Toen ik in Kopenhagen was, zag ik deze foto in een sensatie-krant die iemand in een café had laten liggen. Het meisje is de dochter van een acteur die veel op de Deense televisie is. Hij speelt in een langlopende politieserie. Hun eigen inspecteur Båntjer. Het gaat mij om haar vriendje. Hij is Michael Aksden. De bar waar ze uit komen, is hier in Århus. Daarom dacht ik dat we... best even konden gaan kijken.'

'Weet je waar het is?'

'De receptionist van het Royal herkende het meteen en heeft me uitgelegd hoe ik er moet komen.'

'En jij wilt er gewoon... even aanwippen?'

'Waarom niet?'

'Nou, om te beginnen zullen Michael en het meisje er waar-schijnlijk niet zijn.'

'Toe nou, Richard. Denk nou eens na. Studenten zijn gewoon-tedieren. Weet je dat niet meer? Hoe groot was de kans toen wij in Cambridge zaten, dat je jou en/of mij op een willekeurige avond aan de bar van de Champion of the Thames kon vinden?'

Eusden dacht even na en gaf toe. 'Meer dan fiftyfifty, waar-schijnlijk.'

'Precies. Zullen wij dan nu ons geluk beproeven?'

Ze liepen terug zoals ze waren gekomen, langs de kathedraal en een standbeeld van koning Christiaan X te paard. Het plein voor de kathedraal was leeg en stil. Er was amper verkeer en er liep bijna niemand. De nacht was windstil en zo koud als een grafkelder.

'Je hebt wel een aangenaam seizoen uitgekozen voor dit uit-stapje,' klaagde Eusden goedmoedig.

'Ik had wel willen wachten totdat het zomer werd,' antwoordde Marty, 'maar ik kon er niet van uitgaan dat ik er dan nog zou zijn.'

'Sorry.' Hoe vaak Eusden zich ook voorhield dat Marty dode-lijk ziek was, de werkelijkheid drong niet echt tot hem door. 'Ik maakte...'

'Het is wel goed. Gemma zei altijd dat ik te veel met de korte termijn bezig was. Dat komt nu wel goed van pas.'

Hun bestemming lag een paar huizenblokken ten noorden van de kathedraal: een smalle, drukke, rokerige bar op een hoek die er overdag grauw zou hebben uitgezien, maar waar genoeg kaarsen brandden en spiegels hingen om 's nachts een zekere spelonkachtige glamour uit te stralen. Het merendeel van de klandizie bestond uit studenten. Ze zaten voorovergebogen over waterpijpen, laptops en backgammon-spellen, Marty bestelde Belgisch bier en Eusden en hij wurmden zich in een hoek.

Michael Aksden of zijn vriendin waren niet onmiddellijk te zien, maar doordat het zicht beperkt was en de meeste klanten er hetzelfde uitzagen, duurde het een hele tijd om zeker te weten dat ze er niet waren. Marty zei koppig dat ze geduld moesten hebben. Naar studentenmaatstaven gemeten was het nog vroeg. Ze moesten volhouden. Hij voegde de rook van ettelijke Camels toe aan de dichte mist en beschreef op nostalgische toon hoeveel beter hij zich zou voelen als hij zijn toevlucht kon nemen tot meer exotische middelen dan alcohol en tabak.

'Wat houdt je tegen?' vroeg Eusden. 'Ik weet zeker dat iemand in deze tent je er wel aan kan helpen.'

'Mag niet van de dokter, Richard. Blijkbaar kan dat witte goedje toevallen opwekken. Als je weinig tijd hebt, is het verbluffend hoe verstandig je ermee wilt omgaan.'

'Weet je zeker dat het geen tijdverspilling is om hier te zitten?'

'Absoluut zeker. Sommige meisjes zijn het zeker waard langdurig te bekijken, vind je niet? En je moet wel...' Marty brak zijn zin af en wees naar de deur. 'Kijk eens wie daar binnenkomt.'

De nieuwkomer was Michael Aksden, die zo behulpzaam was dezelfde kleren te dragen als waarmee hij was gefotografeerd. Hij was alleen, en dat leek hem niet te bevallen, want hij keek fronsend en zenuwtrekkend om zich heen. Toen hij bekenden zag, stak hij nonchalant een hand op. Hij maakte echter niet direct aanstalten om bij hen te gaan zitten, maar liep rechtstreeks naar de bar. Voor-

92

dat hij een drankje had kunnen bestellen, stond Marty naast hem met Eusden op twee stappen afstand. 'Deze krijg je van mij, Michael,' zei Marty met een brede grijns. 'Wat zal het zijn?'

Michael keek hem achterdochtig en vijandig aan. 'Wie ben jij dan, man?' Hij klonk eerder Amerikaans dan Deens, iets waar hij duidelijk op had geoefend.

'Ik heet Hewitson. Marty Hewitson.'

'Moet ik je kennen?'

'Nee. Mijn achternaam komt je misschien wel bekend voor. Mijn grootvader heette Clem Hewitson. Ooit van hem gehoord?'

'Nooit.'

'Je vader waarschijnlijk wel. Of anders je oom. Die goeie ouwe Lars.'

'Ben je bevriend met Lars?'

'Niet precies,' antwoordde Eusden, wat hem een scherpe blik van Marty opleverde.

'Ik wil niet met je praten, wie je ook bent.' Michael riep zijn bestelling naar de barman en vervolgde: 'Snap je? Laat me met rust.'

'Dat is nergens goed voor, Michael,' zei Marty. 'We proberen alleen aardig te zijn.'

'Ik heb geen zin om aardig te zijn.' De barman reikte hem een flesje Tuborg Grøn aan. 'Flikker toch op.'

'Enig idee waarom Lars afgelopen herfst die stunt uithaalde in Roskilde?'

'Heb je niet gehoord wat ik zei?'

'Wij weten het misschien wél.'

Michael nam een teug uit zijn flesje en keek Marty met een ijzige blik aan. 'Je lult uit je nek, man.'

'Weet je dat wel zeker?'

Opeens werden de schaduwen om hen heen donkerder. Eusden werd zich ervan bewust dat een jonge man, lang en breed en blond genoeg om zo uit een Vikingverhaal te zijn gestapt naast Michael was komen staan. De manier waarop zijn spijkerjack zich over een wit T-shirt spande, wees op een indrukwekkende hoeveelheid spiermassa. Michael en hij wisselden enkele woorden in het Deens en wiepen Marty dreigende blikken toe.

'Wie is dit, Michael?' vroeg Marty. 'Je backgammon-partner?'

'Hij is een vriend,' antwoordde Michael. Hij sprak langzaam om nadruk op zijn woorden te leggen. 'Hij wil weten of ik problemen heb. Ik zei van niet. Omdat jij en jóuw vriend net weggaan. Toch?'

'Nou, nee. Ik lust nog wel een biertje. Jij ook, Richard?'

'Nee, dank je,' zei Eusden, met een veelbetekenende hoofdbeweging naar de deur, die op dat moment aan het zicht was onttrokken door de brede schouders van de Viking. 'Ik vind dat we maar moeten gaan.'

'Echt?'

'Absoluut.'

'Oké.' Marty grijnsde naar Michael. 'Een andere keer dan maar.'

'Flikker op, eikel.'

'Wat ben je daar nu precies mee opgeschoten?' vroeg Eusden toen ze terugliepen naar het Royal.

Marty grinnikte. 'We hoeven ons niet meer voor te stellen.'

13

De volgende ochtend werd Eusden gewekt door het aanhoudende gerinkel van de telefoon. Het eerste wat hij dacht, was dat Gemma probeerde hem te bereiken. Toen herinnerde hij zich dat hij niet had verteld waar ze waren. Tegen die tijd had hij al opgenomen.

'Hallo?'

'Meneer Eusden. Met de receptie. Wilt u een gesprek aanvaarden van een zekere meneer Burgaard?'

Doordat hij nog half sliep, kwam het niet bij hem op te weigeren. 'Oké. Verbind maar door.' Burgaard? *Wie was dat nu weer*?

'Meneer Eusden?'

'Ja.'

'Mijn naam is Karsten Burgaard.' Zijn Engels klonk minder Amerikaans dan dat van Michael Aksden, al klonk hij niet veel ouder. 'Kunnen we elkaar zien?'

'Wat?'

'Nu, bedoel ik. Ik zit in de Baresso Kaffebar. Naast de brug in Sankt Clemens Torv.'

'Wáár?'

'Vraag maar bij de balie. Het is niet ver weg.'

'Maar... wie bént u?'

'Ik hoorde wat jullie gisteravond tegen Michael Aksden... zeiden. Toen jullie terugliepen naar het hotel ben ik jullie... gevolgd.'

'U bent ons gevolgd?'

'Ja. Kom wel alleen, hè? Uw vriend is... nogal luidruchtig.'

'Ik begrijp dit niet. Wat wilt u?'

'Als u hierheen komt, leg ik het uit.'

'Wacht even. Ik...' Maar Burgaard wachtte niet. De verbinding was verbroken.

Terwijl Eusden zich waste en aankleedde, probeerde hij zijn gedachten te ordenen. Als hij Marty vertelde wat er was gebeurd, zou híj per se alleen willen gaan. Burgaard had bovendien wel gelijk: Marty kon luidruchtig zijn. Eusden was nog steeds nijdig over de nonchalante manier waarop Marty Michael Aksden tegen de haren in had gestreken. Misschien werd het tijd om hem de voordelen van diplomatie en ingetogenheid te laten merken. Hij liep het hotel uit – alleen.

Århusers waren in de bejaste en besjaalde stilte op weg naar hun werk; in de koude ochtendlucht steeg hun uitgeblazen adem als pluimen rond hun hoofd op. Eusden legde de korte afstand naar de Baresso Kaffebar in korte tijd af en zag Burgaard al aan het raam zitten voordat hij naar binnen liep.

Burgaard was een van slechts twee klanten. De andere bestelde een *latte* en een muffin voor onderweg. Tegen de tijd dat Eusden zijn koffie had afgerekend en tegenover Burgaard was gaan zitten, waren er verschillende andere klanten binnengelopen die duidelijk van plan waren hun koffie mee te nemen.

'Fijn dat u bent gekomen, meneer Eusden,' zei Burgaard met een nerveus lachje. Hij was een magere, tenger gebouwde en vroeg kalende jonge man met een rond, jongensachtig gezicht en een onzekere blik die alle kanten op schoot. Zijn nagels, zag Eusden, waren afgekloven. Hij was onopvallend gekleed in tinten bruin en grijs.

'Ach, het was inderdaad niet ver.'

'Nee. Het is maar een klein stadje.' Burgaard leek over Eusdens schouder de rij voor de toonbank te bestuderen. 'Misschien wel te klein.'

'Kom je hier vandaan?'

'Nee. Ik kom van het eiland Falster. Ik ben hierheen gekomen... voor mijn studie. Aan de universiteit.'

'Wat studeer je?'

'Economie.' Alsof hij het wilde bewijzen, had Burgaard een roze financieel dagblad opengevouwen naast zijn elleboog liggen.

'O, oké.'

'U kunt zich waarschijnlijk niet herinneren of u me gister-avond heeft gezien.'

'Nee, dat klopt.'

'De meeste mensen... zien me niet staan.'

'Hoe goed ken je Michael Aksden?'

'Beter dan hem lief is.'

'Wat studeert hij?'

'Ook economie. Michael en ik... zijn samen begonnen. Maar ik ben al afgestudeerd. Nu ben ik aan het promoveren. Michael... zwemt een beetje.' Burgaard haalde zijn schouders op. 'Het maakt niet uit hoelang je over je studie doet – of je nu afstudeert of niet – als je vader Tolmar Aksden is.' Hij draaide zijn krant om en tikte met een vinger op een kop. Eusden herkende het woord Mjollnir. 'Er staat "Aandelen Mjollnir slechten opnieuw een barrière".'

'Heb je aandelen?'

'Een paar. Niet genoeg. Ik ben ook niet geïnteresseerd in Mjoll-nir als investeerder, al zou ik dat misschien wel moeten zijn. Wat mij interesseert, is uitzoeken waarom ze het zo goed doen.'

'Het geheim van hun succes?'

'Precies.' Burgaard ging zachter praten. 'Het geheim.'

'Waarom vraag je het niet aan Michael?'

'Dat heb ik gedaan. Hij vertelt me niets. Ik denk dat hij niets weet. Ik vraag hem om een afspraak met zijn vader voor me te regelen. Niks. Ik vraag hem om een afspraak met een medewerker van zijn vader te regelen. Weer niks. Dit is voor mijn proefschrift, meneer Eusden. Ik ben hier al bijna twee jaar mee bezig. Mjollnir is... een fenomeen. Niemand begrijpt echter hoe dat kan. Ik heb het geprobeerd, maar, weet u, ze wíllen niet dat iemand het begrijpt. Tolmar Aksden geeft geen interviews. Hij geeft... helemaal niets.'

'Misschien is hij gewoon een talentvolle ondernemer.'

'Dat soort ondernemers wil altijd iedereen vertellen hoeveel talent hij heeft. Tolmar Aksden nict. Deze krant noemt hem *Den Usynlige Mand*: De Onzichtbare Man. Iedereen bewondert hem, maar niemand... vertrouwt hem.'

'O nee?'

'Nee, meneer Eusden. Net zo min als u en uw vriend. Waar ging dat gisteravond over? Meneer Hewitson had het over zijn grootvader... en over de arrestatie van Lars Aksden in Roskilde. U en meneer Hewitson... weten iets. En ik...' Burgaard trok met zijn hoofd, een lichte, maar duidelijke zenuwtic. Ze waren duidelijk in het stadium van hun bespreking gekomen waar hij zijn moed voor had verzameld. 'Ik zou graag weten wat dat is.'

Eusden nam een slok koffie om een denkpauze te maskeren, glimlachte en vroeg: 'Waarom zou ik?'

'Omdat ik weer dingen weet die u niet weet.'

'Misschien weten wij wel alles.'

'Nee. Dan zouden jullie niet hebben geprobeerd Michael uit zijn tent te lokken. Bovendien... zou u me dan vanochtend niet zijn komen opzoeken.'

'O, is dat zo?'

'Ja. Dat denk ik wel.' Burgaards logica klopte, al bracht hij zijn redeneringen met weinig zelfvertrouwen. 'Ik stel... een ruil voor.'

Opnieuw een denkpauze; opnieuw een slok. 'Stel maar voor.'

'Ik vermoed dat jullie naar Århus zijn gekomen omdat Lars hier is. Althans, hier in de buurt. Waar hij sinds het... incident... in Roskilde is. Jullie willen hem spreken, hè?'

'Misschien.'

'Ik wil mee als jullie gaan.'

'En die plaats op de eerste rang is jou... informatie waard.'

'Ja.' Burgaard knikte. 'Heel veel informatie.'

Tolmar Aksden werd in 1939 geboren op de familieboerderij, Aksdenhøj. Hij volgde een technische opleiding, maar bleef een paar jaar op de boerderij werken, voordat hij begin jaren zeventig Mjollnir opzette. Op het oog was Mjollnirs kernactiviteit het verhuren van fabrieksruimte, maar volgens Burgaard leek het vanaf het allereerste begin meer op een investeringsmaatschappij. Aksden begon leegstaand industriegebied in de omgeving van Århus op te kopen en blies het nieuw leven in met woningbouw en hightech bedrijvenparken. Hij bleef de economische trend altijd één stap voor. Eind jaren zeventig had hij een scheepswerf en een elektronicafabriek overgenomen, die allebei op sterven na dood leken, maar zich onder Mjollnir ontpopten als marktleiders op het gebied van containervervoer en microprocessors. In de jaren negentig maakte het bedrijf zijn grote sprong voorwaarts: de overname van een Zweedse hotelketen, een grote Noorse viskwekerij en een Fins houtbedrijf. Het hoofdkantoor van Mjollnir verhuisde naar Kopenhagen en zijn heerschappij als pan-Scandinavische economische krachtcentrale begon. Burgaard benadrukte het schokeffect in deze ontwikkeling. Aksden bleef zo op de achtergrond dat zijn concurrenten hem nooit zagen aankomen. Zijn vérziende blik werd benijd, zijn meedogenloosheid gevreesd. Velen vonden hem in dit opzicht beslist on-Deens, al zorgden onbekendheid met zijn ware aard en de zeldzaamheid van zijn publieke verschijningen ervoor dat kritiek plaatsmaakte voor ontzag om zijn prestaties en dat De Onzichtbare Man van de Noord-Europese zakenwereld iets mystieks kreeg.

Zijn gezinsleven was al even onopvallend. Op zijn tweeënveertigste was hij getrouwd met Pernille Madsen, een werkneemster van Mjollnir die negentien jaar jonger was dan hij. Hun enige kind, Michael, werd in 1983 geboren. Vervolgens waren ze gescheiden. Zijn zus, Elsa, was getrouwd met een landeigenaar in Jutland en kwam zelden in de stad. Zijn broer, Lars, was het zwarte schaap, die een karikaturaal beeld van zichzelf neerzette als een kunstenaar, vrouwenverslinder en politiek dier. Toen hij jong was, had hij de hippiecommune Vrijstad Christiania in Kopenhagen helpen oprichten en sindsdien had hij ijverig zijn maatschappijkritische geloofsbrieven gehandhaafd. Zo ongeveer het enige wat hij met Tolmar gemeen had, was dat ze allebei waren gescheiden.

In de Oudnoorse mythologie was Mjollnir de naam voor Thors magische hamer, een instrument dat kon vernietigen én leven kon brengen. Tolmar Aksden had zijn bedrijfsnaam goed gekozen. Hij had zich gespecialiseerd in het uitschakelen van concurrenten om vervolgens van hun mislukking een succes te maken. Daarmee was hij nog niet klaar. Al was hij achtenzestig, niets wees erop dat hij gas terugnam. De heersende opinie luidde dat hij een strategie had bedacht voor verdere groei, al wist niemand, zoals altijd bij deze man, waar en op welk gebied. Dat zou pas bekend worden als hij bereid was het te vertellen.

'Wat heb je die vent allemaal verteld?' wilde Marty weten, zodra Eusden hem had verteld wat hij van Burgaard over Tolmar Aksdens handel en wandel te weten was gekomen. Ze zaten in het restaurant van het hotel waar Eusden Marty aan het ontbijt had aangetroffen toen hij uit de koffiebar was teruggekeerd.

'Ik heb hem verteld dat ik jou hielp bij je onderzoek naar je grootvaders mysterieuze relatie met Aksdens oudoom, Hakon Nydahl. Dat was alles. Ik heb niets verteld over Anastasia – laat staan over Clems attachékoffertje.'

'Hoe reageerde hij?'

'Volgens mij vermoedde hij dat ik niet het achterste van mijn tong liet zien. Maar dat was wederzijds, en dat voelde hij ook.'

'Wat wil hij?'

'Iets om zijn analyse over het succes van Mjollnir wat jeu te geven.'

'En hij denkt dat wij hem daarbij kunnen helpen?'

'Daar wedt hij op. Van mij mag hij. Hij weet waar Lars uithangt en hij is bereid ons naar hem toe te brengen. Vandaag nog.'

'Hmm.' Marty fronste sceptisch zijn wenkbrauwen. 'Hoe kunnen we er zeker van zijn dat hij niet meer van ons profiteert dan wij van hem?'

'Daar kunnen we niet zeker van zijn. Vind je dat ik zijn aanbod had moeten laten liggen?'

'Dat zeg ik niet.'

'Wat zeg je dan wél?'

'Waarom moest hij je zo nodig alleen spreken?'

'Hij is verlegen, stil. Hij omschreef jou als "nogal luidruchtig".'

'Hoe durft-ie.'

'Ik heb hem beloofd dat jij je netjes zou gedragen als we Lars gingen opzoeken.'

'Wat bedoel je daar in godsnaam mee?'

'Ik bedoel dat je de goede man niet op stang moet jagen.'

'Alsof ik dat zou doen.'

'Het idee alleen al.'

'Goed, oké. Ik zal aardig tegen hem zijn. Vergeet echter niet,' Marty wees met zijn vork naar Eusden om zijn woorden te onderstrepen, 'ik heb de leiding.'

14

Zoals afgesproken haalde Burgaard hen om elf uur op. Hij voelde zich duidelijk niet bij Marty op zijn gemak, en dat was onmiskenbaar wederzijds. Ze reden weg in Burgaards gebutste oude Skoda, en totdat ze de stad uit waren en in zuidelijke richting reden door een ondergesneeuwd landschap van boerderijen, bossen en lege wegen, werd er niet gepraat.

'Hoeveel generaties Aksdens hebben op de boerderij gewerkt?' Eusdens vraag was net zozeer ingegeven door de behoefte om de stilte te doorbreken als door oprechte nieuwsgierigheid.

'Heel wat, geloof ik,' antwoordde Burgaard. 'Maar Aksdenhøj is nooit een rijke boerderij geweest. *Høj* betekent "heuvel". De boerderijen met namen die eindigen op *dal* hebben het beste land. Het is dus te begrijpen waarom Tolmar niet op de boerderij is gebleven.'

'Maar zijn zus is wel gebleven,' zei Marty.

'Niet echt. Ze is getrouwd met Henrik Støvring. Hij is de eigenaar van Marskedal, een van de grootste landgoederen in oostelijk Jutland.'

'Wat is er dan met Aksdenhøj gebeurd?'

'Ze zeggen dat Tolmar daar af en toe verblijft. Lars gebruikt het als atelier.'

'Gaan we daar nu heen?'

'Ja. Met een beetje mazzel vinden we Lars daar.'

Nadat ze zo'n vijftien kilometer op een hoofdweg hadden gereden, draaiden ze een smallere, kronkelende zijweg op. Moeizaam reden ze over een dikke ijslaag tussen hoge sneeuwbanken door naar glooiender, heuvelachtiger landschap. Aan één kant, aan het einde van een laan met bomen aan weerszijden, werd een groot landhuis met een vakwerkgevel en een terracotta dak zichtbaar.

'Marskedal,' meldde Burgaard. 'Mooi, hè?'

'Blijkbaar is Elsa Aksden met geld getrouwd,' zei Marty.

'Of Henrik Støvring. Ze zeggen dat Tolmar een hoop geld in het landgoed heeft gepompt.'

'Wat is het voor boerderij?'

'Varkenshouderij. Met spek ben je spekkoper.' Burgaard wees naar een eenvoudig, geblindeerd gebouw aan de andere kant van de weg. 'Daar worden waarschijnlijk honderden varkens gestald. Aksdenhøj was vroeger een schapenboerderij, maar dat leverde lang niet zoveel op.'

Een volgende afslag leidde naar een landweg langs een berkenbos dat tegen de heuvels op groeide. Aan het eind van het weggetje kwam Aksdenhøj in zicht, een vierkant van stenen gebouwen met strodaken hoog op de heuvel, beschut door het bos.

Toen Burgaard de bestrate binnenplaats op reed, toeterde hij. Er kwam rook uit de schoorsteen van een van de gebouwen. Ernaast stond een oude Volvo geparkeerd. Er was iemand thuis. Burgaard wilde hem of haar duidelijk van hun komst op de hoogte stellen.

'Hoe goed ken jij Lars?' vroeg Eusden.

'Zo goed als hij me dat toestaat,' antwoordde Burgaard nogal dubbelzinnig. Hij stopte achter de Volvo en stapte uit.

Toen Eusden uitstapte, werd hij overrompeld door de koude lucht op de heuvel. Het was hier killer dan in Århus en de sneeuw had de wereld bedekt met een deken van stilte. De boerderij zelf zag er afgesloten uit. De rokende schoorsteen stond op een van de schuren die de rest van de rechthoek vormden. Het was duidelijk dat deze niet langer als schuur in gebruik was: in het steile punt-dak waren hoge dakkapellen aangebracht; binnen brandde licht dat werd vervaagd door de condensatie op de ruiten.

Terwijl Eusden omhoog stond te kijken, ging een van de ramen open. Een man keek naar buiten; hij had grijs haar en een blozend gezicht. Hij riep iets in het Deens. Burgaard antwoordde in dezelfde taal. Een armgebaar bleek een uitnodiging in te houden om binnen te komen. Ze liepen naar de deur.

De schuur was verbouwd tot woning,verbijsterend modern in vormgeving en indeling. Een hal liep uit in een grote, goed uitgeruste keuken. Burgaard liep voor hen uit de brede trap op naar Lars Aksdens atelier.

Het atelier onder het rieten dak besloeg de lengte en breedte van de hele schuur. Een gigantische, ritmisch tikkende radiator verwarmde de lucht en versterkte de doordringende geur van olieverf en terpentine. Overal hingen of stonden schilderijen – expressionistische naakten en landschappen in heldere kleuren. Tegen de muren stonden er nog veel meer. Een deel van de etage was ingericht op ontspanning, met banken en vloerkleden, en aan het eind, achter een halfdicht gordijn stond een onopgemaakt bed. Uit een hifi-installatie die tussen de rotzooi stond, klonk zacht een stem op uit Eusdens verleden: Françoise Hardy. De muziek riep de herinnering bij hem op aan een reisje naar Parijs met Gemma en Marty in de lange hete zomer van 1976. Hij zag aan Marty's gezicht dat hij aan hetzelfde dacht. Toen zette iemand het geluid uit.

De vloerplanken kraakten toen Lars Aksden naar hen toe liep. Hij was een grote, zware kleerkast van een man, in kastanjebruine kleren vol verfstrepen, met een gezicht dat leek op een van zijn eigen portretten: met diepe groeven en vol hartstocht. Hij wisselde nog een paar woorden met Burgaard in het Deens en zijn stem was een gebroken grom; zijn onverwachte lach klonk als een luide brul.

'Karsten, wat ben jij een achterbakse klootzak.' Lars kneep in Burgaards wang alsof hij een stout kind was. 'Stel ons voor.' Burgaard nam de honneurs waar. Er werden handen geschud. Toen Lars zijn achternaam mompelde, hield hij Marty's hand iets langer vast en keek hij hem bedachtzaam aan.

'Waar kom je vandaan, Marty?'

'Engeland. Het eiland Wight. Daar komen we allebei vandaan.'

'En wat brengt je hier?'

'Familiegeschiedenis. Ik heb altijd al willen weten hoe mijn grootvader aan een Deense vriend kwam: Hakon Nydahl. Richard helpt me... bij mijn onderzoek.'

'Nou, laat ik je vertellen: dat heb ik ook altijd al willen weten.'

'Kende je Clem?' vroeg Eusden.

'Ik heb hem twee keer ontmoet. Toen ik klein was, kwam hij samen met mijn oudoom Hakon bij ons op bezoek. Toen ik al wat ouder was, is hij nog een keer alleen gekomen. Wanneer zal dat zijn geweest? Rond...'

'Voorjaar 1960?' opperde Marty.

Lars keek hem met zijn hoofd schuin fronsend aan. 'Ja. Rond die tijd.'

'We weten dat hij rond die tijd... in het buitenland was.'

'Maar ik kan je niet vertellen hoe hij mijn oudoom heeft leren kennen. Dat is mij nooit duidelijk geworden. Ook weet ik niet waarom hij hierheen kwam. Mijn grootouders verwachtten hem wel. Het was allemaal... van tevoren geregeld.'

'Je grootouders? En je ouders dan?'

'Die waren toen al dood. Mijn moeder stierf bij de geboorte van mijn zus. Mijn vader overleed tijdens een ongeluk op de boerderij. Het waren harde tijden, Marty. Heb jij ze ook meegemaakt?'

'Niet als kind.'

'Dan heb je mazzel gehad.'

'Heb je echt geen idee wat de connectie tussen Clem en je oudoom was?' vroeg Eusden.

'Idee? O, ideeën heb ik zat. Maar daar blijft het ook bij. Ideeën. Theorieën. Dromen.' En Lars leek ook werkelijk even in een droomtoestand te verkeren. Hij liep naar de ramen en bleef even naar buiten staan kijken; toen draaide hij zich snel naar hen om. 'Willen jullie iets drinken? Bier? Borrel?'

'Waarom niet?' zei Marty. Eusden kon er weinig tegen inbrengen. Iedereen koos voor bier. Lars stuurde Burgaard naar de keuken om bier te halen.

'Karsten is een slimme jongen,' vertrouwde Lars hun op zachte toon toe, terwijl hij beneden was. 'Maar hij is niet zo slim als hij zelf denkt.'

'Wie wel?' mompelde Marty bedachtzaam.

'Ja. Precies. Wie wel? Ik niet, dat is zeker. Eerst kwam Karsten bij me, omdat hij naar eigen zeggen wilde horen wat ik me van

Vrijstad Christiania herinnerde. Weet je wat ik bedoel? Ons kleine – hoewel, niet zó kleine – flowerpower-Utopia in Kopenhagen. Er is een beroemde foto – die je vaak ziet – van een paar langharige kerels die een gat in het hek rondom de leegstaande barakken maken. Dag Een van de commune, 13 november 1971. Ik ben degene wiens gezicht je niet kunt zien. Tolmar zegt altijd dat het de enige dienst is die ik hem ooit heb bewezen: dat ik die dag mijn kop heb afgewend.' Hij grijnsde.

'Je broer is een bijzondere man,' zei Eusden.

'Bijzonder succesvol, dat zeker. En mijn broer,' Lars verhief zijn stem toen Burgaard weer boven kwam, 'is de Aksden over wie mijn jonge vriend eigenlijk wil weten. Nietwaar, Karsten? Over Tolmar. Niet over Lars en zijn schilderijen, zijn vriendinnetjes en zijn drugsverhalen.'

Burgaard deelde met schaapachtige blik de flesjes rond. Glazen kwamen er blijkbaar niet aan te pas. Hij zei iets in het Deens.

'Spreek Engels,' gromde Lars. Hij hief proostend zijn flesje omhoog.

'*Skål.*' Ze proostten allemaal mee. 'Toe dan, Karsten. Vertel het hun maar.'

'Dat heb ik al gedaan.'

'Alleen genoeg om hun interesse vast te houden, zeker.'

'Ze menen te weten waarom je de ceremonie in Roskilde hebt verstoord.'

'O ja?' Lars grijnsde onverstoorbaar naar Eusden en Marty. 'Weten jullie dat?'

'We deden maar alsof, Lars,' zei Marty. 'We hebben geen flauw idee. Waarom vertel je het ons niet gewoon? Dan hebben we allemaal rust.'

'Wat kan het je schelen?'

'Hakon Nydahl was Dagmars zaakwaarnemer,' zei Eusden. 'En jij wilde niet dat ze in Rusland zou worden herbegraven. Waarom niet?'

'Dat had niets met Dagmar te maken. Ik protesteerde tegen de plannen van de regering om Christiania te sluiten. Het was nu eenmaal een gebeurtenis die veel aandacht trok. Een buitenkansje voor zo'n oude revolutionair als ik om mijn standpunt duidelijk te maken.'

'Maar je hebt je standpunt niet duidelijk gemaakt,' bracht Burgaard ertegenin. 'Toen je werd gearresteerd, heb je Christiania helemaal niet genoemd.'

'Je bedoelt dat het niet in het proces-verbaal staat. Tolmar zorgde ervoor dat ze dat onder hun pet hielden om een pijnlijke situatie te voorkomen. Hij had op dat moment een grote deal lopen.'

'De overname van Saukko,' zei Burgaard.

'Precies.'

'Dus,' zei Eusden, 'was het louter toeval dat de ceremonie met Dagmar te maken had.'

'Ja. Puur toeval.'

'Wacht eens.' Burgaard keek alsof hij door de bliksem was getroffen. 'Toeval. Ik had het moeten bedenken. De overname van Saukko.'

'Wat is Saukko?' vroeg Marty.

'Een Finse bank, die Mjollnir afgelopen herfst heeft overgenomen. Van elk ander bedrijf zou je het niet begrijpen. Banken worden overgenomen door andere banken, niet door grootindustriëlen. Tolmar Aksden weet echter altijd waar hij mee bezig is. Dat werd gezegd. Dat roepen ze altijd.'

'Misschien moet je verder je mond houden, Karsten.' Lars klonk opeens serieus.

Er viel een stilte. De sfeer in het atelier was nu gespannen, bijna elektrisch geladen. Toen de telefoon oorverdovend hard begon te rinkelen, schrok Eusden verbaasd op.

Ettelijke seconden lang maakte Lars geen aanstalten om op te nemen. Uiteindelijk sjokte hij brommend naar het zitgedeelte. De telefoon stond boven op een grote stapel kranten en tijdschriften. Hij griste de hoorn van de haak. 'Hallo?'

Terwijl hij in mompelend Deens een gesprek voerde, kroop Marty dichter naar Burgaard toe. 'Wat is nu precies dat toeval, Karsten?' vroeg hij fluisterend.

'Dat vertel ik later wel.'

'Maar denk jij dat Lars liegt over de reden voor zijn protest?'

'Hij heeft er in elk geval lang over gedaan om een verklaring te geven.'

'Brengt dit ons nu echt verder?' vroeg Eusden. Naar zijn idee waren ze er alleen maar in geslaagd nog een lid van de familie Aksden tegen zich in het harnas te jagen.

'Misschien zouden we verder komen als jullie alles vertelden wat jullie wisten,' siste Burgaard.

'Dat werkt twee kanten op,' antwoordde Marty met een humorloos lachje. 'Jij hebt duidelijk ook...' Hij maakte zijn zin niet af, omdat Lars de hoorn op de haak smeet en weer naar hen toe liep.

'Mijn zus,' meldde hij. 'Om me te waarschuwen voor twee Britten die vragen lopen te stellen. Gisteravond probeerden ze ons neefje bang te maken.'

'Wat is er zo beangstigend aan een paar vragen?' Eusden liet zijn irritatie blijken, al wist hij dat het contraproductief zou zijn.

'Heb jij familie, Richard?' vroeg Lars op felle toon.

'Ja.'

'Dan moet je het toch begrijpen. Je mag hen misschien domme knuppels vinden, maar je verdedigt hen tegen buitenstaanders. Elsa zegt dat Tolmar niet zou willen dat een van ons met jullie praat. Daar heeft ze ook groot gelijk in. Ze zegt dat ik jullie eruit moet smijten.' Hij nam een teug bier en wierp hun een halfverontschuldigende grijns toe. 'Dat zal ik dus maar doen.'

15

In een stilte die bol stond van de onuitgesproken beschuldigingen reden ze het erf van Aksdenhøj af. Eusden voelde dat Marty en Burgaard elkaars zenuwen op de proef stelden: wie van hen zou het eerst vertellen wat hij wist? Naar zijn idee maakte het weinig uit. Zonder samenwerken kwamen ze nergens.

Toen ze langs Marskedal reden, stoof er een Range Rover over de oprijlaan. Eusden bedacht, net als zijn metgezellen waarschijnlijk, dat Elsa wel zeker zou willen weten dat haar broer had gedaan wat ze hem had gevraagd. Als dat zo was, had ze zich geen zorgen hoeven maken. Lars Aksden was een uitermate efficiënte uitsmijter van onwelkome gasten.

'Gaan we nu gewoon met onze staart tussen de benen terug naar Århus?' snauwde Marty opeens.

'Nee,' antwoordde Burgaard rustig. 'Ik wil jullie eerst nog iets laten zien in het dorp verderop.'

'Je zou ons nu over dat toeval kunnen vertellen.'

'Nog niet. Eerst het plaatje, dan het praatje.'

Tasdrup was in de ban van een winterse stilte. Ondanks de mooie huizen die er stonden, wekte het dorp een onbewoonde indruk. Burgaard parkeerde naast de kerk, die klein en eenvoudig was, op de fraaie kantelen op de smalle hoge klokkentoren na. Ze stapten uit en Burgaard liep het sneeuwbedekte kerkhof op. Eusden en Marty glibberden achter hem aan; zijn voorsprong werd al snel groter.

Hij wachtte hen op aan het einde van een rij graven, waar hij de sneeuw van een grafsteen veegde.

'Lars' ouders en grootouders,' legde hij uit, met een gebaar naar het grafschrift. 'In de volgorde van hun sterfdata.'

HANNAH AKSDEN † 14.10.1947
PEDER AKSDEN † 23.3.1948
GERTRUD AKSDEN † 29.8.1963
OLUF AKSDEN † 1.9.1967

'Dat is wel verrekte beknopt,' zei Marty.

'Ja,' zei Burgaard. 'Zelfs voor lutheranen. Kijk – alleen de sterf-data; geen geboortedata, geen sterfleeftijden.'

'Nou en?'

'Dat is ongebruikelijk.'

'Misschien moesten ze per letter betalen.'

'Zit er meer achter, Karsten?' Eusden wist vrijwel zeker van wel.

'O, ja. Veel meer. Zullen we in de auto verder praten? Het is hier verrekte koud.'

Daar viel niets tegenin te brengen. Eusden ging naast Burgaard zitten. Marty nam de achterbank. Burgaard draaide zich snel om toen hij hoorde hoe Marty in zijn jaszak naar lucifers zocht. Hij had al een sigaret in zijn mond.

'Niet roken, alstublieft, meneer Hewitson. Ik ben *astmatiker*.'

'Neem me niet kwalijk.' Somber stopte Marty de sigaret terug in het pakje.

'Wat heb je ons te vertellen, Karsten?' spoorde Eusden hem aan.

'Eén ding, waar ik één ding voor terug verwacht.'

'We zullen zien,' zei Marty.

'Ik wil alle informatie die u heeft over uw grootvader.'

'Oké.' Eusden vond Marty's instemming verdacht luchtig klinken.

'Goed. Saukko Bank. Het toeval. Toen ik besefte dat Hakon Nydahl de oudoom was van Tolmar Aksden, heb ik uitgebreid onderzoek naar hem gedaan. Omdat hij voor het hof werkte, vroeg ik me af of hij... Tolmar gunsten had verleend. Daar kwam niets uit. Wel gebeurde er iets vreemds... vlak voor zijn dood. In de zomer van 1961. Hij lag toen al in het ziekenhuis. Hij kwam er nooit meer uit. Terwijl hij in het ziekenhuis lag, werd zijn huishoudster gearresteerd, omdat ze geld uit zijn appartement had gestolen. Hij had een kluis en zij kende de combinatie. De kranten berichtten over de zaak, omdat het geld dat ze stal... een zeer ongewone munteenheid was: Finse markkaa uit de jaren dertig. Ze had geprobeerd ze in te wisselen voor Deense kronen, maar de bankbiljetten waren niet langer een wettig betaalmiddel. Bovendien probeerde ze een enorm bedrag te wisselen, ter waarde van miljoenen kronen. Ze besefte niet hoeveel de bankbiljetten waard waren, of waard zouden zijn geweest. Niemand kon begrijpen waarom Nydahl al dat oude Finse geld had bewaard. Hij was te ziek om uitleg te kunnen geven. Maar tijdens de rechtszaak werd bekend dat de Finse nationale bank de serienummers op de biljetten had getraceerd Ze maakten deel uit van een uitgifte die in 1939 was geleverd aan...'

'Saukko Bank,' zei Eusden.

'Ja. Exact. Saukko. Nu eigendom van Tolmar Aksden.'

'Denk je dat hij de bank daarom heeft overgenomen?'

'Op de een of andere manier wel. Er is een verband. Ik weet alleen niet... waarmee precies. Misschien kom ik erachter... als ik alles weet over Clem Hewitson.'

'Dat is mogelijk,' zei Marty. 'Maar laten we dit afspreken. Ik verwacht vandaag een telefoontje. Ik hoop dat dat ons de ontbrekende puzzelstukjes levert in de relatie tussen Clem en Nydahl.'

'De ontbrekende puzzelstukjes?' Burgaard keek Marty over zijn schouder fronsend aan. Net als Eusden. Welk telefoontje? Zat Marty een of ander spelletje te spelen?

'Daarna kunnen we zaken doen, als je begrijpt wat ik bedoel.'

'Nee. Geef me gewoon wat je al weet.'

'Heeft geen zin. Ik wil niet het risico nemen dat ik je... onbedoeld misleid.' Marty's glimlach, ongetwijfeld geruststellend bedoeld, kwam op Eusden volstrekt onoprecht over. 'Vanavond zal alles een stuk duidelijker zijn. Dan zal ik mijn kennis graag met je delen. Trouwens, hoe zit dat nu met die grafsteen?'

Burgaards mond verstrakte. 'Denkt u misschien dat ik dom ben, meneer Hewitson?'

'Natuurlijk niet.'

'U krijgt niets meer voordat ik iets krijg.'

'Nou, nou, dat is toch nergens voor nodig.'

'O ja, zeker. U heeft me bedrogen. U heeft me informatie beloofd.'

'En die krijg je ook.' Marty leunde voorover en keek Burgaard recht aan. 'Vanavond.'

De rit terug naar Århus was een zwijgzame beproeving. Burgaard reed snel en gespannen, als een man die elk moment in woede kon uitbarsten. Eusden twijfelde er niet aan dat dit zo was. Hij was zelf ook behoorlijk nijdig. Marty hield hem net zo goed aan het lijntje als Burgaard. Dat was natuurlijk altijd al zo geweest, Marty wilde nu eenmaal altijd het slimste jongetje van de klas zijn. Terwijl ze door het Jutse landschap stoven, dacht Eusden terug aan een aantal incidenten in de loop van hun vriendschap die hem razend hadden gemaakt.

Eusden was ervan uitgegaan dat Burgaard hen bij hun hotel zou afzetten, maar toen ze de stad waren binnengekomen, zag hij dat ze op een ringweg reden die om het centrum heen leidde en het duurde niet lang voordat de campus van de universiteit rechts van hen in zicht kwam. Kort daarop stopten ze op een parkeerplaats achter een paar flatgebouwen.

'Ik verwacht jullie vanavond te zien,' zei Burgaard op vlakke toon bij het uitstappen. 'Ik zal wachten op jullie telefoontje.' Daarna begaf hij zich naar de ingang van het dichtstbijzijnde flatgebouw.

'Hoe komen wij nu terug bij het Royal?' riep Marty hem achterna.

'Neem de bus. Of ga lopen.'

'Hartelijk bedankt.'

Zonder om te kijken stak Burgaard twee vingers in de lucht. Eusden kon het hem niet kwalijk nemen. Zelfs Marty leek verder protest zinloos te vinden. Ze zagen Burgaard naar binnen gaan en hij stak een sigaret op.

'Waarom gaan we daar niet op zoek naar een restaurant? Marty knikte in de richting van de winkelstraat waar ze een paar minuten geleden waren afgeslagen. 'We voelen ons vast veel beter als we iets hebben gegeten en gedronken.'

Eusden keek hem strak aan. 'Waarom ook niet?'

Het beste wat ze op die afstand van het centrum konden vinden was een troosteloze pizzeria. Eusden hield zich in terwijl de bestelling werd doorgegeven en het bier naar hun tafeltje werd gebracht, maar gaf Marty toen de volle laag.

'Waar denk jij dat je in godsnaam mee bezig bent, om Burgaard zo af te schepen? Die arme jongen biedt aan je te helpen.'

'Het was niet te vermijden.' Marty lachte Eusden boven zijn glas Carlsberg vrolijk toe.

'Wat wil je daarmee zeggen?'

'Zoals ik hem al vertelde, wacht ik op een telefoontje.'

'Was dat waar?'

'Zeker wel.'

'Daar heb je mij anders niets over verteld.'

'Jij hebt mij ook niets verteld over je afspraakje met bolleboos Karsten totdat je terugkwam.'

'En zo moet ik dan horen over je telefoontje?'

'Ja. Ik zie het probleem niet.'

'Wie gaat jou bellen?'

'Dat hoef je nu nog niet te weten. Ik hoop op... goed nieuws. Laten we het daarop houden.'

'Je wilt het me niet vertellen?'

'Liever niet. Je mag het lot niet tarten.'

'Nou, ik wil het liever wél. Het is al erg genoeg zoals je Burgaard in het duister laat tasten. Ik word geacht je vriend te zijn.'

'Rustig maar, Richard. Niet zo tieren.'

Eusden was in de loop van hun woordenwisseling inderdaad steeds harder gaan praten. Hij zag dat de ober vanuit de keuken bezorgd hun kant uit keek. Hij probeerde zijn woede te onderdrukken.

'Jij denkt zeker dat ik Burgaard niet goed aanpak?' vroeg Marty.

'Ja. Hij zou ons meer hebben verteld als je hem er iets voor had teruggegeven.'

'Meer van hetzelfde, hoogstwaarschijnlijk. Dat verhaal over Nydahls geheime voorraad Fins geld? Oud nieuws, ben ik bang.'

'Wist jij dat al?'

'Jazeker. Het was ongeveer het enige interessante feit dat ik over de man heb opgeduikeld.'

'Wanneer zou je mij dat hebben verteld?'

'Ik dacht dat ik dat al had gedaan. Ik wilde je zelfs mijn complimenten maken over de overtuigende manier waarop jij je van de domme hield.'

'Je zei dat je niets over hem te weten was gekomen.'

'Echt waar? Sorry. Ik ben het zeker … vergeten.'

'Vergéten?'

Marty haalde zijn schouders op. 'De laatste tijd werken helaas niet al mijn synapsen even goed.'

De schaamteloze roep op medelijden was voor Eusden de laatste druppel. Hij had moeten weten dat er altijd een punt kwam waarop Marty te ver ging. Hij schudde teleurgesteld zijn hoofd en stond op.

'Waar ga je heen?'

'Stukje lopen. Ik zie je wel weer in het hotel.'

'En je pizza dan?'

'Zoals ik me nu voel, denk ik dat ik erin zou stikken.'

'Wacht nou even. Je hoeft toch...'

'Andere keer, Marty, Oké?' Eusden hield waarschuwend zijn hand omhoog. 'Wat je ook te zeggen hebt, ik wil het niet horen.'

16

Het plan was om een beetje bij de haven van Bembridge en The Duver rond te hangen voordat we in St Helens thee gingen drinken bij tante Lily. Het was een warme, windstille dag tegen het einde van augustus 1971. Het tij was buitengewoon laag – laag genoeg, dacht Marty, die beweerde de getijdentabellen te hebben bestudeerd, om over de zandbank naar St Helens Fort te lopen. Het was een van de zogeheten Palmerston's Follies, een ring van forten in zee en op land rondom Portsmouth, gebouwd om de thuisbasis van de Britse Marine te verdedigen tegen aanvallen door de Fransen. Ze waren inmiddels allemaal al jarenlang verlaten. De expeditie was onweerstaanbaar. Ze liepen er redelijk gemakkelijk naartoe, maar doordat ze vergeefs probeerden om in het fort in te breken duurde het langer voordat ze besloten terug te gaan. Pas toen gaf Marty toe dat hij eigenlijk niet precies wist wanneer het tij zou keren. Ze werden teruggedrongen door de snel opkomende vloed en mochten van geluk spreken dat ze niet waren verdronken. Uiteindelijk werden ze tegen het donker opgepikt door een langsvarend jacht.

Het was een belangrijke les op een gebied waarop Richard Eusden zeer deskundig zou worden: de intrinsieke onbetrouwbaarheid van Marty Hewitson. Marty was gul, maar betaalde zelden een schuld, tenzij je hem hielp herinneren. Hij was overal voor in, maar als het zover was, kwam hij vaak niet opdagen. Zijn stellingen of voorstellen bracht hij altijd vol zelfvertrouwen, maar het vertrouwen dat hij bij anderen wekte, was vaak nergens op gebaseerd. Hij bezat, kortom, een overvloed aan charme. Maar zelfs aan overvloed komt ooit een eind.

De irritatie die Eusden voelde toen hij langs de campus richting centrum liep, kwam hem dus maar al te bekend voor. Burgaard had Marty gevraagd of hij misschien dacht dat hij dom was, en Eusden had hem diezelfde vraag ook wel kunnen stellen. In tegenstelling tot Burgaard kende hij het antwoord al. Marty behandelde iedereen hetzelfde, of hij nu dacht dat je dom was of je als een vriend beschouwde, of allebei. Hij zou nooit veranderen. Je was pas dom als je alles geloofde wat hij je vertelde – of als je geloofde dat hij je alles had verteld.

Eusden ging een bar aan de rivier binnen, waar hij een club-sandwich at, verschillende glazen bier dronk en nadacht over wat hij moest doen. Achterdocht is een progressieve aandoening en hij was zich gaan afvragen in hoeverre Marty hem nu eigenlijk voor-loog. Hij had niet het hele verhaal kunnen verzinnen. Werner Straub was heel echt, net als Karsten Burgaard. Ze waren íets op het spoor. Maar had het nu echt te maken Anastasia? En was Marty echt op sterven na dood? Eusden begon nu overal aan te twijfelen.

Tegen de tijd dat hij naar het Royal terugliep, had hij half besloten Marty te vertellen dat hij ermee ophield en met de eerstvolgende beschikbare vlucht terugging naar Londen. Daar kreeg hij echter geen kans toe. In de foyer stond een vrouw op hem te wachten. Met haar staalgrijze haar, haar benige, verweerde gezicht en haar ietwat ouderwets aandoende combinatie van loden en tweed zag ze eruit als een welgestelde plattelandsvrouw van zestig-plus die een dagje in de stad was om te winkelen. Die indruk bleek redelijk juist, al stond winkelen niet hoog op haar agenda.

'Meneer Eusden? Ik ben Elsa Støvring. Ik wilde meneer Hewit-son spreken, maar hij is er niet.' Dat was een beetje vreemd. Eus-den had verwacht dat Marty een bus naar het centrum had geno-men en ruim voor hem in het hotel terug zou zijn. Maar, zoals hij heel goed wist, liet Marty zich door niemand de wet voorschrijven. 'Heeft u een paar minuten tijd voor me? Ik moet een van u spre-ken. Het is echt nogal dringend.'

Elsa Støvring was niet een vrouw die zich liet afschepen en dat probeerde Eusden ook niet. Ze staken het plein over naar een café voor het dringende gesprek dat zij vastbesloten was te voeren.

'Ik weet niet precies wat meneer Hewitson en u proberen te bereiken, meneer Eusden, maar u bent er in elk geval goed in geslaagd om enkele leden van mijn familie van hun stuk te brengen,' begon ze. 'Mijn broer Tolmar is erg op zichzelf en ik hoop dat u het met me eens zal zijn dat hij recht heeft op zijn privacy.'

'Voor zover ik weet, hebben wij zijn privacy niet geschonden,' zei Eusden. Hij wist niet of hij zich defensief of verzoenend moest opstellen. Hij moest dringend zijn standpunt ten opzichte van Marty bepalen, maar eerst zou hij Elsa gerust moeten stellen.

'Jullie hebben mijn neef lastiggevallen in een bar.'

'We hebben met hem gepráát.'

'Jullie hebben je opgedrongen aan mijn broer Lars.'

'We hebben hem bezocht en zijn weggegaan toen hij dat vroeg.'

'Ja, nou...' Haar autoritaire toon haperde een beetje. 'Lars weet niet altijd wat goed voor hem is.'

'Maar dat weet u ongetwijfeld wel.'

Elsa wierp hem een scherpe blik toe over de rand van haar koffiekopje. 'De wereld verandert, meneer Eusden. Tot zo'n tien jaar geleden had ik nog nooit een Let ontmoet. Nu heeft mijn man zes Letten in dienst om voor zijn varkens te zorgen. Mijn broer Tolmar heeft er waarschijnlijk nog veel meer in dienst, zowel in Letland als in Denemarken. O, ja, de wereld verandert, maar het verleden dragen we in ons mee. Dat verandert ook nooit. Ik heb mijn ouders nooit gekend. Mijn moeder is een paar dagen na mijn geboorte gestorven. Bloedvergiftiging. Vijf maanden later ging mijn vader ook dood. Hij sneed een slagader door bij een ongeluk met een *segl*. Hoe noem je dat ook alweer? Een halfrond lemmet en een handvat eraan.' Haar vinger tekende een vraagteken in de lucht, zonder de punt eronder.

'Een zeis?' opperde Eusden.

'Ja. Een zeis. Hij was een heel eind van de boerderij aan het werk. Hij bloedde dood. Bloed was dus bij hen allebei de doodsoorzaak. Ik vraag me soms af of het echt een ongeluk was. Misschien kon hij niet leven zonder mijn moeder. We zullen het nooit weten. Voordat ik zes maanden oud was, was ik wees.'

'We hebben de gedetailleerde beschrijving op de grafsteen op het kerkhof in Tasdrup gezien.'

Bij het horen van Eusdens milde sarcasme trok Elsa haar lippen samen en werd haar toon afstandelijker. 'Ik wil dat u ons begrijpt, meneer Eusden. Mijn grootvader liep tegen de zeventig toen mijn vader overleed. Hij moest weer aan het werk op de boerderij. Tolmar hielp hem zodra hij dat kon. Tegen de tijd dat hij zestien was, had hij de leiding. Dat is altijd zo gebleven. De boerderij, het bedrijf, de familie. Hij is nooit kind geweest. Hij heeft altijd... verantwoordelijkheden gehad. Hij deed zijn ingenieursopleiding in de avonduren. Lars en ik hadden het een stuk gemakkelijker. Daar zorgde Tolmar wel voor. We hebben veel aan hem te danken. We kunnen hem nooit genoeg bedanken.'

'Kunt u zich herinneren dat Clem Hewitson jullie op Aksdenhøj heeft opgezocht?'

'Ja. Hij was bevriend met mijn oudoom Hakon. Dat is het enige wat ik weet.'

'Misschien weet Tolmar meer. Als hoofd van de familie.'

'Misschien wel.'

'Bijvoorbeeld over die stapel vooroorlogs Fins geld, die de huishoudster van je oudoom Hakon van hem had gestolen.'

'U moet niet naar Karsten Burgaard luisteren, meneer Eusden. Hij heeft geen... gevoel voor verhoudingen. Vorig jaar is hij overspannen geweest. Heeft hij u dat verteld?'

'Nee, maar dat verhaal over het Finse geld is wel waar, hè?'

'Ik geloof van wel.'

'Waarom denkt ú dat uw oom voor miljoenen aan markkaa in zijn kluis had?'

'Ik heb geen idee.'

'En waarom probeerde Lars de opgravingsceremonie in Roskilde tegen te houden?'

'Dat was een domme protestactie over Christiania. Hij kan wel érg dom zijn.'

'Karsten vindt die uitleg niet overtuigend.'

'Natuurlijk niet.'

'Een eerlijk gezegd ben ik ook niet overtuigd.'

'Waarom bent u er zo in geïnteresseerd? Meneer Hewitson zegt dat hij familie-onderzoek verricht. Wat doet u hier?'

'Ik help hem.'

'En dat vindt u... "overtuigend"?'

Dat was het natuurlijk niet; daarvan was Eusden zich pijnlijk bewust. Wat hij daarna zei, was een poging om de vraag te ontwijken. Hij had er spijt van zodra hij de woorden had gezegd. 'Ik vermoed dat u en Lars – en Michael – allemaal een flink aantal aandelen in Mjollnir hebben. U zult wel blij zijn dat ze het zo goed doen. Waarschijnlijk komt het erop neer dat Tolmar jullie feitelijk in dienst heeft, net als al die Letten.'

Elsa zette haar kopje beheerst terug op het schoteltje. Ze fronste minachtend haar wenkbrauwen. 'U zou Karsten Burgaard moeten aanraden om zijn campagne tegen Tolmar te staken. En u wil ik aanraden om erbuiten te blijven. Als meneer Hewitson echt met zijn familiegeschiedenis bezig is, moet u hem maar vragen hoezeer het hem kan schelen. Waarschijnlijk heeft Michael inmiddels zijn vader over jullie verteld. Tolmar zal mij wel bellen om te vragen waar jullie mee bezig zijn. Ik zou hem graag kunnen vertellen dat jullie alweer op weg naar huis zijn. '

'Dat kunt u natuurlijk best zeggen.'

'Maar is het waar?'

'Dat weet ik niet. Dat bepaalt Marty.'

'Probeer Tolmar niet onder druk te zetten, meneer Eusden. Daar houdt hij niet van.'

'Hoe reageert hij daarop?'

'Dat zet hij u onder nog grotere druk.'

'Hij klinkt als een harde figuur.'

'Hij is zo hard als hij moet zijn.'

'Maar zou hij een paar vragen over de vriendschap tussen zijn oudoom Hakon met Marty's opa nu echt als "druk" opvatten?'

'Hij zou niet blij zijn met uw vragen, meneer Eusden. Dat kan ik u verzekeren. U lijkt me een verstandig mens. Luister naar wat ik u zeg. Probeer geen contact op te nemen met mijn broer, laat staan met de rest van de familie. Laat ons met rust en haal uw vriend over hetzelfde te doen.'

'Tja...' Eusden vertrok zijn mond tot een vrijblijvend lachje. 'Bedankt voor uw advies.'

Ze namen buiten afscheid. Eusden keek Elsa na toen ze het plein overstak in de richting van het winkelcentrum en liep toen ongeïnteresseerd de kathedraal binnen. In het schip ging hij zitten om na te denken. Volgens de folder die hij bij de ingang had meegenomen, waren de muren van de kathedraal bedekt geweest met fresco's totdat ze tijdens de Reformatie met witkalk waren overgeschilderd. Sindsdien waren verschillende muurschilderingen weer aan het licht gebracht en gerestaureerd. Hij keek om zich heen naar de kleurrijke taferelen die weer te zien waren – fragmenten van geïllustreerde verhalen, delen van een groter geheel. Het was menselijk om het hele verhaal te willen weten. Maar soms moest de menselijke natuur ruimte maken voor wereldse wijsheid. En dit, voelde hij, was zo'n gelegenheid.

Het werd kouder naarmate de middag overging in de avond. Eusden liep naar het hotel, waar hem werd verteld dat Marty nog steeds niet terug was. Hij wist niet hoe hij de langdurige afwezigheid van zijn vriend moest opvatten, maar hij kon er niets aan doen. Hij ging naar zijn kamer en ging op bed liggen, waar hij opkeek naar de steeds donkerder wordende lucht. Hij oefende hoe hij Marty zou vertellen dat hij Elsa Støvrings raad moest opvolgen. Hij overtuigde zich ervan dat Marty wel zou moeten instemmen. Op een bepaald moment viel hij in slaap.

Het was al de tweede keer die dag dat hij werd gewekt door de telefoon. Toen hij opnam, verwachtte hij dat Marty hem belde vanuit zijn kamer. Hij wist niet precies hoe laat het was, maar buiten was het nu helemaal donker. Marty moest nu toch wel terug zijn.

Maar dat was hij niet. 'Met de receptie, meneer Eusden. We zijn gebeld door het ziekenhuis. Uw vriend, meneer Hewitson, is daar vanmiddag heen gebracht nadat hij op straat in elkaar is gezakt. Ze zeggen dat hij ernstig ziek is.'

17

'Ernstig ziek,' had de receptionist gezegd. Zo zag Marty er ook uit, half rechtop in het ziekenhuisbed in Århus Kommunehospital, verbonden met verschillende infusen, drains en monitoren. Volgens de verpleging had hij een beroerte gehad en moest de tijd uitwijzen hoe ernstig deze was. Toen hij Eusden zag, deed hij een scheve poging tot een glimlach. De rechterkant van zijn gezicht was slap en ter begroeting hief hij zijn linkerhand op.

'Hallo, Richard,' zei hij onduidelijk. Hij klonk alsof hij dronken was. 'Fijn je te zien.'

'Wat is er in godsnaam gebeurd, Marty?'

'Een beroerte. Toen ik die pizzeria uit was, stak ik de weg over naar de bushalte en opeens moest ik rennen, omdat een of andere vent in een vrachtwagen me bijna aanreed. Laat je niet wijsmaken dat Scandinaviërs voorzichtig rijden. Die vent deed dat in elk geval niet. Hoe dan ook, ik kwam heelhuids bij de bushalte aan, maar toen begon die afgrijselijke hoofdpijn. Letterlijk verblindend. Toen ik bijkwam, lag ik op straat. Iemand heeft de ambulance gebeld. Ik kan me niet goed herinneren dat ik hier binnen ben gebracht. Ze hebben een CT-scan gedaan en de tumor gevonden. Die arme mensen dachten dat ik er niets van wist. Ze hebben me met veel omhaal het slechte nieuws verteld. Nu ze weten dat ik al zoiets zag aankomen, hebben ze geen interesse meer.'

'Hoe erg is het?'

'Nog niks van te zeggen. De verlamming is maar gedeeltelijk.' Marty boog met moeite zijn rechterelleboog. 'Er bestaat een goede kans dat het ook maar tijdelijk is. Misschien ben ik over vierentwintig uur weer redelijk mobiel. Misschien ook niet.'

Eusden zuchtte. 'Het spijt me... dat ik zo ben weggelopen, Marty.'

'Dat is helemaal niet erg. Je had gelijk. Ik had je alles moeten vertellen. Beter laat dan nooit, hè? Ik moet je iets vertellen.'

'Heeft het toevallig te maken met Vicky Shadbolt?'

'Ah.' Weer een scheve grijns. 'Je weet ervan.'

'Het hotel vroeg me je deze boodschap te geven.' Eusden gaf Marty een vel papier met de tekst: *Meneer Hewitson – Vicky heeft gebeld. Ze is veilig aangekomen en zal wachten totdat u contact met haar opneemt.* 'Waar is ze?'

'Kopenhagen.'

'Om wat te doen?'

'Om mij een plezier te doen. Ze heeft het attachékoffertje, Richard. Het echte koffertje, bedoel ik. Het koffertje dat jij naar Brussel hebt gebracht was een kopie.'

'Wát?'

'Zachtjes praten, anders gooien ze je eruit omdat je mij van streek brengt. Het ging zo. Omdat ik vrij zeker wist dat Werner van plan was mij te verraden, heb ik een val voor hem gezet. Bernie heeft Clems initialen op een oud koffertje gezet. Ik had het origineel nog nooit gezien, totdat tante Lily het me toonde, dus wist ik dat jij noch Gemma het verschil zou kunnen zien. Wat de inhoud betreft, had Bernie met een Deense BTW-fraudeur die hij kent geregeld dat er een stel brieven zou worden geschreven met inkt die oud genoeg was op papier dat oud genoeg was om ermee door te kunnen. Ik weet niet wat er in die brieven staat. Het zou me niets verbazen als het sprookjes zijn van Hans Christian Andersen. Werner zal ze nu wel hebben gelezen, dus waarschijnlijk is hij inmiddels op het oorlogspad. Dat betekent dat we snel moeten handelen. Althans, jíj zult dat moeten doen. Het is wel duidelijk dat ik momenteel geen kant op kan.'

'Wat wil je precies dat ik doe?'

'Ga naar Kopenhagen en haal het koffertje op bij Vicky. Ze logeert in het Phoenix Hotel. Neem Burgaard mee. Nog beter, laat je door hem brengen. Hij kan de brieven vertalen. Het zal niet moeilijk zijn hem te overtuigen. Ik wist niet zeker of ik hem erbij wilde betrekken, maar nu heb ik niet veel keus.'

'Waarom heb je Bernies Deense vriend niet gevraagd om ze te vertalen?'

'Omdat ik niet weet wat erin staat. Bernie is een goede vriend, maar als hij dacht dat er veel geld was te verdienen, zou hij me misschien buiten spel zetten. Hij ís tenslotte een boef. Zeg maar tegen Vicky dat ik ben teruggegaan naar Amsterdam. Vertel níet dat ik hier lig, anders neemt ze de eerstvolgende trein. Sinds we hebben kennisgemaakt tijdens het bezoekuur in Guys Marsh Prison, ben ik de man van haar dromen. Mijn dodelijke ziekte lijkt mijn aantrekkingskracht alleen maar te hebben versterkt.'

'Niet wat mij betreft, Marty. Je hebt me de hele tijd voorgelogen. Als je niet ziek was, zou ik je tegen een muur drukken en eisen dat je je excuses maakte.'

'Die excuses kun je krijgen. Het spijt me echt.'

'Waarom heb je me niet verteld wat er speelde – wat er écht speelde?'

'Ik was bang dat je zo nijdig zou worden als je erachter kwam dat ik je als lokeend had gebruikt, dat je me aan mijn lot over zou laten en naar je bureau in Whitehall terug zou vliegen.'

'Dat besloot ik afgelopen middag ook te doen. Elsa kwam langs. Ze vertelde een pathetisch verhaal over hoe Tolmar na de dood van hun ouders het gezin bij elkaar hield. Bovendien waarschuwde ze me op niet mis te verstane wijze dat we onze neus niet in zijn zaken moesten steken.'

Marty deed zijn ogen dicht en leunde achterover in het kussen. Hij slaakte een diepe zucht. Hij was in de loop van de dag weer jaren ouder geworden. Hij leek te verwelken waar je bij stond, en Eusden wist dat hij zich vastklampte aan het mysterie dat Clem had nagelaten, zoals hij zich zou vastklampen aan een reddingsvlot in een koude, koude zee.

'Gaat het wel, Marty?'

'Ja. Ik lag na te denken.'

'Ze zei dat ik je moest vragen in hoeverre dit voor jou echt van belang is.'

'Goeie vraag.' Marty deed zijn ogen open; zijn rechterooglid hing half over zijn oog. 'Maar ze weet toch niets van de brieven, hè?'

'Nee.'

'Het is altijd handig om een troef achter de hand te hebben. Ik heb altijd liever gepokerd dan gebridged. Jij, daarentegen...' Hij wreef zich over het gezicht als iemand die net uit een diepe slaap vol dromen was ontwaakt. 'Sorry. Ik zit te raaskallen. Beter van niet. Hoezeer dit van belang is? Zeg jij het maar, Coningsby. Als je hiervan af wilt, kun je natuurlijk gewoon weggaan. Maar zou jij niet willen weten wat er in die brieven staat?'

'Natuurlijk wel, maar...'

'En dan moeten we iets voor Vicky bedenken. Dus...'

'Ik ga wel, oké?' Eusden stond versteld van zijn eigen roekeloosheid. 'Ik ga wel naar Kopenhagen.'

'Geweldig.'

'En ik vraag Burgaard om de brieven te vertalen. Maar verder...'

'Beloof je niets?'

'Niets.'

'Afgesproken. Haal mijn tas op uit het hotel. Er zit een etui in voor mijn zonnebril. Het sleuteltje zit in het etui.'

'Het sleuteltje?'

'Van het attachékoffertje. Wel scherp blijven, Richard, toe nou. Neem Werners geld mee en bezorg mijn tas hier. Ik heb er een paar dingen uit nodig. Ga dan met Burgaard naar Kopenhagen. Tijd is een essentiële factor, zoals hoge ambtenaren als jij elkaar waarschijnlijk elke vrijdagmiddag vertellen.'

Eusden zocht in het ziekenhuis een munttelefoontoestel om Burgaard te bellen. Marty's mobielverbod kwam hem nu angstwekkend verstandig voor. Hun gesprek was kort en voorzichtig.

'Hallo.'

'Met Richard Eusden. Karsten, ik wil je een voorstel doen.'

'Niets meer zeggen, meneer Eusden. Kom langs.'

'Ik ben er over ongeveer een uur.'

'Goed. Komt u alleen? En meneer Hewitson dan?'

'Hij komt niet mee.'

'Mooi. Ik voel me niet bij hem op mijn gemak. Tot straks.'

In dat uur had Eusden veel te doen. Hij nam een taxi naar het hotel en liet de chauffeur wachten terwijl hij alle spullen inpakte en de rekening betaalde. Toen bracht hij Marty's tas terug naar het ziekenhuis. Hij wilde Marty nog iets vragen, maar de dienstdoende verpleegkundige vertelde dat hij sliep en niet gestoord mocht worden, dus liet Eusden de tas bij haar achter en ging naar Burgaard. Hij wist het antwoord op zijn vraag toch wel. Marty had Vicky Shadbolt naar Kopenhagen laten reizen, omdat Mjollnir daar zijn hoofdkantoor had. Hij had Tolmar Aksden van meet af aan in het vizier gehad.

18

'Dus, doe je mee?'

Het was Eusdens slotvraag nadat hij Burgaard had verteld wat ze hem wilden laten doen. De brieven lagen op hen te wachten in Kopenhagen: de brieven die misschien de geheimen konden ontsluieren die Hakon Nydahl en zijn vriend Clem Hewitson mee het graf in hadden genomen. Het was ondenkbaar dat Burgaard de kans om ze te lezen zou laten liggen, maar Eusden moest zeker weten dat ze op hem konden rekenen. Ze zaten koffie te drinken in Burgaards muffe, veel te warme, kale zitkamer en keken elkaar onzeker aan.

'Ja of nee, Karsten. Wat wordt het?'

'U heeft me nog steeds niet alles verteld, meneer Eusden.'

Dat was waar. Eusden had Anastasia helemaal uit zijn relaas gelaten. Als de brieven haar noemden, was dat maar zo. Anders was het een nodeloze complicatie. Om Burgaards medewerking te verkrijgen, voelde hij, moest hij het zo eenvoudig mogelijk houden. Of hij wilde de brieven lezen of niet. De rest kon wachten.

'Maar waarschijnlijk maakt dat niet uit. Die brieven geven me misschien net de doorbraak die ik nodig heb.'

'Precies.'

'Dan doe ik natuurlijk mee.'

'Mooi zo.'

'Wanneer wilt u gaan?'

'Meteen?'

'Dat is nergens voor nodig. De rit naar Kopenhagen duurt drie uur, of je nu rijdt of de trein neemt. Als we nu gaan, komen we midden in de nacht aan. Die vriendin van meneer Hewitson...'

'Vicky.'

'Ja, Vicky. Zij kan toch wel tot morgenochtend wachten?'

'Eh... ja.'

'Goed, dan. Laten we om vier uur wegrijden. Dan zijn we heel vroeg bij haar. Ik kan wel rijden, als u wilt. Maar dan moet ik eerst slapen. U mag gerust blijven slapen. De bank is een slaapbank.'

Het ging niet zoals Eusden het had gepland. Maar hij kon niet aandringen zonder te vertellen dat Straub hun misschien op het spoor was.

'Bedankt,' zei hij zuchtend.

'Wacht eens.'

Burgaard stond op en liep zichtbaar vastberaden naar de keuken. Eusden keek om zich heen. Op een ingelijste afbeelding van een winterlandschap na – misschien op Burgaards geboorte-eiland Falster – waren de muren van de zitkamer leeg. De flat voelde steriel en onpersoonlijk aan: een plek om te slapen, meer niet, de bewoner was een eenzame bezetene, wiens leven draaide om het proefschrift dat zijn bestaan zin moest geven. Eusden wist niet zeker of hij zo'n man als reisgenoot wilde. Maar wat hij wilde deed er niet toe.

Toen was Burgaard terug, met een fles en twee borrelglaasjes. 'Een borrel, om te proosten op onze... samenwerking.'

De borrels werden ingeschonken, er werd geproost en gedronken, de glaasjes bijgevuld. Eusden nam een slokje. Het was een koppig, bitter brouwsel.

'Het spijt me dat meneer Hewitson ziek is.' Burgaards toon klonk verre van overtuigend.

'Mij ook.'

'Misschien was hij daarom zo... kortaf.'

'Ja, misschien.'

'Toen ik jullie vertelde over al dat Finse geld dat Nydahl in huis had, kreeg ik het gevoel dat... meneer Hewitson daar al van wist.'

'Dat is knap.' Eusden glimlachte. 'Hij wist het inderdaad al.'

'Maar u niet.'

'Nee.'

'Hij vertrouwt u dus niet volkomen.'

'Nu hij in het ziekenhuis ligt wel. Hij heeft geen keus.'

'Weet u dat zeker?'

'Behoorlijk zeker. Waar het om gaat, is dat hij mij – ons – de brieven toevertrouwt.'

'Ja. De brieven.' Burgaard liep naar het gordijnloze raam en keek uit over het in nacht verzonken universiteitsterrein: naar de lichtjes die glansden in laboratoria, collegezalen en studentenwoningen, met daartussen diepe voren van duisternis. 'Die brieven vormen waarschijnlijk de sleutel. *Men kan det nu have sin rigtighed?*'

'Pardon?'

'Neem me niet kwalijk. Ik zei: "Kan dat echt waar zijn?"'

'Er is maar één manier om daarachter te komen.'

'Ja.' Burgaard dronk zijn glas leeg. 'Maar één manier.'

Na een sobere maaltijd van gemarineerde haring en kaas, weggespoeld met bier, ging Burgaard naar bed. Hij beloofde zijn wekker op half vier te zetten. Tegen die tijd kon Eusden amper zijn ogen openhouden. De bank was gerieflijker dan die eruitzag en hij viel meteen in een diepe slaap.

Hij werd verschillende keren wakker om weer weg te sluimeren, voordat zijn verdoofde zintuigen registreerden dat er grijs daglicht door het raam stroomde. Toen schrok hij wakker, in het besef dat het al heel wat later moest zijn dan half vier. Een blik op zijn horloge vertelde hem een verhaal dat hij eerst niet kon geloven. Het was al half elf 's morgens. Burgaard en hij hadden al uren geleden in Kopenhagen moeten zijn aangekomen. Maar ondertussen...

Hij was alleen in de flat. Dat voelde hij intuïtief al aan voordat hij ging kijken. Burgaard had niet in zijn bed geslapen. Zijn jas, die aan een haak aan de binnenkant van de voordeur had gehangen, was verdwenen. Hij was weg. Nadenken kostte Eusden nog steeds grote moeite. Zijn denkprocessen werden vertraagd door de laatste nevels van slaap. Hij kon gewoon niet begrijpen wat er was gebeurd. Waar was Burgaard? Wat was er aan de hand?

Hij dompelde zijn gezicht in een wasbak vol koud water. Daarmee leek een deel van de dofheid te verdwijnen, zodat hij zich kon concentreren. Hij moest zijn bedwelmd om zo lang en zo diep te slapen, wat verklaarde waarom hij zich nog zo licht in het hoofd voelde. Burgaard had iets door zijn borrel of zijn bier gedaan. Maar waarom? Daar was maar één antwoord op: hij wilde de brieven voor zichzelf. Hij was niet geïnteresseerd in samenwerken. Eusden had hem verteld waar de brieven waren en waarschijnlijk had Burgaard een plan bedacht om Vicky Shadbolt over te halen het attachékoffertje aan hem te geven. Eusden zocht in zijn jaszak. Het sleuteltje zat er nog in. Hij had het er gisteravond niet over gehad. Daarmee was hij nog niet uit de brand. De sloten van het koffertje waren gemakkelijk te forceren.

Misschien was het nog niet te laat om Vicky te waarschuwen. Eusden rende naar de telefoon en belde het Phoenix in Kopenhagen. Ze belden naar haar kamer, maar er werd niet opgenomen. Ze konden niet zeggen of ze er was of niet. Hij liet een boodschap achter, waarvan hij alleen maar kon hopen dat ze ernaar zou handelen: *Stem nergens mee in, totdat ik er ben – Richard Eusden.* Maar Burgaard had al de halve ochtend de tijd gehad om zijn plannetje uit te voeren, wat het ook mocht zijn.

De flat bestond uit een zitkamer, een keuken, badkamer en twee slaapkamers, waarvan Burgaard er één als studeerkamer had ingericht. Daar stonden zijn bureau en computer, plus een stuk of zes kartonnen dozen vol papier. Op de zijkant van elke doos was met viltstift een woord gekrabbeld: *Mjollnir, Aksden, Saukko, Nydahl...* Eusden vroeg zich af of hij ze moest doorzoeken, of moest proberen toegang te krijgen tot Burgaards computer, om te zien of hij meer te weten zou komen over wat hij van plan was. Maar elke minuut die hij hier doorbracht, verminderde zijn kans om Vicky te bereiken. Burgaard zou sowieso alles van belang hebben meegenomen. Er was domweg geen tijd om zijn bestanden te doorzoeken.

Toen Eusden de kamer uit wilde lopen, zag hij dat er aan de binnenkant van de deur een vel papier was geplakt. Het was een stamboom van de familie Nydahl/Aksden, zorgvuldig opgetekend met namen en data. Eusden herinnerde zich hoe Burgaard hun had gewezen op het feit dat er geen geboortedata waren vermeld op de grafsteen van de Aksdens in Tasdrup. Maar hierop stonden ze allemaal wel. Waarschijnlijk had hij ze opgevraagd bij de burgerlijke stand.

'Zit er meer achter, Karsten?'

'O, ja. Veel meer.'

Eusden trok de stamboom los van de blauwe kneedkussentjes waarmee deze aan de deur plakte en rolde hem op. Hij zou er later wel beter naar kijken. Terug in de zitkamer pakte hij zijn jas en liep naar de voordeur. Hij had geen op welke tijden er treinen naar Kopenhagen reden, maar hij zou de eerstvolgende moeten halen. Hij had geen tijd om naar het ziekenhuis te gaan en Marty te vertellen wat er was gebeurd. Hij zou hem voorlopig laten geloven dat zijn oude vriend de situatie meester was. De wetenschap dat Burgaard hun te slim af was geweest, zou zijn herstel geen goed doen.

Eusden stond al bijna buiten toen de telefoon ging. Na een korte aarzeling liep hij snel terug om op te nemen.

'Hallo?'

'Karsten?' In de mannenstem, waarschijnlijk Deens, klonk een zekere achterdocht door – of ongerustheid.

'Nee. Hij is... er niet. Met wie spreek ik?'

'Henning Norvig. Wie bent u?'

'Richard Eusden.'

'Bent u een vriend van Karsten?'

'Eh... ja.'

'Weet u waar hij is? Hij had hier al een uur geleden moeten zijn. Ik heb zijn mobiele telefoon geprobeerd, maar die staat uit.'

'Waar is "hier"?'

'Ik zit in een koffiebar. Waar hij heen zou komen.'

'In Kopenhagen?'

'Natúúrlijk in Kopenhagen.'

'Wat wilt u met Karsten bespreken?'

Er viel een bedachtzame stilte voordat Norvig antwoordde. 'Hoe heet u ook alweer?'

'Richard Eusden. Een vriend... uit Engeland.'

131

'Waar is Karsten?'

'Dat weet ik niet.'

'Wat doet u bij hem thuis?'

'Ik heb... bij hem gelogeerd. Maar hoor eens. Hoopte u misschien dat Karsten u iets zou vertellen over... Tolmar Aksden?'

Norvig klonk opeens vlak en defensief. 'Ik snap niet wat u bedoelt. Als u van Karsten hoort, vraag dan of hij mij belt.'

'Dan kunt u me beter uw nummer geven.'

'Hij heeft mijn nummer'

'Geef het toch maar. Voor het...'

Maar Norvig gaf helemaal niets. Hij had de verbinding verbroken.

Eusden kon niet bedenken of het een goed of een slecht teken was dat Burgaard niet was komen opdagen voor zijn afspraak met Norvig. Het deed vermoeden dat zijn plannen op een of andere manier spaak waren gelopen. Misschien had hij Vicky niet zo gemakkelijk kunnen overhalen als hij had verwacht. Misschien... Het had echter geen zin om te speculeren. Hij moest onmiddellijk naar Kopenhagen om Burgaards plannen te dwarsbomen, wat het ook was. Dat was het enige wat hij kón doen.

Hij had geluk met de busverbinding en was tien minuten voor het vertrek van de eerstvolgende trein naar Kopenhagen op het station. Hij kon nog net één telefoontje plegen naar het Phoenix, en deze keer was Vicky's nummer bezet. Hij hoorde echter wel dat zijn boodschap was doorgegeven. Ze was er dus klaarblijkelijk wel. Hij troostte zich met de gedachte dat zijn poging niet helemaal vergeefs was geweest.

Toen de trein langzaam het station verliet, rolde Eusden Burgaards stamboom van de Nydahls en Aksdens uit. Het was uitermate precies, waarschijnlijk een print van een van zijn computerbestanden.

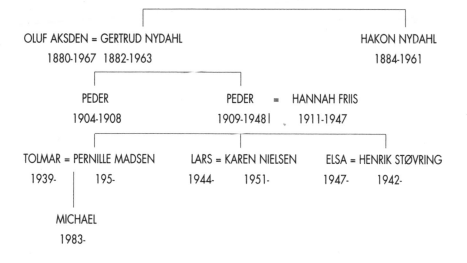

Er waren dus twee Peder Aksdens geweest. Eén was als kind gestorven. Het kind dat daarna was geboren, had de naam van zijn dode broertje gekregen. Dat was op zich niet zo ongebruikelijk. De eerste Peder stond echter niet op de grafsteen in Tasdrup vermeld, en dat was wel vreemd. Waarschijnlijk had het kind een eigen graf, dat Burgaard hun niet had laten zien. Eusden bleef lange tijd ingespannen naar de kaart zitten kijken. Hij zag verder niets van belang. Uiteindelijk rolde hij de stamboom weer op en stopte deze in zijn tas.

Daarna zocht hij in zijn jaszak om te controleren of Clems sleuteltje er nog in zat, wat natuurlijk zo was. Hij ging achterover zitten en probeerde te kalmeren. Vicky Shadbolt was een nuchtere jonge vrouw. Er was geen reden waarom zij Burgaards verzinsel zou geloven. Kortom, er was geen reden waarom de dag net zo slecht moest eindigen als deze was begonnen. Als hij in Kopenhagen was, over drie uur, zou hij alles weer recht breien.

KØBENHAVN

19

Het centraal station van Kopenhagen bood die desoriënterende combinatie van roltrappen, wandelpaden, neonverlichting en maalstroom van reizigers waar Eusden aan begon te wennen. Hij was één keer eerder naar deze stad geweest, in de zomer van 1989, met Gemma en haar nichtje, Holly, die had gesmeekt of ze haar het beeldje van de Kleine Zeemeermin wilden laten zien, nadat ze de Disney-film al verschillende keren had bewonderd. Holly had zich geweldig vermaakt, was niet van haar stuk gebracht door de bescheiden omvang van het beeldje en had genoten van de kermisachtige geneugten in het pretpark Tivoli. Helaas was zij de enige die het naar haar zin had, want de relatie tussen Gemma en Richard had een kribbige fase bereikt waar het wonderschone Kopenhagen niets aan had kunnen veranderen.

Toen was het tenminste nog warm en zonnig geweest. Nu trof Eusden een troosteloos grijze middag en viel er natte sneeuw. Aan de overkant van de straat zag hij een ingang naar Tivoli, maar het pretpark was 's winters gesloten. Hij was alleen. Kibbelen met Gemma was nog niet zo'n slechte herinnering, als je het afzette tegen zijn huidige problemen. En de rij bij de taxistandplaats zag er lang en verkleumd uit.

Hotel Phoenix bevond zich aan de hippe, chique kant van de stad, in de buurt van Kongens Nytorv en het koninklijk paleis. Glanzend marmer en schitterende kroonluchters begroetten de vermoeide reiziger. Eusden nam aan dat Marty hier had geslapen tijdens zijn vooronderzoek, getrouw aan zijn principe om omringd door comfort te sterven. Hij kon zich amper voorstellen dat Vicky Shadbolt zich in deze weelderige omgeving op haar gemak zou voelen, maar liefde, vooral die van het hopeloze, onbeantwoorde soort, kan vele wonderen verrichten. Dat wist Eusden maar al te goed.

En al snel werd onthutsend duidelijk dat Vicky zich deze vier-sterrenluxe niet lang had laten welgevallen. 'Mevrouw Shadbolt is enkele uren geleden vertrokken, meneer,' meldde de receptioniste.

Eusden nam een kamer, omdat hij op dat moment te gefrustreerd en verward was om te bedenken wat hij anders moest doen. Zijn kamer op de bovenste verdieping, onder het mansardedak, bood hem een gevarieerd uitzicht op verschillende andere daken, maar verder niets. Het panorama van dreigende lucht, koepels, gevel-spitsen, leien, goten, schoorstenen en brandtrappen was metafo-risch voor zijn benarde toestand. Hij kon veel zien, maar van wat er echt toe deed, zag hij niets.

Er zat nu niets anders op dan contact op te nemen met Marty en hem het slechte nieuws te vertellen. Hij had geen idee waar Vicky was, en over wat er met het attachékoffertje was gebeurd, durfde hij amper na te denken. De situatie zou niet slechter kun-nen zijn.

Het was echter nog niet zo gemakkelijk om Marty van de rampspoed op de hoogte te brengen. Århus Kommunehospital verbond bellers niet zomaar door met patiënten als zij daarom vroegen. Er zou een boodschap worden doorgegeven. Als *herre* Hewitson zich goed voelde en áls hij dat wilde, zou hij terugbellen. Er werd melding gemaakt van de urgentie van de boodschap. Garanties konden echter niet worden gegeven. Overigens ging het 'redelijk goed' met *herre* Hewitson.

In het uur dat volgde, plunderde Eusden de minibar, zapte langs talloze verstandsverbijsterende televisiekanalen en keek uit over het schemerende daklandschap. Toen ging de telefoon.

'Alles kits, Richard?' Marty klonk verontrustend vrolijk.

'Ze is hier niet, Marty. Ik ben haar kwijt.'

'Dat weet ik. Want wat jij kwijt bent geraakt, heb ik gevonden.'

'Pardon?'

'Vicky is hier. Bij mij. Nou ja, nu even niet. Ze is op zoek gegaan naar een hotel. Maar ze komt wel weer terug.' Marty zuchtte. 'Dat heeft ze beloofd.'

'Is Vicky in Århus?'

'Toen we vanochtend geen van beiden kwamen opdagen in Kopenhagen, heeft ze nog een keer naar het Royal gebeld. Zij hebben haar verteld waar ik was. Zoals ik al had voorspeld, kwam ze spoorslags hierheen om aan mijn bed te zitten. Althans, naast mijn stoel. Ik voel – en beweeg – me vandaag al een stuk beter.'

'Je klinkt ook beter.'

'Ja. Dat is een hele prestatie, als je weet hoe ik me de hele dag zorgen heb zitten maken over waar jij in godsnaam mee bezig was. Waar bleef je nou?'

'Burgaard. Hij heeft me bedwelmd en slapend in de flat achtergelaten. Ik nam aan dat hij van plan was hierheen te rijden en wilde proberen Vicky over te halen om hem het koffertje te geven. Heeft zij hem niet gezien?'

'Nee.'

'Nu snap ik er helemaal niets meer van. Hij wist dat zij hier was en hij had uren voorsprong. Wat had het anders voor zin mij te bedwelmen?'

'Ik heb geen idee. Ik weet wel dat we op zoek moeten naar een andere vertaler. Ik heb je toch gewaarschuwd dat Burgaard niet deugde?'

Eusden kon zich zo'n waarschuwing niet herinneren, maar hij was niet in de stemming om ertegenin te gaan. Hij was alleen opgelucht dat een combinatie van lot en toeval hen op een of andere manier had gered.

'Wat doen we nu, Marty?'

'We houden het hoofd koel, Coningsby, dát doen we. Dankzij mijn voorzienigheid is alles onder controle. Vicky heeft het koffertje, op mijn aanwijzingen, afgeleverd bij een advocaat in Kopenhagen, die ik voor mijn vertrek had geïnstrueerd. Ik zal hem bellen om te zeggen dat jij de volmacht hebt om het koffertje namens mij op te halen.'

'Waarom heb je me dat verdomme niet verteld voordat ik vertrok?'

'Omdat ik bedacht dat hoe minder jij Burgaard kon vertellen, hoe beter. Dat was nog niet zo gek bedacht, hè? Maar luister. Die advocaat heet Kjeldsen. Anders Kjeldsen. Hij houdt kantoor in Jorcks Passage, een zijstraat van Strøget. Ken je die? De belangrijkste winkelstraat door het centrum. Voetgangersgebied.'

Eusden zuchtte. 'Die ken ik.'

'Mooi. Wacht tot morgenochtend. Ik weet niet of ik hem vanmiddag te pakken krijg. Haal dan het koffertje op en blijf op me wachten. Reserveer een kamer voor me in het Phoenix.'

'Kom jij hierheen?'

'Waarom niet? De arts lijkt te denken dat ik morgen wel weer genoeg ben opgeknapt om te gaan. Trouwens, ze weten dat ze niets voor me kunnen doen. Ik ben een toonbeeld van mobiliteit voor iemand die dertig jaar ouder is en ik ben weer zo welbespraakt als een presentator van de BBC. Ik zal zorgen dat Bernie tegen Vicky zegt dat ze thuis moet komen en met de trein naar Kopenhagen gaan. O ja, en ik zal Kjeldsen vragen of hij een goede vertaler kent. We moeten het tijdverlies goedmaken.'

'Moet jij eigenlijk niet rustig aan doen?' Marty's luchthartige toon begon Eusden zorgen te baren. Hij klonk echt uitbundig, als een man die een nieuwe kans heeft gekregen – of een laatste.

'Zit over mij maar niet in, Richard. Het gaat prima.'

Eusden maakt zich echter wél zorgen. Niet alleen over Marty. De opwinding van de jacht begon te verflauwen. Hoeveel stappen ze ook zetten om Clems geheime verleden te ontrafelen, het leek hen geen meter dichterbij te brengen. Hij kon niet langer dan een week van kantoor wegblijven, zelfs niet om een stervende vriend een plezier te doen. Ondanks Marty's minachting voor zijn ambtenarenloopbaan waren er echt werkverplichtingen die hij moest nakomen. Het was al donderdag en hij kon nog maar een paar dagen langer aan Marty's escapade wijden. Hier zou hoe dan ook snel een eind aan komen.

Tot de volgende dag kon Eusden echter niets anders doen dan wachten. Hij ging te voet de schemer van Kopenhagen in, in de hoop zijn irritatie eruit te lopen. Hij moest er sowieso flink de vaart in houden om warm te blijven. Zijn wandeling voerde hem over het paleisplein, waar Holly niet meer bij was gekomen van het lachen toen hij door een van de wachten was uitgefoeterd omdat hij over de ketting om het standbeeld van de zoveelste Deense koning te paard (Frederik V, deze keer), was gestapt, en langs Amaliegade naar het park aan het water waar de Kleine Zeemeermin te vinden was, zittend op haar rots. De fontein bij de ingang van het park waar ze hadden liggen lummelen in de zon, was bevroren, net als het water in de gracht om de oude citadel verderop in het park. Uit een steeds donkerder wordende lucht dwarrelden sneeuwvlokken. Je moest wel heel gehard zijn om in deze kou buiten te lopen.

Desondanks renden een paar joggers rondjes over de aarden wal om de citadel. Eusden maakte aanstalten om zelf de citadel rond te lopen, voordat hij terugging naar het centrum. Toen hij verder liep, merkte hij dat er een man achter hem liep en zijn tempo aanhield. Toen hij erover nadacht, besefte hij dat hij diezelfde man al op het paleisplein had zien rondhangen, toen hij de gedenkplaat op de sokkel onder het standbeeld van Frederik V had staan lezen. Hij was een gedrongen man van rond de vijfendertig, gekleed in een spijkerbroek, leren jack en wollen muts. Eusden hield zich voor dat het idee dat hij werd gevolgd absurd was, maar toen hij stilstond om over de haven uit te kijken, deed zijn schaduw dat ook. Toen hij verder liep, kwam de schaduw ook weer in beweging.

Verontrust, maar nog steeds meer dan bereid te geloven dat het niets voorstelde, brak Eusden zijn rondje af en liep snel het park uit. Op de heenweg had hij gezien hoe een veerpont vanaf een nabijgelegen steiger de haven overstak, dus liep hij vanuit het park hoopvol die kant op en werd beloond met de aanblik van een andere veerpont die in de richting van de steiger voer. Hij versnelde zijn pas.

Havenbus 901 met een – voor Eusden – onbelangrijke bestemming bleef niet lang liggen. Hij betaalde zijn dertig kronen en ging zitten. Er waren maar twee andere passagiers aan boord, een stel toeristen met fluorescerende parka's aan. Maar op het laatste moment kwam er een laatkomer buiten adem bij hen zitten.

Toen hij ging zitten en omkeek naar Eusden trok de man zijn wollen muts van zijn hoofd. Hij had kort blond haar, een breed gezicht met blauwe, alerte ogen en vierkante kaken. Hij trok een opgerolde krant uit zijn jas en begon aandachtig het artikel op de voorpagina te lezen. Het was hetzelfde roze financiële dagblad – *Børsen* – dat Burgaard las. Eusden zag een bekende naam– Mjoll-nir – in een kop.

De veerpont stopte bij twee haltes aan de overkant van de haven in Christianshavn, alvorens terug te varen naar Nyhavn. Als Eusden in Nyhavn bleef zitten, zou hij verder moeten lopen om bij het Phoenix terug te komen. Hij dacht na over wat hij moest doen en gaf toen gehoor aan een ingeving. 'Bij de volgende halte ga ik eraf,' zei hij, terwijl hij zijn schaduw op de schouder tikte. 'En jij?'

De man draaide zich om en trok ironisch één wenkbrauw op. 'Ik ook,' zei hij zacht.

'Je bent me gevolgd.'

'O ja?'

'Ja.'

'Oké dan.' Hij klonk nonchalant, alsof het feit voor zich sprak. 'Dat is waar.'

'Waarom?'

'Ik dacht dat u misschien met Karsten had afgesproken.' Hij had een bijna breekbare stem en Eusden wist zeker dat hij deze herkende. 'Ik ben Henning Norvig, meneer Eusden. We hebben vanochtend met elkaar gepraat. En nu moeten we weer praten.'

20

De rivierbus voer weg van de steiger door een brij van ijs-in-wor-
ding en koerste naar het zuiden. Eusden en Norvig keken de pont
na en Eusden dacht koortsachtig na over wat hij kon toegeven en
wat niet. Alsof hij zijn besluiteloosheid aanvoelde, glimlachte Norvig naar hem.

'*For fanden, jeg fryser.*'

'Wat?'

'Spreekt u geen Deens, meneer Eusden?'

'Nee.'

'Ik zei dat ik hier verdomme sta te bevriezen. Waarom praten
we niet bij een drankje?'

Langs het kanaal van Nyhavn waren veel bars en restaurants te vinden – Eusden kon zich herinneren dat het er 's zomers een bonte
drukte was; eters en drinkers dromden samen rondom terrastafel-
tjes en bewonderden de elegante jachten die aan de kade lagen. Een
koude namiddag in februari leverde een vrij troosteloze aanblik
op, die alleen werd opgefleurd door de rode en gele gevels en de
aanlokkelijk twinkelende lampjes van de bars die open waren.
Vanaf de steiger liepen ze de eerste de beste bar binnen.

'Vanochtend zou Karsten in Kopenhagen zijn, maar hij kwam
niet, en jij werd niet geacht in Århus te zijn, maar daar was je wel,'
begon Norvig toen ze aan een tafeltje gingen zitten. 'Nu is hij nog
steeds niet hier, maar jij wel. Wat moet ik daar nu van maken?'

'Hoe wist je wie ik was? Eusden besefte dat dit een spelletje
werd wie het meest over de ander te weten zou komen.

'Karsten zei dat hij vanochtend een afspraak had met een
vrouw in het Phoenix, voordat hij bij mij zou langskomen. Toen ik
vanmiddag nog steeds niets van hem had gehoord, ben ik naar het

hotel gegaan om te zien of ze daar meer wisten. De naam Burgaard zei hun niets. Maar Eusden? Dat was andere koek. Je vertrok terwijl ik bij de receptie stond. De vent achter de balie wees je aan.' Norvig stak een sigaret op en bood Eusden er één aan, maar hij bedankte. 'Zo, nu heb ik jouw vraag beantwoord. Wat dacht je ervan de mijne te beantwoorden?'

'Nou, zoals je al zei, Karsten is verdwenen. Ik... probeer hem op te sporen.'

'Want...'

'Hij is een vriend.'

'Ja ja. Zal wel.' De barman liep op hen af en Norvig bestelde een biertje. Eusden knikte instemmend en hij maakte er twee bier van. 'Hoe heb je hem leren kennen?'

'Economiecongres... in Cambridge... vorig jaar.'

'O ja. Zijn jullie sindsdien... een stel?'

'Een stel?' Het duurde even voordat Eusden begreep wat Norvig bedoelde. 'Nee. Ik...'

'Karsten is *bøsse*, Richard. Homo. Wat raar dat je dat niet wist. Als vriend van hem.'

'Hoe weet jíj dat?' Het was het beste weerwoord dat Eusden op dat moment kon geven.

'We hebben een paar keer afgesproken. Het was duidelijk.'

'Misschien ben jij zijn type en ik niet.'

'Zit me niet in de zeik te nemen, Richard. Waar is Karsten?'

'Dat weet ik niet.'

'Dan hebben we toch nog iets gemeen, hè?'

'Blijkbaar.'

De komst van de barman met hun biertjes dwong hen tot een korte wapenstilstand, die Norvig verlengde door achterover te leunen in zijn stoel om te genieten van zijn eerste slok, en daarna een bedachtzame trek van zijn sigaret te nemen. 'Wat doe je voor werk, Richard?'

'Ik ben ambtenaar. Ik werk bij Buitenlandse Zaken in Londen.'

'Buitenlandse Zaken?'

'Ja. En jij?'

'Freelance journalist.'

'Had je een afspraak met Karsten... over een artikel?'

'Ja, inderdaad.'

'Had het te maken met... Tolmar Aksden?'

Norvig glimlachte. 'Daar is-ie dan. Die naam. Tolmar Aksden. De Onzichtbare Man. Klopt. Hij stond op de agenda, ja. Heb je interesse in hem... ambtshalve?'

'Ambtshalve? Nee, ik ben met verlof.'

'Om bij je niet al te goede vriend Karsten Burgaard in Århus te zijn. Midden in de winter. Geweldig. Dat is echt héél geloofwaardig.'

Eusden ging er niet op in. Hij begon het gevoel te krijgen dat hij dit verbale steekspel alsnog kon winnen. 'Heb je eerder over Aksden geschreven?'

'Dat hebben de meeste Deense journalisten. Zeg, Richard, Karsten mag dan homo zijn, maar laten wij elkaar geen mietje noemen, oké?' Karsten vertelde me dat er twee Britten in Århus waren opgedoken die toegang hadden tot gevoelige informatie over Tolmar Aksden. Het soort informatie dat de komma in de aandelenkoers van Mjollnir zomaar een paar plaatsen naar links kon laten opschuiven. Ik vermoed dat jij een van die twee bent. Laat me uitpraten voordat je begint met ontkennen. Karsten heeft me een aantal keren tips gegeven over Mjollnir. Het is zijn specialiteit. Hij maakte duidelijk dat dit groot was en... verpletterend. Hij moest documenten ophalen bij een vrouw in het Phoenix. Daarna zouden we elkaar zien. Hij kwam niet opdagen. Kijk, ik weet niet wat jij met hem had en het kan me ook niet veel schelen. Als jij die documenten hebt, ben ik misschien wel geïnteresseerd. Daar hoeft niemand verder iets over te weten.'

Eusden beantwoordde Norvigs blik zo rustig als hij kon, voordat hij antwoordde: 'Ik heb de documenten niet.'

'Weet je wel waar ze zijn?'

'Ik...'

In een van Norvigs zakken ging een telefoon over. '*Skide*,' zei hij en hij trok zijn mobiel tevoorschijn. '*Unskyld*. Hallo?' Tijdens het gesprek dat volgde, was zijn gezicht een masker, en hij zei weinig meer dan *ja, nej,* oké en *tak,* afgewisseld met zuchten die deden vermoeden dat hij niet bepaald goed nieuws te horen kreeg. Toen hij de verbinding had verbroken, bleef hij een tijdlang zwijgen en staarde hij naar een punt boven Eusdens schouder. Toen mompelde hij: 'Karsten is dood.'

'Wát zeg je ?'

'Hij is vanochtend vroeg op de snelweg met grote snelheid tegen de muur van een viaduct geknald. In de buurt van Skanderborg. Er waren geen andere auto's bij het ongeluk betrokken, voor zover bekend.'

Voor Eusden werd de schok gevolgd door het misselijkmakende besef dat hij ook in de auto zou hebben gezeten, als Burgaard niet had besloten alleen te gaan. 'Hoe bedoel je... "voor zover bekend"?'

'Het gebeurde rond half vijf. Lege weg. Geen getuigen.'

'Denk je... dat hij van de weg is gedrukt?'

'Zei ik dat dan? Verdomme, dit is heel erg.' Norvig dacht na over de ernst van de zaak terwijl hij verschillende nerveuze trekken van zijn sigaret nam. 'Nee, nee. Dat zouden ze niet doen. Het moet gewoon... een ongeluk zijn geweest. Misschien was het glad. Misschien was hij... onvoorzichtig.'

'Maar dat geloof je niet.'

'*Ik weet het niet.*' Norvig greep weer naar zijn mobiel, alsof hij van plan was iemand te bellen. Toen bedacht hij zich en smeet zijn telefoon op tafel. 'Jij bent hier wél veilig aangekomen, hè?' Met een beschuldigend-boze blik naar Eusden drukte hij zijn sigaret uit.

'Hoor eens, ik weet hier niets van. Ik ben met de trein gekomen.'

'Wie is die vrouw in het Phoenix?'

'Ze is alweer weg.'

'Hoe heet ze?'

'Dat doet er niet toe. Zíj doet er niet toe.'

'Wie is eigenlijk die andere Engelsman?'

'Marty Hewitson. Hij is écht een vriend.'

'Waar is hij nu?'

'Århus. Maar hij komt hierheen. Waarschijnlijk morgen al.'

'Oké, Richard. Laten we het zo aanpakken. Ongelukken gebeuren nu eenmaal. Zaken zijn zaken. Als jij die... documenten ophaalt en meeneemt. Als erin staat wat Karsten beloofde. Dan heb ik interesse. Met minder neem ik geen genoegen.' Norvig schreef een nummer op een hoek van de voorpagina van *Børsen*, scheurde deze los en gaf de snipper aan Eusden. 'Bel me. Áls er iets te bespreken is. Zo niet, dan hebben we elkaar nooit ontmoet. Begrepen?'

'Begrepen.'

Op aandringen van Norvig gingen ze een voor een weg. Eusden zou eerlijk gezegd liever niet alleen zijn. Hij was van streek door het nieuws over Burgaards dood. Het kon natuurlijk best een ongeluk zijn geweest. Waarschijnlijk had hij te hard gereden, zijn hoofd vol plannen om Vicky over te halen om het koffertje aan hem te geven. Of misschien was hij achter het stuur in slaap gevallen. O, ja, een ongeluk was de voor de hand liggende verklaring. En toch... En toch.

Eusden liep Nyhavn op tot Kongens Nytorv, het brede plein aan de oostkant van Strøget. Hij hoefde niet zo nodig terug naar zijn benauwde kamer in het Phoenix. Hij wist dat hij beter iets kon gaan eten, maar had geen trek. Zijn zintuigen waren gespitst, zijn zenuwen gierden door zijn lijf. Hij voelde zich kwetsbaar en machteloos, en geneerde zich voor dat gevoel. Marty moest weten wat er was gebeurd, maar op dit late uur zou het Århus Kommunehospital hem zeker niet meer doorverbinden. Eusden voelde zich gevangen tussen de behoefte iets te dóen en de zekerheid dat hij op dat moment niets kón doen.

Hij herinnerde zich een ouderwets gezellige bar aan het plein waar hij op een zomernacht in 1989 een onbezorgd uur had doorgebracht: Hviids Vinstue. Hij ging naar binnen, zag tot zijn geruststelling dat er weinig of niets was veranderd en dronk verschillende glaasjes van de huisborrel. De alcohol streek al snel zijn angstgevoelens glad: Burgaard was omgekomen bij een auto-ongeluk. Dat was alles. Er was geen tweede wagen, geen vrachtwagen die snel langsreed en op Burgaards weghelft kwam, zodat hij moest uitwijken en slipte. Het was...

Een vrachtwagen. Marty was bijna overreden door een vrachtwagen, voordat hij bij de bushalte in elkaar zakte. Misschien was er wél een complot. Misschien hadden de samenzweerders erop gerekend dat Eusden ook in de auto zou zitten. Misschien hadden ze niet – of nog niet – ontdekt dat Burgaard hem had achtergelaten. Zijn mond voelde opeens droog aan toen hij die mogelijkheid serieus overwoog.

Hij besloot terug te gaan naar het Phoenix. Benauwd of niet, op zijn kamer was hij in elk geval veilig. Hij dronk zijn borrel en ging weg.

Een stukje verder op het plein stond het grand hotel van Kopenhagen, het d'Angleterre, waar Gemma en hij op een middag met Holly naartoe was gegaan voor een high tea, waar het meisje verrukt van was geweest. Eusden stopte er even om door de warm verlichte ramen naar binnen te kijken. Later zou hij bedenken dat als hij iets langer in Hviids was blijven hangen, of op dat moment was doorgelopen, hij er niet had gestaan toen er een stel vanuit d'Angleterre de koude nacht in liep.

De vrouw droeg een bontmantel en dito muts en was goed geproportioneerd in lengte en omvang; ze had een donkere huid en een statige houding. Ze bleef staan zodra ze zich bewust werd van Eusdens verbaasde blik en van het feit dat zijn verbazing niet haar betrof, maar haar metgezel, een lange man van middelbare leeftijd in een donkergroene overjas. 'Ken jij deze man, Werner?' vroeg ze met een zangerig Amerikaans accent. 'Hij lijkt jou in elk geval wel te kennen.'

'O, ja.' Straub schonk Eusden een zuinig lachje. 'We kennen elkaar.'

21

'Richard Eusden. Regina Celeste.' Straub stelde hen nog tamelijk zelfverzekerd aan elkaar voor. Eusden had al geraden dat de dame de excentrieke Amerikaanse miljonair uit Virginia was aan wie Straub de inhoud van het koffertje had willen verkopen. Wat hij niet kon raden, was wat hij haar over Eusden zou vertellen, maar daar kwam hij al snel achter. 'Richard is een vriend van Marty Hewitson.' Dat was verbazingwekkend. Ging hij nu ook nog vertellen hoe hij Marty had behandeld? Nee, natuurlijk niet. 'Is hij ook in Kopenhagen, Richard?'

'Dat zou toch zó goed uitkomen,' zei Regina, terwijl Eusden nog twijfelde over wat hij zou zeggen. 'Die man houdt ons wel aan het lijntje, zeg.'

'Is het heus?'

'Ik ben bang dat ik er wel aan gewend ben geraakt sinds ik Anastasiaans ben geworden.'

'Wát bent u geworden?'

'Een overtuigd gelover in de grootvorstin. Anastasia Manahan. Misschien noemen jullie jezelf hier niet zo. Toch moet u, als vriend van meneer Hewitson, bijna wel Anastasiaans zijn. Goed, waar zit hij verstopt?'

'Dat... weet ik eerlijk gezegd niet.'

'Waarom ben je dan in Kopenhagen?' vroeg Straub.

'Misschien wel om dezelfde reden als jullie.'

'Waarom gaat u niet met ons eten, meneer Eusden?' zong Regina. 'We waren onderweg naar een restaurant. Vlakbij zei je toch, Werner?'

'Heel dichtbij.'

'We zouden daar kunnen praten. Als ik Werner goed begrijp, hebben we genoeg om over te praten.'

'Zeker,' zei Straub. Zijn behoedzame blik verried enige bezorgdheid, vermengd met vastberaden opportunisme. Het was duidelijk dat hij niet wilde dat Eusden aan Regina zou vertellen wat hij met Marty had gedaan, maar het was al net zo duidelijk dat hij het hooguit vol afschuw zou ontkennen en dat hij dan nog geloofwaardig zou overkomen ook. Toch wilde hij ook niet dat Eusden zou verdwijnen in de nacht. Het toeval had hem een kans gegeven om de verdediging van zijn tegenstander uit te proberen, al was Eusden dan een plaatsvervanger. Maar die kans bood hij daarmee Eusden ook.

'Ik ga graag mee uit eten,' zei Eusden.

Restaurant Els was erg dichtbij, aan het plein, een door kaarsen verlicht toevluchtsoord vol spiegels en muurschilderingen onder toezicht van de prominent aanwezige, opgezette kop van de eland, waarnaar het restaurant was vernoemd.

Ze kregen een tafel en er werden menu's rondgedeeld. Ze wilden geen aperitief, aangezien ze al champagne hadden genoten in het d'Angleterre. Eusden ging hier maar al te graag mee akkoord. Ondanks de hoeveelheid die hij al had gedronken, was zijn hoofd helder en dat moest hij ook zo houden. Straub en hij probeerden elkaar vliegen af te vangen, met Regina als nietsvermoedende scheidsrechter. Zoals hij had kunnen voorzien, probeerde Straub het initiatief te nemen door Regina met de nodige dichterlijke vrijheid uit te leggen hoe Eusden en hij elkaar hadden leren kennen.

In deze versie van de gebeurtenissen was Eusden in Amsterdam op bezoek geweest bij Marty, nadat hij had gehoord dat zijn vriend ziek was, en was hij met hem mee gereisd naar Hamburg ten tijde van Marty's eerste gesprekken met Straub over het verkopen van zijn grootvaders Anastasia-archief. 'Het was de bedoeling dat we je samen in Frankfurt zouden ophalen, Regina,' vervolgde Straub, 'maar Marty was te ziek om te reizen. Toen kwam tot mijn grote verrassing Richard opdagen. Toen we gisteren bij het Vier Jahreszeiten aankwamen, ontdekten we echter dat Marty en jij waren vertrokken.'

'Met onbekende bestemming,' zei Regina, die zich van haar bont had ontdaan en nu een helm van krullen goudgrijs haar onthulde boven een theatraal aandoende paarse jurk met een peilloos decolleté. Met haar grote ogen en brede, aanhoudende glimlach leek ze in de wieg gelegd als cheerleader voor Straubs kunstig aangedikte coverstory. Het was duidelijk dat hij de afgelopen dagen druk had lopen improviseren. Nu was het echter Eusdens beurt.

Terwijl de bestellingen werden opgenomen en Straub zich aanstelde met de wijnselectie, had Eusden wat meer tijd om na te denken over wat van alle onwaarschijnlijke redenen voor zijn aanwezigheid in Kopenhagen de minst onplausibele verklaring was. 'Dinsdag haalde Marty me over om naar huis te gaan. Hij zei dat hij zich stukken beter voelde, en ik had werkafspraken in Londen, dus leek het wel verstandig om te gaan. Ik reserveerde een vlucht en reed naar het vliegveld. Toch had ik de indruk dat Marty me kwijt wilde. Ik weet niet waarom. Het zat me dwars. Uiteindelijk kon ik het niet over mijn hart verkrijgen in het vliegtuig te stappen. Ik dacht dat hij zieker was dan hij deed voorkomen. Dus ging ik terug naar het hotel. Tot mijn verbazing kreeg ik daar te horen dat hij net was vertrokken. De portier vertelde dat hij hem in een taxi had gezet die naar het centraal station ging. Ik erheen. Zoals je weet, Werner, is het een erg groot station. De kans dat ik hem zou vinden was nihil. Maar toevallig zag ik hem wel. Hij stapte in een trein naar Kopenhagen. De trein vertrok voordat ik het perron bereikte. Ik had geen flauw idee waar hij mee bezig was en dat weet ik nog steeds niet. Ik nam de eerstvolgende trein. Sinds mijn aankomst ben ik bij alle hotels langs geweest, om te proberen hem te vinden. Tot nu toe tevergeefs.'

'Je hebt hem natuurlijk wel gebeld,' souffleerde Straub.

'Geen gehoor. Het is erg vreemd. Ik maak me grote zorgen over hem.'

'Uiteraard.' Straub knikte meelevend. 'Ik moet toegeven dat ik nogal nijdig was toen hij zonder iets te zeggen uit Hamburg was vertrokken, maar zo te horen zit hij misschien... in de problemen.'

'Wat voor problemen zou hij kunnen hebben?' vroeg Regina. Het was absoluut een goede vraag.

'Ach, Regina, wie zal het zeggen?' Straub nam een houding aan van stoïcijnse verbazing. 'Laten we echter dankbaar zijn dat het lot ons zo... opmerkelijk goed gezind is. Misschien kunnen we toch nog zakendoen met Marty.'

'Het is in elk geval opmerkelijk dat jullie hebben besloten naar Kopenhagen te komen,' stelde Eusden.

'Dat komt door mij.' Regina schoot Straub eens te meer vol overgave te hulp. 'Ik kon de kans niet laten schieten om een kijkje te nemen op Hvidøre.'

'Het huis van de oud-tsarina in Klampenborg.' Straub wierp Eusden een triomfantelijk glimlachje toe. 'We willen er morgen naartoe.'

'Misschien heeft u zin om mee te gaan,' zei Regina. Eusden kreeg het gevoel dat zij hem mogelijk een aangenamere reisgenoot vond dan Straub. 'Wat vind jij ervan, Werner?'

'Dat ligt aan Richard. Hij heeft misschien... andere plannen.'

'Ik weet het niet precies.' Eusden dacht snel vooruit. 'Mag ik het jullie nog laten weten?'

'Het zou geweldig zijn als u kon,' zei Regina. 'Ik heb er zoveel over gelezen. Er staat een toren op het dak waar Dagmar over de zee uit zat te kijken – in oostelijke richting, naar Rusland. Daar werd zo gekonkeld en geïntrigeerd. Daar staken ook al die statige hertogen en hertoginnen de koppen bij elkaar en tekenden ze de Verklaring van Kopenhagen waarin Anastasia haar geboorterecht werd ontzegd. Ik zie de maand van Dagmars overlijden – oktober 1928 – als het keerpunt in de hele samenzwering tegen mijn nicht. Vind je niet, Werner?'

'Zeker,' antwoordde Straub, die met grote aandacht wijn had zitten proeven.

'Met uw nicht,' begon Eusden, 'bedoelt u...'

'Anastasia. Ach, ik moet waarschijnlijk "aangetrouwde nicht" zeggen.'

Zonder verder aansporing nodig te hebben begon Regina aan een levendig, maar niet altijd even samenhangend relaas van de in elkaar verstrengelde stambomen van de Bonaventures uit North

Carolina (Celeste was namelijk de naam van haar man) en de Manahans uit Virginia dat hen zoet hield tijdens hun voorgerecht en een deel van hun hoofdgerecht. Eusden begon te vermoeden dat haar vaagheid over de diverse (oud)tantes, (achter)ooms, -neven en verre nichten grotendeels bedoeld was om te verdoezelen in welk jaar, of zelfs decennium, ze zelf was geboren. De indruk die ze gaf van haar leeftijd liep enorm uiteen. Soms leek ze niet ouder dan veertig, dan weer niet jonger dan zestig. Het werd absoluut niet duidelijk wanneer ze was getrouwd met wijlen haar man, Louis Celeste, bekend van Celeste Ice Cream Parlors. Wat wel duidelijk werd, was dat ze haar royale erfenis gebruikte om bewijzen te vergaren dat Anna Anderson, die op hoge leeftijd was getrouwd met haar neef Jack, in werkelijkheid Hare Keizerlijke Hoogheid grootvorstin Anastasia Nikolajevna was.

'Ik had het genoegen en de eer om het feestje voor haar tachtigste verjaardag bij te wonen, in juni 1981, en ook haar allerlaatste verjaarsfeestje twee jaar later. Ik heb er nooit aan getwijfeld dat ze was wie ze zei dat ze was. Je herkent koninklijk bloed immers meteen.' (Eusden vroeg zich in gemoede af hoeveel ervaring Regina met koningshuizen kon hebben.) 'Laat ik jullie vertellen dat ik meteen al mijn bedenkingen heb gehad bij dat DNA-gedoe. Het Martha Jefferson Hospital vindt een monster van Anastasia's darm in een potje dat al sinds een operatie in 1979 op een plank zou hebben gestaan. We kunnen onmogelijk vaststellen hoe zorgvuldig het sindsdien was bewaard, maar het is wel zeker dat er in de herfst van 1992 vreemde dingen zijn gebeurd in Charlottesville. Eerst verklaarde het ziekenhuis dat er geen monster was en toen was het er plotseling wel. Ik heb een bericht opgeduikeld in de *Daily Progress* over een conciërge in het ziekenhuis die in november van dat jaar bewusteloos was geslagen door een insluiper. Dat was een paar weken voordat het ziekenhuis met het monster op de proppen kwam. Wat vind jij daar nu van, Richard?'

'Dat is de *Charlottesville Daily Progress*,' verduidelijkte Straub glimlachend.

'Mijn neef Jack was toen, goddank, al dood,' vervolgde

Regina, zodat Eusden niet hoefde te zeggen wat hij ervan vond. 'Als hij niet al dood was geweest, zou de onrechtvaardigheid van die hele procedure hem wel het leven hebben gekost. De Romanovs zagen hun kans schoon om Anastasia op te zadelen met de identiteit van die Poolse boerin. Je moet toegeven dat ze grondig waren. Ze moeten hebben gedacht dat ze voor altijd met haar hadden afgerekend. Maar nu kunnen wij misschien met hen afrekenen. Als we tenminste je vriend Marty Hewitson kunnen vinden, Richard.'

'Je hebt echt geen idee waar hij is?' drong Straub aan.

'Absoluut geen idee, ben ik bang. Ik moet maar gewoon... blijven zoeken.'

'Hij heeft niet toevallig dat koffertje opengemaakt waar jij bij was?' vroeg Regina.

'Was het maar waar. Waarschijnlijk weet ik minder over de inhoud van dat koffertje dan jullie.'

'Dat zal verholpen kunnen worden als je het koffertje kunt vinden.' Straub hield Eusdens blik vast.

'Laten we dat hopen,' zei Regina en ze klokte wat wijn naar binnen. 'Dan zouden onze gebeden worden verhoord.'

Toen de tafel werd leeg geruimd, bestelde Regina een dessert, waarna ze opstond om haar neus te poederen. Eusden had zich al voorbereid op het moment waarop Straub en hij hun maskers zouden laten zakken. Het was duidelijk dat Straub zich er ook op had voorbereid. Zodra de deur van het damestoilet achter haar dicht was gegaan, stak hij van wal.

'Ga jij me die tienduizend euro terugbetalen, Richard?'

'Hoe bedoel je?'

'Marty heeft het geld niet in het appartement van mijn moeder laten liggen. Hij heeft het dus aangenomen zonder er iets voor terug te geven. Waar is het échte attachékoffertje?'

'Dat weet ik niet.'

'En jij verwacht dat ik dat geloof?'

'Niet echt. Maar het is wel waar. Hij vertelde me waar in

Amsterdam het echte koffertje op hem zou liggen te wachten en drong erop aan dat ik naar Londen terugging, zoals ik net al heb verteld. Maar ik had al zoveel doorgemaakt, mede door alle trucs die jullie tweeën met elkaar hebben uitgehaald, dat ik op weg naar het vliegveld besloot terug te gaan en een deel te eisen van wat de inhoud van het koffertje ook waard mocht zijn. Ik vond dat ik daar wel recht op had.'

Aan Straubs gezichtsuitdrukking te zien vond hij dit wel geloofwaardig. Eusden gokte erop dat het toegeven van zijn hebzucht hem het best zou kunnen overtuigen. 'Marty heeft me door de jaren heen heel wat keren belazerd. Die tien mille staat duidelijk niet in verhouding tot wat die brieven volgens hem en jou zullen opbrengen, dus waarom zou ik mijn zakken niet vullen?'

'Dat is een... begrijpelijk standpunt, moet ik toegeven.' In Straubs stem klonk opluchting door. Corruptie was hem allerminst vreemd. Daar kon hij mee omgaan.

'Ik dacht dat ik Marty op het station zou vinden, maar hij stond niet op de trein naar Amsterdam te wachten. Het was pure mazzel dat ik op het juiste moment op de juiste plek stond om hem naar Kopenhagen te zien vertrekken.'

'En waar stond je dan precies, Richard?' Hoe triviaal de vraag ook leek, het was duidelijk dat Straub de feiten controleerde. Straub kende het centraal station in Hamburg net zo goed als een inwoner van die stad.

'Ik stond op de loopbrug boven de perrons. De trein was al vertrokken voordat ik op het perron kon komen. Ik ben hem in de eerstvolgende trein achterna gereisd. Het lijkt mij voor de hand liggen dat hij het koffertje hierheen heeft laten sturen in plaats van naar Amsterdam, jou niet?'

'Daar lijkt het zeker op.'

'Als ik hem kan vinden, weet ik zeker dat ik hem kan overhalen mij erbij te betrekken. Maar wáárbij precies? Hij is stervende, Werner. Ik geloof niet dat hij nog de energie, de middelen of de contacten heeft die jij wel hebt. Met andere woorden, ik vraag me af of hij er evenveel voor kan krijgen als jij.'

Er zweemde even een glimlach om Straubs mond. 'Wil jij me een voorstel doen, Richard?'

'Ik vind hem uiteindelijk toch wel. Als ik hem vind, bel ik jou. Jij hebt tenslotte de koper bij de hand.'

'Dat is waar. Daar komt ze net aanlopen.' Op gedempte toon zei Straub erachteraan: 'Prima, Richard. We zijn het eens. Maar zorg wel dat je Marty snel vindt, oké? Hoe eerder hoe beter; dat geldt voor ons allemaal.'

'Jullie zien er een beetje samenzweerderig uit,' zei Regina, toen ze zich weer op haar stoel vlijde. 'Moet ik me zorgen gaan maken?'

'Helemaal niet,' antwoordde Straub. 'Al zul je misschien teleurgesteld zijn. Richard heeft net besloten dat hij niet met ons mee kan naar Hvidøre. Hij moet blijven zoeken naar Marty.'

'Dat vind ik echt jammer. Maar ik begrijp het wel. We willen zielsgraag dat je hem vindt.'

'Nou en of,' Straub keek Eusden vastbesloten aan. 'Zeker weten.'

22

De volgende ochtend werd Eusden vroeg wakker. Hij dronk oploskoffie terwijl hij uitkeek over de daken van Kopenhagen en zich afvroeg of hij moest wachten totdat Marty belde, of beter zijn geluk kon beproeven bij het Århus Kommunehospital. Er was veel wat Marty moest weten voordat hij in Kopenhagen aankwam. Áls hij überhaupt in Kopenhagen aankwam. Het nieuws dat Straub op de loer lag, zou hem weleens op andere gedachten kunnen brengen.

Marty belde voordat Eusden zijn koffie ophad. 'Ik ga hier vandaag weg, wat de chrirurgijn ook zegt,' kondigde hij aan. 'Ik heb gisteren Kjeldsen gebeld. Hij verwacht je om elf uur. Ik heb ook Bernie nog gesproken. Hij zal tegen Vicky zeggen dat ze thuis moet komen. Hij hoeft maar met zijn vingers te knippen en zijn dochters doen wat hij wil, dus dat probleem is ook weer opgelost. Ik verwacht dat ik pas tegen de avond in Kopenhagen kan zijn. Je hoeft me niet op te halen van het station. Ik zie je wel in het hotel.'

Maar dat was niet zo'n goed idee, zoals Eusden begon uit te leggen. Dat Straub in de stad was, was niet het enige wat zorgen baarde. Eusden moest ook vertellen dat Burgaard blijkbaar een dodelijk ongeluk had gehad. Maar opmerkelijk genoeg was Marty niet onder de indruk.

'Je wordt hier al beter in, Richard. Zo te horen heb je Werner zo goed als aan de haak. Tja, je hebt natuurlijk gelijk. Het Phoenix is geen optie. Maar weet je wat? Er is een Hilton bij het vliegveld. Ik neem daar wel een kamer. Het is maar een kwartier reizen naar het centrum en het is wel de laatste plek waar Werner zou verwachten me te vinden; hij weet immers dat ik niet ga vliegen. Als jij het koffertje ophaalt, is hij in Klampenborg met Regina, en jij kunt later een taxi nemen naar het Hilton. Ik zal je bellen als ik weet hoe laat ik aankom. Wat Burgaard betreft, helaas pindakaas. Het is een geluk bij een ongeluk dat je niet naast hem in de auto zat. Maar je moet ook weer niet overdrijven. Het klinkt alsof het echt een ongeluk was: Karsten moest zo nodig stoer doen en hard rijden, terwijl hij beducht moest zijn voor ijzel. Het is zijn verdiende loon, de verrader. Het heeft geen zin om in dit stadium paranoïde te worden, hè?'

'Er is een heel verschil tussen paranoia en gewoon voorzichtig zijn.' Eusden begon zich zorgen te maken om Marty's onverslaanbare optimisme. Wat hadden de artsen hem eigenlijk voor pillen gegeven? 'Hoe zit het met die zware jongen die Straub heeft ingehuurd? Moeten we ons niet afvragen of hij mij gaat volgen, nu zijn baas weet dat ik in de stad ben?'

'Hij was een zware jongen uit Hamburg, Richard. Werner heeft hem allang betaald.'

'O, dat weet jij zeker?'

'Oké, oké. Kijk maar of je gevolgd wordt door een kale kleerkast van pakweg 2,10 m. Snap je wat ik bedoel? Hij is ingehuurd als krachtpatser, niet als onzichtbare schaduw. Je ziet hem al van een kilometer afstand aankomen. Werner zou plaatselijk talent moeten inkopen en dat kan hij niet zolang hij zijn handen vol heeft aan de weduwe Celeste. Het komt allemaal wel goed. Ik voel me stukken beter en Kjeldsen zal je de naam geven van een betrouwbare en discrete vertaler. We hebben de slag al gewonnen, Richard. We moeten nu alleen rustig blijven.'

Zoals Marty het stelde, klonk het allemaal zo eenvoudig. Eusden kon maar niet bedenken of zijn achterdochtige gevoel dat deze dag anders zou lopen alleen te maken had met het pessimisme dat Marty hem altijd had toegeschreven.

Marty zou in elk geval niet verbaasd zijn over het feit dat hij veel te vroeg was voor zijn afspraak met Kjeldsen – zonder overigens een glimp op te vangen van een reusachtige Duitser die hem volgde. Jorcks Passage was een oude smalle winkelgalerij, met kantoren erboven, die Strøget verbond met Skindergade. Op een bord aan de kant van Strøget stonden de gebruikers van het pand vermeld, onder wie Anders Kjeldsen, *advokat*. Eusden bracht een half-uur door in een koffietentje verderop en stapte toen een kleine, piepende lift in om zich naar het hol van de advocaat op de derde verdieping te laten brengen.

De deur stond op een kier. Eusden klopte aan en duwde de deur verder open. Bij het raam van een kantoor vol rondslingerend papier stond een zwaargebouwde man in een ruim vallend grijs kostuum een sigaret te roken, terwijl hij naar de straat onder hem keek. Zijn lange haar had precies dezelfde kleur als zijn pak en was in een staart gebonden en hij had een somber pokdalig gezicht en een onderkin. Hoewel hij niet op de klop op de deur had gereageerd, keek hij om toen hij de deur hoorde kraken.

'Meneer Eusden?' Zijn stem klonk knarsend en femelend tegelijk.

'Ja. *Herre* Kjeldsen?'

'Ja. Ik ben Kjeldsen. Kom binnen.' Hij liep naar een bureau dat vol lag met stapels papier, klemde zijn sigaret in een asbak en draaide zich om om Eusden een hand te geven. Gaat u zitten, alstublieft.'

Eusden ging zitten. Kjeldsen plofte neer op de stoel aan de andere kant van het bureau en zijn lippen vormden een onbeholpen glimlach. Zijn manier van doen wekte de indruk dat ze het moesten hebben over een scheiding of de dood van een naast familielid. Eusden beantwoordde de glimlach om de sfeer op te klaren. 'Marty heeft u gisteren gesproken?'

'Ja.' Kjeldsen knikte overdreven, als een ezel. 'Dat klopt.'

'Wilt u me dan het koffertje overhandigen?'

'Kunt u zich identificeren?'

'Zeker.' Eusden trok zijn pakpoort uit zijn zak.

'*Tak.*' Kjeldsen keek er kort naar. Toen rimpelde zijn gezicht in een verontschuldigende grimas. 'Er is een probleem, meneer Eusden.'

'Wat voor probleem?'

'Het is vrij ernstig. Ik heb het koffertje niet.'

'Neemt u me niet kwalijk, maar...'

'Nee, ík moet mijn excuses aanbieden.

'Wat wilt u precies zeggen?'

'Vannacht...' Kjeldsen onderbrak zichzelf voor een trek aan zijn sigaret, toen begon hij opnieuw. 'Gisteravond is hier iemand binnengedrongen, heeft de brandkast opengemaakt,' hij maakte een handgebaar naar de robuuste brandkast die in een hoek stond, 'en heeft geld en juwelen gestolen die ik in bewaring had voor een andere cliënt... plus het koffertje van meneer Hewitson.'

Eusden was aanvankelijk te diep geschokt om te kunnen antwoorden. Opmerkelijk was ook dat er geen sporen van braak of andere beschadigingen aan de brandkast te zien waren. Hier had Kjeldsen meteen een verklaring voor.

'Zoals ik de politie al heb verteld, is wel duidelijk wie de schuldige is. Ik heb vorige week mijn secretaresse moeten ontslaan. Ze was niet langer... betrouwbaar. Ze kende de combinatie van de brandkast en ze moet kopieën hebben laten maken van de sleutels. Dus toen ze het geld en de juwelen stal, nam ze ook het koffertje mee... in de hoop dat er iets van waarde in zat. Ik heb het tegenover de politie niet over het koffertje gehad. Ik wilde eerst met u of meneer Hewitson praten. Zát er eigenlijk iets waardevols in – iets waar je gemakkelijk geld voor kunt krijgen, bedoel ik?'

'Nee, dat is nog niet zo gemakkelijk.' Eusden schudde zijn hoofd terwijl hij zich afvroeg hoe hij dit aan Marty moest vertellen.

'Dan zal ze het waarschijnlijk weggooien. Waarschijnlijk heeft ze dat inmiddels al gedaan. Ze weet dat ik de politie achter haar aan stuur. Wil je dat ik het hun vertel?'

'Waarom niet?' Eusden stelde de vraag op beschuldigende toon, al was een slechte smaak in secretaresses het enige wat hij de advocaat kwalijk kon nemen.

'Soms zijn er redenen waarom mensen niet willen dat de politie zulke dingen te horen krijgt. Maar nu u de zaak heeft... opgehelderd, zal ik zorgen dat de politie over het koffertje wordt ingelicht.' Kjeldsen haalde hulpeloos zijn schouders op. 'Maar zoals ik al zei, zal ze het vrijwel zeker al hebben weggegooid. In een kanaal, op een vuilnisbelt, wat dan ook. Er is niets wat op de eigenaar wijst, dus...'

'Hoe weet u dat?' Zijn werk bij Buitenlandse Zaken had Eusdens analytisch vermogen verder versterkt, al had het zijn ziel gesmoord. Kjeldsens logica sneed geen hout. En hij voelde dat dat van belang kon zijn.

'Hoe weet ik wát... meneer Eusden?' Kjeldsen omzeilde zijn vraag schaamteloos.

'Hoe weet u dat niets op de eigenaar van het koffertje wijst? Uw voormalige secretaresse zal het wel openbreken voordat ze het weggooit, nietwaar? Hoe kunt u weten dat Marty's naam en het adres er niet in zitten?'

'Ik meen...' Kjeldsen zocht redding bij zijn sigaret om wat meer denktijd te winnen, maar deze was tot op het filter opgebrand en het enige wat hij kon doen, was de peuk langdurig uitdrukken. Toen zei hij: 'Ik meen dat meneer Hewitson dat heeft gezegd. Of misschien was het... mevrouw Shadbolt.'

De man zat te liegen. Dat was wel duidelijk. Maar waarover precies? 'Waar woont uw voormalige secretaresse precies, *herre* Kjeldsen?'

'Dat kan ik u niet vertellen, meneer Eusden. Het is... een zaak van de politie. Maar ze hebben beloofd contact te houden. Zodra ik van hen hoor, zal ik contact met u opnemen. U verblijft in het Phoenix, hè?'

'Ja.'

'Nou, wacht u dan op nieuws, meneer Eusden. Ik vind dit heel erg. Ik... geneer me als advocaat. Het is... afschuwelijk dat dit heeft kunnen gebeuren. Volgens mij komt het door drugs. Ik vermoed dat mijn secretaresse... verslaafd is. Dat kost veel geld. Het is zo moeilijk om goed personeel te vinden.'

'Dat is zeker waar.' Eusden keek Kjeldsen recht aan om zijn bedoeling volstrekt duidelijk te maken.

'Geeft u alstublieft mijn... persoonlijke verontschuldigingen... door aan meneer Hewitson. We kunnen nu alleen maar... hopen dat de politie geluk heeft.'

'U vertelt hun over het koffertje?'

'Maar natuurlijk.'

'Hoe heet de inspecteur die de zaak in behandeling heeft? Ik wil hem graag zelf spreken.'

Kjeldsen glimlachte niet-geruststellend. 'Waarom zou u dat doen?'

'Omdat ik ervoor wil zorgen dat alles op alles wordt gezet om het koffertje te vinden.'

'Laat u dat toch aan mij over, meneer Eusden. Ik moet u helaas zeggen dat veel mensen in het Deense politiekorps vrij slecht Engels spreken. Het zou maar verwarrend werken, averechts werken. Ik zal ervoor zorgen dat ze alles doen wat ze moeten doen. En ik zal u op de hoogte houden van hun vorderingen.'

'Als die er zijn.'

'Laten we zeggen, wannéér die er zijn.' Kjeldsens glimlach leek op zijn gezicht te zijn geplakt. 'We moeten proberen positief te blijven.'

23

Eusden was boos en gefrustreerd. Boos omdat hij ervan overtuigd was dat Kjeldsen, en niet zijn denkbeeldige ex-secretaresse, het koffertje had gestolen. Gefrustreerd omdat hij moeilijk naar de politie kon gaan om bevestigd te krijgen dat er geen aangifte was gedaan van een inbraak in Jorcks Passage en vervolgens een aanklacht tegen Kjeldsen in te dienen. Marty had immers onomwonden gezegd dat hij politie-inmenging in zijn activiteiten koste wat het kost wilde voorkomen. Kjeldsen wist dat waarschijnlijk ook en maakte er misbruik van. Waarschijnlijk had hij het koffertje opengebroken en beseft dat hij met de inhoud bakken geld kon verdienen. *Hoe* was een open vraag; de vraag hoe *snel* was veel dringender.

Eusden moest Marty spreken. Zoveel was zeker. De eerstkomende uren zou dat echter niet mogelijk zijn. In het Phoenix wachtte hem een boodschap: *Neem trein 11.54. Zie je 16.00 uur in hotel. Marty.* Marty had geen mobiele telefoon meer. Straub had de zijne gestolen. Zelfs al had hij er nog een, dan zou hij die waarschijnlijk uit hebben staan. Eusden zou hem pas vanmiddag in het Hilton kunnen spreken; dat was een heel eind van Jorcks Passage.

Daar was niets aan te doen. Of misschien toch? Eusden besefte opeens dat hij hun afspraak met ruim een uur zou kunnen vervroegen. Marty zou moeten overstappen op het centraal station van Kopenhagen en daar zou Eusden hem kunnen opwachten als hij vanuit Århus aankwam.

Hij moest nog steeds een aantal uren wachten, maar hij besloot zijn tijd nuttig te besteden door Kjeldsen achter de broek aan te zitten. Hij liep terug naar Jorcks Passage en belde de glibberige advocaat met zijn mobiele telefoon, terwijl hij aan het begin van de winkelstraat bleef staan.

'Heeft u al iets van de politie gehoord, *herre* Kjeldsen?'

'Ik ben bang van niet, meneer Eusden. Het is ook nog maar net een uurtje geleden... dat u hier was. Die dingen kosten tijd. Heeft u meneer Hewitson al kunnen bereiken?'

'Nog niet. Hij komt later vandaag in Kopenhagen aan. Ik weet zeker dat hij uw verklaring voor wat er is gebeurd zelf zal willen horen.'

'Brengt u hem dan maar mee. Hoe laat kan hij hier zijn?'

'Om een uur of vijf.'

'Dan verwacht ik u rond die tijd.'

Eusden bleef staan wachten en werd twintig minuten later beloond, toen hij aan de andere kant van de straat Kjeldsen in een lodenjas en sjaal naar buiten zag lopen. Hij kuierde Skindergade op en Eusden volgde op veilige afstand. Er liep genoeg winkelend publiek op straat, en kantoorpersoneel tijdens hun lunchpauze, zodat hij niet opviel. Kjeldsen leek er helemaal geen rekening mee te houden dat hij misschien gevolgd zou worden. Hij liep naar een Italiaans restaurant op een pleintje in de buurt.

Eusden nam een tafeltje met uitzicht in het café ertegenover en spoelde een tosti weg met enkele Tuborg Grøns, terwijl hij Kjeldsen in het oog hield. Hij kwam veertig minuten later het restaurant uit en wreef zich tevreden over zijn maag als een man die goed en vol overtuiging had getafeld. Eusden had al afgerekend en liep het café uit toen de advocaat nog te zien was. Op de terugweg naar Jorcks Passage liep Kjeldsen even een winkel met tweedehands boeken in, de kroon op een volkomen overtuigende toneelvoorstelling over een man die zijn vaste lunchgewoonten volgt.

Eusden was er helemaal niets mee opgeschoten. Hij besloot naar het station te gaan.

De trein die om 11.54 uur uit Århus was vertrokken, bleek door te rijden naar het vliegveld. Marty zou niet uitstappen; Eusden zou instappen. Hij zat een uur uit in een koffiebar, dronk de ene Americano na de andere en zag de lucht boven Rådhuspladsen dichttrekken. Er begon natte sneeuw te vallen. Eindelijk werd het tijd om terug te gaan naar het station.

Hij kocht zijn treinkaartje en liep naar het perron. De trein naar Københavns Lufthavn rolde om tien voor half vier binnen. Hij zag Marty niet zitten in de steeds langzamer langsrijdende coupés, maar er stapten veel mensen uit. Hij zou hem snel genoeg vinden.

De trein zou voor vertrek acht minuten blijven staan. Eusden bleef wachten om te zien of Marty uit zou stappen om te roken. Dat deed hij echter niet. Eusden stapte voor in de trein in en liep alle coupés door. Hij bereikte het achterste eind van de trein voordat de acht minuten om waren. Marty was nergens te vinden. Hij liep terug naar voren. De trein vertrok. Hij kon Marty nog steeds niet vinden.

De trein deed er twaalf minuten over om het vliegveld te bereiken. Lang voordat de trein aankwam, wist Eusden wat hij amper kon geloven: Marty zat niet in de trein.

Hij bleef tot na vier uur in de hal van het Hilton hangen, in de vage hoop dat Marty nog op zou komen dagen. Dat deed hij niet, en het werd Eusden pijnlijk duidelijk dat hij helemaal niet zou komen. Hij belde naar Århus Kommunehospital, waar men bevestigde dat Marty eerder die dag het ziekenhuis had verlaten. Hij was niet langer hun zorg.

Maar ondertussen bleef hij Eusden grote zorgen baren. Hij kon alleen maar sinistere verklaringen bedenken voor het feit dat zijn vriend Kopenhagen niet had bereikt. Hij belde het Phoenix. Er was geen boodschap voor hem, noch van Marty, noch van iemand anders. Marty's eerdere boodschap was echter duidelijk geweest: *Neem trein 11.54.* Hij had die trein niet genomen. Of hij moest onderweg ergens zijn uitgestapt. Waarom zou hij? Hij was vast van plan geweest om vandaag naar Kopenhagen te gaan. Daarom had hij erop gestaan het ziekenhuis te verlaten. Hij zou nooit zijn uitgestapt tenzij iemand hem daartoe had gedwongen.

Eusden dacht aan de vrachtwagen die Marty bijna had aangereden en aan het auto-ongeluk dat Burgaard het leven had gekost. Hij kreeg kippenvel toen hij zich afvroeg of hij zelf Kopenhagen alleen heelhuids had bereikt omdat degene die Burgaard had laten verongelukken, aannam dat hij naast hem in de auto zou zitten. In dat geval was zijn overleving een vergissing, een discrepantie, die zo snel mogelijk moest worden goedgemaakt.

Verdwaasd en met slappe benen liep hij terug naar het vliegveld. Hij had het gevoel alsof hij als een spook door de drukke menigten reizigers zweefde: de zakenlieden, de toeristen, de gezinnen. Iedereen ging ergens heen, behalve hij. Hij keek op naar het vertrekbord. Elke bestemming bood hem een ontsnappingsmogelijkheid. Hij kon teruggaan naar Londen. Hij kon naar Bangkok of New York vliegen... waarheen hij maar wilde. Hij had geld genoeg. Hij had de mogelijkheden en redenen genoeg. Hij hoefde alleen maar naar een van de balies te lopen en zijn creditcard te laten zien... dan kon hij vliegensvlug maken dat hij wegkwam.

Maar in plaats daarvan kocht hij een treinkaartje naar Kopenhagen. Hij zou de confrontatie aangaan met Kjeldsen en hem een simpele keus bieden: het koffertje teruggeven of de politie op zijn dak krijgen. En verder... wist hij het niet meer. Maar hij wist wel dat hij in actie moest komen.

Even na vijf uur bereikte hij Jorcks Passage. Het werd donker, ijskoud en klam. Hij liep snel de trappen op naar Kjeldsens kantoor, omdat hij geen zin had om op de lift te wachten. De deur was dicht en op slot. Er kwam geen antwoord op zijn kloppen. Hij was niet veel te laat voor hun afspraak. Maar Kjeldsen was weg – waarschijnlijk al ver weg.

Eusden bonkte op de deur en schreeuwde Kjeldsens naam. Het haalde niets uit. Er kwam geen antwoord. Hijgend stond hij op de kleurloze, slechtverlichte overloop, zwetend ondanks de kou. Hij was razend en bang tegelijk. Of hij moest nu terugvechten, of vluchten. Zo simpel lag het. Voor Marty's én zijn eigen bestwil móest hij wel vechten.

In zijn eentje zou hij echter niet ver komen. Hij had hulp nodig, en snel ook. Hij trok zijn telefoon uit zijn zak, tuurde naar het nummer op de roze krantensnipper en drukte driftig op de toetsen.

24

'Vertel me nog eens wat er in het koffertje zit,' vroeg Henning Norvig.

Ze zaten in Norvigs auto, die in een rustige straat in de welgestelde buitenwijk Hellerup geparkeerd stond in de schaduw van
een zilverberk op korte afstand van de ruime twee-onder-een-kap-
woning die Anders Kjeldsen sinds zijn scheiding in zijn eentje
bewoonde. Norvig was, zoals Eusden al had gehoopt, erg goed op
de hoogte. Al was hij nog niet zo goed op de hoogte als hij klaarblijkelijk wilde zijn.

'Ik help je alleen omdat je me vette roddels hebt beloofd over
Tolmar Aksden, Richard. Weet je zeker dat je die belofte kunt
nakomen?'

'Bewijst het feit dat Kjeldsen het koffertje heeft gestolen dan
niet dat de inhoud waardevol is?' De koude, rokerige lucht maakte
Eusden aan het hoesten. Sinds ze zich voor Kjeldsens huis hadden
verschanst, had Norvig al een half pakje Prince leeg gerookt. De
lichten waren aan en de Volvo van de advocaat stond geparkeerd
op de oprit, maar Kjeldsen zelf hadden ze nog niet gezien. Beide
keren dat Norvig naar zijn telefoonnummer had gebeld, kreeg hij
de ingesprektoon, wat deed vermoeden dat hij niet lui voor de televisie zat. Verder kon Norvig alleen afgaan op wat Eusden hem had
verteld. En het was koud, donker en laat.

'Waardevol,' mompelde hij. 'Maar kan ik Aksden ermee aan de
schandpaal nagelen?'

'Het koffertje bevat brieven die Marty's grootvader voor de
oorlog heeft ontvangen van Aksdens oudoom. Wie anders dan
Aksden zouden zulke brieven kunnen beschadigen?'

'Ik weet het niet, en jij weet het ook niet.'

'Maar Kjeldsen wel.'

'Ja. Dat zal wel. En hij is wat ik... *hensynløs* zou noemen. On-scrupuleus.'

'Hoe heeft Marty hem in godsnaam uit kunnen zoeken?'

'Hij adverteert in de *Copenhagen Post* – de Engelstalige krant. Bovendien is hij goedkoop.'

'Hoe komt het dat jij zoveel over hem weet?'

'Hij werkt voor mensen over wie ik schrijf.'

'Wat zijn dat voor mensen?'

'Boeven in pakken – goedkope pakken, uiteraard.'

'Die een bijpassende advocaat inhuren?'

'Precies.'

'Wat denk jij dat hij aan het doen is?'

'Een bod aan het accepteren. Aan het onderhandelen. Een prijs aan het afspreken.'

'Met wie?'

'Iemand die Tolmar Aksden niet mag. Een concurrent. Een vij-and. Daar zijn er aardig wat van.'

'Wat kunnen wij doen?'

'Niets, totdat hij in beweging komt. Dat kan even duren.'

'Waarom kloppen we niet gewoon op zijn deur?'

'Omdat we de lul zijn als hij het koffertje niet thuis heeft. Oké?'

'Oké.'

Eusden zuchtte en strekte zijn nek uit tegen de hoofdsteun. De vermoeidheid had zijn woede en een groot deel van zijn bezorgd-heid weggenomen. Er was een kans – en hem kennende, zelfs een redelijke kans – dat Marty gewoon zijn plannen had gewijzigd zonder hem daarvan op de hoogte te stellen. Bovendien bestond er een nog grotere kans dat Norvig ten aanzien van Kjeldsen de rollen kon omdraaien. Plaatselijke kennis was een kostbaar goed. Het enige wat hij nodig had om het effectief in te zetten, was geduld. Hij haalde zijn telefoon tevoorschijn en las het bericht over dat hij er eerder op was tegengekomen. *Bel me z.s.m.* Het was een paar uur geleden verzonden. Zelfs voor Gemma's doen was het erg kort. Waarschijnlijk wilde ze hem een veeg uit de pan geven, omdat hij haar niet op de hoogte had gehouden van waar Marty en hij mee bezig waren. Ze zou hem juist dankbaar moeten zijn, dacht hij. Maar dat, en heel veel meer, zou hij haar pas later kunnen vertellen.

'Wat weet jij over Mjollnirs overname van Saukko Bank, Henning?' vroeg hij, vastbesloten zoveel mogelijk van Henning te weten te komen.

'Vermoedelijk niet zoveel als ik zou weten als Karsten onze afspraak had kunnen nakomen. De overname leek niet eens zulk groot nieuws toen deze plaatsvond, maar sindsdien... is de zaak op een of andere manier gegroeid. Saukko's dochterbedrijf in Sint-Petersburg geeft Mjollnir een aandeel in meer Russische bedrijven dan wie dan ook op het moment zelf doorhad. Mede daardoor is hun aandelenkoers zo sterk gestegen. Eerst Scandinavië, nu Rusland. Ze blijven maar groeien. De Onzichtbare Man is niet te stuiten. Maar dat kan iedere janlul in de krant lezen, dag in, dag uit. Wat ik nodig heb...' Norvig brak zijn zin af. Eusden voelde zijn plotselinge spanning. 'Kíjk.'

Een paar koplampen scheen de straat in vanaf de oprit van Anders Kjeldsens huis. Zijn Volvo kwam in zicht, draaide statig de straat op en reed bij hen vandaan. Norvig startte de auto en volgde Kjeldsen op voorzichtige afstand.

'Hij rijdt richting hoofdweg. Misschien gaat hij terug naar kantoor?'

'Waarom zou hij?'

'Om het koffertje op te halen. Waarschijnlijk zit het nog gewoon in de brandkast op kantoor, omdat hij er thuis geen heeft. De vraag is: waarom haalt hij het nu op?'

'Omdat degene die het wil kopen niet tot morgen wil wachten.'

'Dat moet het zijn. Maar ze spreken vast op een neutrale plaats af, dus zouden we Kjeldsen in Jorcks Passage alleen kunnen treffen. Makkie, nietwaar?'

'Als jij het zegt.'

'Ja, Richard, vertrouw me nu maar.'

Eusden had weinig keus; hij moest Norvig wel vertrouwen. Zoals voorzien, reed Kjeldsen de hoofdweg op en volgde toen een verbindingsweg naar de snelweg naar Kopenhagen. Er was weinig verkeer en het zicht was goed. Het was vrij simpel zo veel afstand van de Volvo te houden dat ze niet de aandacht trokken. Toen ze het centrum naderden en er op elke kruising verkeerslichten stonden, werd het al ingewikkelder. Norvig wist echter waar hij mee bezig was. Hij hield zo veel afstand van Kjeldsen dat ze bij verkeerslichten in de donkere ruimte tussen straatlantaarns stopten. Bovendien, gaf hij aan, had de advocaat geen reden om aan te nemen dat hij gevolgd zou worden. Hij had er waarschijnlijk alle vertrouwen in dat hij Eusden had afgepoeierd.

Maar zelfvertrouwen kan gemakkelijk ontaarden in zelfgenoegzaamheid. Kjeldsen koerste recht op Jorcks Passage af. Hij reed langs de oude universiteitsgebouwen en de kathedraal naar Skindergade, draaide toen naast de noordelijke ingang naar de winkelgalerij de binnenplaats op.

Norvig reed onverdroten langs en keek in het voorbijgaan de binnenplaats op. Hij stopte een stukje verderop aan de kant. 'Wacht hier op mijn teken,' beval hij. Hij stapte uit en rende terug over het trottoir. Eusden draaide zich om en keek hem na. Norvig ging langzamer lopen toen hij bij de afslag naar de binnenplaats kwam. Plat tegen de muur gedrukt keek hij voorzichtig om de hoek, toen wenkte hij naar Eusden dat hij achter hem aan moest komen en verdween uit het zicht.

Toen Eusden kwam aanlopen, stond Norvig met zijn rug tegen de dienstingang naar het gebouw om de deur open te houden. De binnenplaats was in diepe schaduw gehuld en de stilte werd alleen onderbroken door het getik van de afkoelende motor van de Volvo. Toen Norvig glimlachte, blonken zijn tanden spookachtig bleek in het duister.

'Kjeldsen had haast,' fluisterde hij. 'Hij liet de deur achter zich dichtvallen en controleerde niet of dit gebeurde. Kom mee.'

Met twee treden tegelijk liepen ze de trappen naar de derde verdieping op. Op de overloop was het donker, maar rondom de randen van de deur naar Kjeldsens kantoor scheen licht.

'Ik geloof niet dat hij zichzelf heeft ingesloten.' Norvigs vingers krulden zich voorzichtig om de deurklink. 'Zullen we naar binnen gaan?' Zonder op een antwoord te wachten duwde hij de klink naar beneden en gooide hij de deur open.

Kjeldsen stond achter zijn bureau en keek geschrokken op. Zijn mond viel open, Het enige licht in het kantoor was afkomstig van een leeslamp met een groene kap en het veranderde zijn gezicht in een pantomimemasker dat afschuw uitdrukte. Voor hem op het bureau stond een gebutst oud koffertje. Het deksel stond half omhoog en wierp een schuine schaduw over hem die begon te wiebelen in het ritme van Kjeldsens trillende hand.

'*Skide*,' zei hij dof, terwijl hij Eusden aanstaarde. Toen liet hij het deksel los. Het viel dicht en op het deksel, verlicht door de lamp, kon Eusden de gedrukte initialen CEH lezen.

25

Kjeldsen liet zich in zijn bureaustoel vallen en spreidde hulpeloos zijn handen. 'Wat kan ik zeggen, meneer Eusden? Ik snap dat dit... niet zo goed overkomt.'

'Ik snap heel goed wat ik zie.' Eusden liep de kamer door. 'Diefstal. Dat laat ik niet gebeuren.'

Kjeldsen wilde iets in het Deens tegen Norvig zeggen, maar de journalist onderbrak hem. 'Praat Engels.'

'Zo je wilt.' Hij glimlachte ongemakkelijk. 'Norvig en ik kennen elkaar, meneer Eusden. We zijn elkaar tegengekomen... in de rechtszaal.'

'En daar staan we straks weer.' Norvig glimlachte terug naar de advocaat. 'Je zit tot je nek in de stront, mijn vriend.'

Kjeldsen haalde zijn schouders op, alsof hij wilde zeggen dat hij dat nog moest zien. 'Weet u wat er in het koffertje zit, meneer Eusden?'

'Brieven van Hakon Nydahl aan Clem Hewitson, geschreven in de jaren twintig en dertig.'

'Heeft u ze ooit gezien?'

'Tot nu toe niet.' Eusden tilde het deksel omhoog. Ze lagen op een stapel op de vaalgroene bekleding van het koffertje: roomwit papier, met zwarte inkt beschreven in blokletters. De losse vellen van elke brief werden met roestende paperclips bij elkaar gehouden. Eusden pakte de bovenste brief op. Er was een adres: *Skt Annæ Plads 39, København K, Danmark*; een datum: *den 8. marts 1940*; en een aanhef: *Kære Clem*. Daaronder zwommen zinnen in het Deens in beeld. Het was bizar maar overduidelijk. Clem had echt Deens kunnen lezen.

'Dat is de laatste,' zei Kjeldsen. 'De oudste ligt onderop. Ze beslaan veertien jaar.'

Eusden doorzocht de stapel om te zien of wat Kjeldsen zei waar was. Hij zag data in aflopende volgorde gedurende de jaren dertig en twintig totdat hij bij de eerste uitkwam: *den 3. januar 1926*. Het handschrift was iets netter dan veertien jaar later, de pennenstreken iets sterker. Maar Nydahl en Clem hadden elkaar van meet af aan bij de voornaam genoemd. Dat was niet veranderd. *Kære Clem...*

'Heb je ze gelezen?' vroeg Norvig.

'Ja.' Kjeldsen knikte. 'Allemaal.'

'Waar gaan ze over?'

'Over wíe, zul je bedoelen.'

'Oké. Over wie dan?'

'Peder Aksden. Tolmars vader. De brieven geven een verslag van zijn leven tussen zijn zestiende en zijn dertigste.'

'Een verslag?'

'Ja. Ze gaan alleen over hem. Wat voor werk hij deed op de boerderij van zijn ouders. Met welke meisjes hij uitging. Welke boeken hij las. Zijn hobby's. Zijn ideeën. Zijn gezondheid. Zijn... karakter.'

'Wat idioot. Waarom zou Peder Aksdens oom daarover brieven schrijven aan een gepensioneerde Britse politieman?'

'Het zijn niet echt brieven aan een vriend, Henning. Het zijn verslagen. Voor het nageslacht.'

'Waarom zou... het nageslacht... interesse hebben in Peder Aksden?'

'Goede vraag. Moet je dit horen.' Kjeldsen vroeg Eusden met een handgebaar toestemming om de brieven te pakken. Zijn houding was bedeesd en schuldbewust, alsof hij besefte dat het spel uit was – of alsof hij zekerheid ontleende aan een troef die hij achter de hand hield. 'Vinden jullie het goed... als ik een stukje voorlees?'

'Ga je gang.'

Kjeldsen trok een brief half uit de stapel, controleerde de datum en trok hem toen naar zich toe. 'November 1938. Nydahl maakt zich zorgen over Peders verloving met een meisje uit het dorp. Dit schrijft hij erover. Henning kan voor u tolken, meneer Eusden.'

Kjeldsen las de woorden voor in het Deens en pauzeerde af en toe, zodat Norvig de Engelse vertaling kon geven. 'Hij moet en zal... komend voorjaar... trouwen met Hannah Friis... Oluf en Gertrud maken zich zorgen... en willen dat ik beslis... of ik hem moet tegenhouden... Ik kan me herinneren dat jij en ik het hebben gehad... over de problemen die een gezin met zich mee zouden kunnen brengen... en of we hem zouden kunnen toestaan... kinderen te krijgen.' Op dat punt hield Kjeldsen op met lezen en schoof de brief terug in de stapel.

'Over wat voor "problemen" heeft hij het?' vroeg Eusden.

Kjeldsen glimlachte flauwtjes. Hij leek aan zelfvertrouwen te winnen, al was daar geen aanwijsbare reden toe.

'Ze worden duidelijk als je alle brieven doorleest,' antwoordde hij raadselachtig.

'Waarom vertel je het ons niet gewoon?' eiste Norvig.

'Daarvoor hebben we niet genoeg tijd.'

'Onzin.' Norvig leunde over het bureau en keek Kjeldsen recht aan. 'We hebben de hele nacht.'

'Nee. Mijn afspraak met de koper is al binnen een uur. Ik had hem al moeten bellen om te horen waar ik moet zijn.'

'Pech.'

'Voor jou ook, Henning. En voor u, meneer Eusden. Grote pech. Gezien de omstandigheden zou ik bereid zijn de opbrengst met jullie te delen.'

'Ze zijn niet te koop,' stelde Eusden, en hij reikte naar het koffertje.

Maar Kjeldsen was sneller. Hij greep het handvat stevig beet en zei onomwonden: 'Twintig miljoen kronen.'

Een secondelang sprak of bewoog er niemand. Kjeldsen keek eerst Norvig en toen Eusden aan. Hij likte zijn lippen.

'Twintig miljoen kronen,' herhaalde hij zacht. 'Bij de huidige wisselkoers is dat iets meer dan twee miljoen pond. Dat is de prijs die ik overeen ben gekomen. Wat zeggen jullie ervan, heren? Zijn die brieven nog steeds niet te koop?'

'Wie is die rijke koper van je?' vroeg Norvig.

'Het is veiliger als je dat niet weet.'

'Het is nóóit veiliger als ik iets niet weet.'

'In dit...'

Hij werd onderbroken toen Kjeldsens mobiele telefoon, die naast het koffertje op het bureau lag, overging en daarbij om zijn as begon te draaien. Hij keek Norvig en Eusden vragend aan.

'Mijn koper wil blijkbaar niet langer wachten totdat ik hem terugbel.'

'Laat hem maar wachten,' zei Eusden. Hij duwde het deksel van het koffertje dicht en liet zijn hand rusten op de rand, een paar centimeter van Kjeldsens greep op het handvat.

'Als ik niet opneem, stuurt hij zijn mensen om me te zoeken.'

'Neem op,' zei Norvig.

Eusden keek achterdochtig naar hem om en vroeg zich voor het eerst af aan wiens kant de journalist stond. Norvig haalde zijn schouders op.

Kjeldsen beantwoordde de oproep. 'Ja? ... Nee, er is niets aan de hand.' Hij sprak Engels, hoorde Eusden, geen Deens. Dat kon betekenen dat zijn koper geen Deen was.

'Oké.' Kjeldsen liet het koffertje los, greep een potlood en krabbelde iets – één woord – op een schrijfblok. 'Oké... Ja, dat vind ik wel... Ik begrijp het... Ik zie u daar.' Hij verbrak de verbinding en keek op zijn horloge. 'Ik moet over een half uur bij hen zijn.'

'Je kunt bij hen zijn hoe laat je maar wilt,' zei Eusden, 'maar dit neem je niet mee.' Hij draaide het koffertje rond en greep het handvat.

'Wacht even.' Norvig sloeg met zijn platte hand op het kofferdeksel. 'Laten we even... nadenken.'

'Goed idee.' Kjeldsen klonk als de vleesgeworden, zoetgevooisde redelijkheid. 'Twintig miljoen kronen in het handje is toch wel iets om even bij stil te staan, nietwaar? De oplossing voor tal van problemen. De kans op heel veel geneugten. We kunnen het door drie delen.' Hij keek Norvig aan. 'Of door twee.'

'Dit koffertje is eigendom van Marty Hewitson,' stelde Eusden.

'Er is geen...'

'Wat staat er in die brieven, Anders?' vroeg Norvig. 'Waar gaan ze eigenlijk over?'

'Een geheim. Met een prijskaartje van twintig miljoen kronen eraan. Tien voor jou. Tien voor mij. De klokt tikt door, Henning.'

'Ik neem dit mee,' zei Eusden. Hij trok aan het koffertje. 'Probeer niet...'

De slag kwam onverwacht. Norvigs vuist landde schuin onder zijn kaak, zodat zijn hoofd achterover schoot. Hij had het koffertje losgelaten en liep wankelend bij het bureau vandaan. Voordat hij zich had kunnen herstellen, stond Norvig tussen hem en het bureau in.

'Ik kan je deze kans niet laten verpesten, Richard,' riep hij en hij duwde hem tegen de muur. 'Twintig miljoen is gewoon te veel om nee tegen te zeggen.'

'Je kunt het koffertje niet verkopen. Het is niet van jou,' hijgde Eusden. Hij werd bij zijn schouders vastgehouden en kon zich niet bewegen. Norvig bleek sterker te zijn dan hij eruitzag. 'Je hebt beloofd me te helpen.'

'Ik help je ook. Geef het op, Richard. Neem je aandeel.'

'Ik wil helemaal nérgens een aandeel in.'

'Neem dan niet. De keus is aan jou.'

'Klootzak.'

'Karsten is dood. Je vriend Marty is waarschijnlijk ook dood. Op een gegeven moment moet je voor jezelf zorgen en je kans grijpen.'

'Laat me los!'

'Oké.' Norvig liet hem los. 'Oké.' De journalist deed een stap achteruit. Hij ademde tussen zijn op elkaar geklemde tanden door. Over zijn slaap liep een straaltje zweet. Zijn blik verried spijt. Maar niet genoeg. Iedere man heeft zijn prijs, en Norvigs prijs lag op tafel. 'Zoals je zei, Richard, ik had beloofd je te helpen. Maar nu help ik mijzelf. Probeer me niet te dwarsbomen.'

'Geef mij dat koffertje.' Eusden bleef zich hardnekkig beroepen op zijn rechten als Marty's vertegenwoordiger. Hij dook naar het bureau. Kjeldsen greep het koffertje en sprong op uit zijn stoel.

Opeens werd Eusdens voorste voet onder hem uit geschopt. Norvig duwde hem tegelijkertijd weg met zijn schouder. Eusden werd uit zijn evenwicht gebracht en viel. Terwijl hij zijwaarts viel zag hij de scherpomlijnde rand van het bureau snel op zich afkomen. Daarna... niets.

26

Eusden lag zacht te schommelen in een hangmat. Zijn hoofd deed pijn. Een felle zon dreigde hem te verblinden zodra hij zijn ogen opendeed. Hij wist niet waar hij was, alleen dat het er een stuk aangenamer was dan het alternatief, waarvan hij wist dat hij het zich bewust zou worden als hij wakker werd. Hij werd ergens door geduwd, wat de schommelbeweging van de hangmat veroorzaakte. Zijn hoofd bonkte. De dreigende zon werd koud. Zijn laatst binnengekomen herinneringen regen zich aaneen tot een min of meer samenhangend geheel van tijd en plaats. Toen stroomde zijn geheugen terug in zijn bewustzijn, als bloed naar een afgekneld lichaamsdeel. Hij deed zijn ogen open.

Een tenger gebouwde, verdrietig uitziende Aziatische man, gekleed in een overall en een baseballpet met het logo van de New York Yankees hield op hem aan te stoten met de voorkant van zijn groezelige sportschoen en keek op hem neer. Hij zei iets in vreemd klinkend Deens. Het enige antwoord dat Eusden kon geven, was een kreun.

Hij duwde zich op één elleboog omhoog en keek met knipperende ogen om zich heen. Ze bevonden zich op de overloop buiten Kjeldsens kantoor. De deur was rechts van hem, nu stevig dicht, en op het bordje stond: A. KJELDSEN, ADVOKAT. Het zwakke licht van een plafondlamp viel op de kale muren en dito vloer en belichtte de zenuwachtige gezichtsuitdrukking van de man in de overall – waarschijnlijk de conciërge van het blok – die herhaalde wat hij net had gezegd, zonder dat het er begrijpelijker op werd.

'Spreek je Engels?' vroeg Eusden. Hij herkende zijn onduidelijke stem amper. Het rook hier naar whisky en die geur leek bij hem vandaan te komen. Zijn blik gleed naar een lege fles Johnnie Walker die naast zijn elleboog lag. Zo te zien had Kjeldsen zijn drankvoorraad opgeofferd om hem voor een dronken insluiper te laten doorgaan. Zo zou hij er ook wel uitzien. Hij raakte de plek aan die als het epicentrum van zijn hoofdpijn aanvoelde. De huid rond om zijn linkerwenkbrauw was gevoelig en vochtig. De vochtigheid, zag hij toen hij zijn hand weghaalde, was bloed. Een vage herinnering aan hoe hij hierheen was gesleept dook op uit het moeras van zijn gedachten. Hij keek op zijn horloge, concentreerde zich met enige moeite op de wijzerplaat en zag tot zijn verbazing dat er slechts ongeveer twintig minuten waren verstreken sinds Norvig zich tegen hem had gekeerd. 'Spreek je Engels?' herhaalde hij.

'Ja.' De conciërge keek hem fronsend aan. 'U hoort hier niet te zijn.'

'Volgens mij heb je daar gelijk in.' Eusden kwam langzaam en moeizaam overeind en de conciërge deed voorzichtig een stap naar achteren.

'Als u nu niet weggaat, moet ik de politie bellen.'

Eusden boog voorover toen een golf van misselijkheid hem overspoelde. De misselijkheid bleef uit toen hij weer rechtop ging staan, maar zijn hoofd bonkte pijnlijk. Hij voelde woede opkomen. Hij had net zo min op Norvig mogen rekenen als Marty op Kjeldsen had mogen vertrouwen. Ze waren allebei even grote schoften En ze hadden hem te grazen genomen. Nu waren ze op hun afspraak, wachtend op hun vette beloning, dromend over hoe ze het geld zouden uitgeven. Als hij ze zou kunnen inhalen, zou hij de situatie misschien alsnog kunnen redden, al kon hij zich niet voorstellen hoe hij dat moest doen. Bovendien wist hij niet waar de afspraak was. Hij kon er niets tegen doen. Behalve...

'Ga alstublieft weg, *mister*. Ik wil geen problemen.'

'Ik ook niet. Maar ik heb ze toch. Massa's.'

'Ik kan u niet helpen.'

'Dat kun je wel. Ik moet dit kantoor in.' Eusden wees op Kjeldsens deur. 'Jij hebt vast een loper.'

'Ik kan u daar niet binnenlaten.'

'Sorry...' Eusden boog voorover, pakte de lege whiskyfles aan de hals vast en sloeg deze tegen de muur kapot. De conciërge dook geschrokken achteruit. Het glas spatte over de vloer. 'Ik sta erop.' Hij stond tussen de man en de trap. Hij zat onder het bloed en stonk naar alcohol. Waarschijnlijk zag hij eruit als een man met wie je geen ruzie wilde krijgen. 'Maak de deur open.'

'Dat mag ik niet doen. Dan verlies ik mijn baan.'

'Beter je baan dan je leven.' Eusden hield de gebroken fles als een wapen voor zich uit. Hij kon zelf niet geloven dat hij dit deed. Het zou echter effectiever zijn dan beleefd blijven en een beroep doen op andermans redelijkheid. De conciërge was bang. Zijn angst was Eusdens enige hoop. 'Maak die deur open.'

'Alstublieft, *mister*. Ik...'

'Maak open!'

'Oké, oké.' De conciërge maakte onderdanige gebaren en zocht in zijn zak. Er kwam een enorme sleutelbos tevoorschijn. Zwetend en moeizaam ademhalend doorzocht hij de sleutels met trillende handen. Eusden vond het afgrijselijk om de man te bedreigen, maar hij moest wel.

'Schiet op.'

'Oké, Oké. Dit is hem.' De conciërge liep naar de deur, maakte die open en duwde hem op een kier.

'Doe het licht aan en ga naar binnen.'

De arme man gehoorzaamde. Eusden liep achter hem aan het kantoor in en duwde de deur achter hen dicht. In het felle licht van de tl-buizen zag het er anders uit dan tevoren. Het grootste verschil was echter dat Clems attachékoffertje niet langer op het bureau lag.

'Hoe heet je?'

'Wijayapala. Ze noemen me... Wij.'

'Oké, Wij, als je doet wat ik zeg, zal je niets overkomen. Is dat duidelijk?'

'Alstublieft, *mister*. Doe me geen pijn.'

'Dat doe ik niet. Zolang jij precies doet wat ik zeg.'

'Ja, ja, dat is goed.'

'Loop naar het bureau en ga op de stoel zitten.' Eusden porde Wij tussen de schouderbladen en hij kwam in beweging.

Ze bereikten het bureau. Wij liep er langzaam omheen en ging zitten.

'Doe de lamp aan.'

Wij reikte omhoog en haalde de schakelaar over. Het bureau baadde in aanzienlijk zachter licht.

Het schrijfblok lag er nog en Kjeldsen had niet eens het vel afgescheurd waar hij op had geschreven. Slordig van hem – en attent. Eusden scheurde het vel af. Het woord dat Kjeldsen had opgeschreven, was Marmorvej. 'Ja,' had hij gezegd, 'dat vind ik wel.' De plek van de afspraak was hem dus niet bekend. Die indruk werd bevestigd doordat er nu een stadsplattegrond van Kopenhagen op het bureau lag, die er eerder niet had gelegen. Eusden smakte het vel papier voor Wij neer op het bureau. 'Zoek die straat op in de plattegrond,' zei hij op harde toon.

Wij's algehele paniektoestand maakte het opzoeken van de naam in het register en het vinden van de juiste pagina tot een kwelling. Maar Eusden kon het niet zelf doen zonder de fles waar zijn gevangene bange blikken op bleef werpen los te laten. Er zat dus weinig anders op dan aan te dringen. Uiteindelijk, na vele lange, onzekere minuten waarin Wij koortsachtige pogingen deed om Marmorvej te vinden wees zijn trillende vinger de plek op de plattegrond aan: een kade in het noorden van de stad, nog voorbij de Citadel.

Eusden greep de stadsplattegrond en schoof die in zijn zak. Marmorvej was waarschijnlijk maar een paar kilometer verderop, maar hij had beslist geen tijd om erheen te lopen. 'Hoe kom jij hier vanuit huis?'

'Hè?'

'Hoe reis je hierheen?'

'O, op mijn... mijn scooter.'

'Waar staat die?'

'Aan de achterkant.'

'Geef mij de sleutel.'

'O, *mister*, nee. Ik kan niet zonder mijn scooter.'

'Je krijgt 'm terug. Ik zal je scooter dáár voor je achterlaten.'

Eusden wees naar het vel papier waar het woord Marmorvej op was geschreven. 'Geef me nu de sleutel. Je mobiele telefoon wil ik ook.'

Wij maakte een paar knopen van zijn overall los en haalde zijn mobiele telefoon en de sleutel van zijn scooter uit een binnenzak. Hij legde beide op het bureau en Eusden pakte ze op.

'Ik wil ook de sleutel van de kantoordeur hebben, Wij. Ik ben bang dat ik je zal moeten insluiten. Sorry, maar het is niet anders. Morgenochtend kun je uit het raam om hulp roepen. O ja, trek ook de stekker uit Kjeldsens toestel.' Hij wees naar de vaste telefoon. 'Die moet ik ook meenemen. Ik zal hem beneden achterlaten, samen met je mobiele telefoon.'

'Waarom doet u dit, *mister*? U ziet er niet... gek uit.'

'Ik heb geen tijd om het uit te leggen.'

'Ik heb geen geld voor een nieuwe scooter.'

'Rustig maar. Ik zal voorzichtig rijden. Geloof het of niet, maar het spijt me écht.' Eusden zuchtte. 'Ik had me het weekend heel anders voorgesteld.'

27

Eusden had al jaren niet meer op een tweewieler gereden, en die had geen motor. Onder andere omstandigheden zou zijn wiebelige rit op Wijayapala's scooter door de – godzijdank lege – straten van Kopenhagen een ware nachtmerrie zijn geweest. Nu verbleekten echter de gevaren en moeilijkheden bij de andere zorgen waarmee hij kampte. Marty was verdwenen en Clems attachékoffertje was gestolen. Misschien was het inmiddels zelfs al verkocht aan een sinistere, anonieme koper. Eusdens kansen om de koop te voorkomen waren verwaarloosbaar. Dat wist hij. Logisch gezien had het helemaal geen zin om het zelfs maar te proberen. Tot nu toe had zijn poging ertoe geleid dat hij zich walgelijk en misdadig had gedragen. Nu brak hij de wet door zonder helm te rijden – om nog maar niet te spreken van alle keren dat hij door rood was gereden.

Toch kon hij niet zomaar opgeven. Het zou pijnlijker zijn om in deze fase zijn nederlaag toe te geven dan om door te gaan totdat hij alles had gedaan wat hij kon doen, zelfs al was het tevergeefs. Door de klap tegen zijn hoofd kon hij niet helder denken en hij was zich ervan bewust dat hij zich mogelijk irrationeel gedroeg, maar was vastbesloten om Kjeldsen en Norvig te pakken. De een had hem bedrogen. De ander had hem verraden. Dat kon hij niet laten gebeuren – en evenmin dat ze ieder ten onrechte de helft van twintig miljoen kronen in hun zak staken.

De havens waren van de stad afgesneden door middel van een spoorlijn en een snelweg. Om er te komen moest je vanaf Nordhavn S-tog-station eerst een heel stuk naar het noorden rijden, voordat je rechts af kon slaan naar de havens. Eusden kwam uit bij een van de havenbassins, waar een groot pakhuiscomplex tussen hem en Marmorvej stond. Hij liet de scooter daar staan, in het besef dat hij zijn aankomst niet kon verraden met het hoge gezoem van de motor, en liep snel de smalle weg tussen het pakhuis en de snelweg af.

Daarachter lag nog ecn bassin. Aan de overkant van dit bassin lag cen autoveer aangemeerd aan een steiger. Marmorvej was de kade links van hem en toen hij afsloeg, hoorde hij de motor van een boot brommen. Een motorsloep voer weg in de richting van de haven. Er liepen twee mannen naar een auto die naast het pakhuis stond geparkeerd. Ver uiteen staande veiligheidslichten wierpen een wirwar van diepe schaduwen en flauwe weerschijnsels over de gesmolten sneeuw op de werf en over het spookachtige kielzog van de motorsloep. Een seconde lang wist Eusden niet precies wat hij nu zag. Zijn waarnemingen waren traag en zijn reacties waren sloom. Toen werd het tafereel hem volkomen duidelijk.

Dc twee mannen waren Norvig en Kjeldsen. Ze liep richting Kjeldsens Volvo. De advocaat droeg een koffertje dat net de ver-keerde grootte en vorm had om dat van Clem te kunnen zijn. Ze hadden zijn koffertje natuurlijk overgedragen, in ruil voor dit kof-fertje, waar hun geld in zat. De koper voer net weg in de motor-sloep. Eusden was te laat. Die kans had er al steeds in gezeten. Het hart zonk hem in de schoenen. Hij beende naar voren, zonder pre-cies te weten wat hij ging doen, maar vastbesloten iets te doen wat de overwinningsroes van die twee zou dempen.

Klonk, klonk: de deuren van de Volvo sloegen dicht. Kjeldsen zat achter het stuur en Norvig zat naast hem. De motor sloeg sput-terend aan, de koplampen brandden fel. De auto was richting zee geparkeerd, zodat ze hem nog niet zouden kunnen zien. Toen Kjeldsen heen en weer stak om de auto te keren begon Eusden te rennen.

Hij bleef echter vrijwel meteen weer staan, verward doordat andere bewegingen en geluiden zijn zintuigen belastten. Ze waren sneller dan de manoeuvrerende auto, luider dan de gedempte motor – of die van de vertrekkende motorsloep, dic nu het bassin uit was gevaren. Een onverlichte motorfiets schoot aan de zeekant achter het pakhuis vandaan. De bestuurder en zijn bijrijder waren schaduwen in zwart leer en gladde helmen. Snel en donker kwam de machine op de Volvo af. Eusden vermoedde dat Kjeldsen en Norvig zich niet bewust waren dat de motor steeds dichterbij kwam. Hij vermoedde ook dat het om naderend onheil ging. 'Kijk uit!' schreeuwde hij.

De waarschuwing was tevergeefs. Voor zijn ogen leek de tijd te bevriezen, maar ook te versnellen. Toen de motor hen bereikte, had Kjeldsen de Volvo achteruitgereden naar de muur van het pakhuis. De bestuurder ging vol in de remmen. Het achterlicht vlamde bloedrood op in de nacht. De bijrijder sprong van de motor. Hij hield iets vast wat op een vuurwapen leek. De droge knallen van verscheidene schoten namen Eusdens twijfel weg. Glas versplinterde. De schutter trok het linkerportier open en vuurde nog meer schoten af. Zes, zeven, tien, twaalf: ze volgden kort op elkaar. De claxon loeide. Door de voorruit ving Eusden een glimp op van in elkaar gezakte figuren. De schutter leunde voorover. Hij duwde een van de figuren opzij. De claxon hield op met loeien. Daarna viel de motor van de Volvo stil en gingen de koplampen uit. Er volgde nog een aantal schoten, minder snel. Ze klonken kalm en weloverwogen: een trefzekere garantie van een vooraf bepaald resultaat. De schutter stapte naar achteren met het koffertje in zijn hand en stapte op de motor.

Pas toen zette de intuïtieve neiging om te vluchten bij Eusden in. Hij draaide zich om en rende. Daardoor kwam hij uit de schaduw vandaan. Vluchten betekende ook zichtbaar worden. Hij hoorde een schreeuw achter zich in een taal die noch Deens, noch Engels was. De motor maakte toeren en brulde. Ze kwamen achter hem aan. Als hij geen bondgenoot was van de mannen die ze net hadden gedood, was hij toch zeker een getuige, dus mocht hij niet ontsnappen.

Als hij meer tijd had gehad, zou Eusden de instincten die hem hier hadden gebracht hebben vervloekt. Als hij er niet zo op gebrand was geweest om Norvig en Kjeldsen terug te pakken, had hij kunnen voorzien dat zij ook bedrogen zouden worden. Maar moord? De kille executies waar hij zojuist getuige van was geweest?

Dat had hij nooit kunnen voorzien. Er stond meer op het spel dan hij zich ooit had kunnen voorstellen. Nu maakte zijn eigen leven daar ook deel van uit.

Hij rende de hoek om naar de smalle weg die naar de andere kade leidde, waar hij de scooter had achtergelaten. Een blik achterom bevestigde dat hij zou worden ingehaald voordat hij daar zou zijn. Hij had niet veel speelruimte meer. Hij kon nergens heen en kon zich nergens verstoppen.

Op dat moment zag hij de poort in het hek. De poort gaf toegang tot een pad dat naar een voetgangersbrug over de snelweg leidde. Daar kwamen ze op de motor nooit overheen. Hij dook door de poort en sprintte naar de trap, durfde niet achterom te kijken.

Hij rende de trap op en de brug over. Er was genoeg verkeer op de snelweg eronder om het geluid van de motor te overstemmen. Hij stond zich een moment lang toe te geloven dat ze de achtervolging hadden gestaakt, maar het scherpe zingen van een kogel die afketste tegen de brugleuning vertelde een ander verhaal. Voorovergebogen liep hij aan de andere kant de brug af, wegduikend en zigzaggend. Hij meende een tweede schot te horen, toen een derde.

Voor hem lag een helder verlichte spoortunnel waarin hij een duidelijk zichtbaar doelwit zou vormen, maar alleen voor iemand op grondniveau. Om die positie te bereiken zouden zijn achtervolgers eerst de voetgangersbrug moeten oversteken. Hij kon zich geen aarzeling veroorloven en dook de tunnel in, zette zich schrap voor de pijnscheut die het schot zou aankondigen dat niet had gemist.

Het schot kwam niet. Hij kwam op Østbanegade de tunnel uit, de weg waarop hij eerder had gereden voordat hij het havengebied binnen was gekomen. Hij keek snel achterom, voordat hij naar rechts uitweek. Er kwam niemand achter hem aan. Misschien hadden ze het alsnog opgegeven.

Een klein stukje verderop was de helder verlichte zeshoek van het S-tog-station. Eusden wist niet of er 's nachts nog treinen reden. Als er snel een trein aankwam, was dat de snelste en veilig-

187

ste ontsnappingsroute die hij zich kon wensen. Tja, áls. Aan de overkant van de weg stonden appartementenblokken en lagen er straten waar hij zijn achtervolgers op een dwaalspoor kon brengen. Misschien waren zij een betere gok. Hij stond op het trottoir zijn afweging te maken, terwijl hij hijgend op adem probeerde te komen. Hij hart bonkte, het bloed suisde in zijn oren. Hij wist niet wat hij moest doen. Hij waagde nog een blik in de tunnel. Nog steeds niemand. Het begon erop te lijken dat...

Toen hoorde hij het bekende gebrul van de motor. Hij draaide zich vliegensvlug om en zag de motor over Østbanegade op hem afkomen. Ze waren over de weg het havengebied uit gereden, hadden – correct – berekend dat ze hem zo de weg konden afsnijden. Hij had te lang gewacht. Ze zouden binnen enkele seconden bij hem zijn.

Als hij weer de tunnel in rende, zou hij als een rat in de val komen te zitten. De enige kans die Eusden had, was om naar de straat tegenover hem te rennen en te bidden dat een van de bewoners hem wilde binnenlaten. Hij stoof de weg op.

Hij hoorde de claxon voordat hij de vrachtwagen van links op zich af zag komen. Hij was vergeten dat Østbanegade hier eenrichtingsverkeer was. Maar hij kon nu niet stoppen. Hij boog zijn hoofd en schoot vooruit, bereikte het trottoir in een luchtstroom, terwijl de vruchtwagen nog steeds toeterend en met gillende remmen de ruimte achter hem opslokte. Op hetzelfde moment hoorde hij het gieren van banden en een oorverdovende klap van metaal op metaal. Eusden dook in elkaar bij het horen van het lawaai en boog zo ver naar voren dat hij zijn evenwicht verloor en in drie struikelpassen op de grond viel. Het lawaai nam verder toe, versterkt met het doordringende gesnerp van krijsend rubber en kreukelend staal, terwijl hij tegen de dichtstbijzijnde muur aan viel en buiten adem omkeek naar de weg.

Toen de motor voor de vrachtwagen langs was gereden, had deze de motor met verpletterende kracht geraakt. De motorrijder had er waarschijnlijk op gegokt de draai te kunnen maken voordat de vrachtwagen Eusden zou afschermen van de schutter. Hij had met zijn leven gegokt. Nu, terwijl de vrachtwagen slippend en zwenkend tot stilstand kwam en daarbij langzaam schuin over de weg schoof, was de motor alleen nog een trillende verwrongen massa onder de cabine. Daardoor kwamen de bestuurder en bijrijder van de motor rollend en buitelend als gebroken poppen langs het trottoir tot stilstand. Het koffertje was opengebroken en handenvol kronen dwarrelden rond als herfstbladeren in een storm.

De motorrijders bewogen zich niet meer en de vrachtwagen stond pas dertig à veertig meter verderop stil. De chauffeur duwde de deur open en klom moeizaam uit zijn cabine, hij bewoog zich alsof hij verdoofd was, een man in shocktoestand. Eusden kon het pistool in de goot zien liggen. Het glom koud in het lamplicht. Hij kwam overeind en liep, nog onvast op zijn benen, achteruit de schaduw in toen de vrachtwagenchauffeur niets ziend zijn kant uit keek. Een naderende bestelwagen remde en stopte. In de nabijgelegen appartementen werden ramen geopend. Er zou nu wel snel alarm worden geslagen.

Eusden liep de zijstraat in, weg van het ongeluk. Hij liep zo snel als hij durfde zonder te gaan rennen. Hij wist niet waar de straat heen leidde, maar dat maakte niet uit. Hij zou wegkomen, veilig zijn.

28

Eusden had geen idee wat de nachtportier in het Phoenix van zijn bebloede voorhoofd en zijn verfomfaaide uiterlijk had gevonden. Nadat hij enkele uren in een bewusteloze toestand had doorgebracht, die alleen in technisch opzicht slaap kon worden genoemd, kon hij zich amper herinneren hoe hij het hotel binnen was gekomen. Hij had zich niet eens uitgekleed. Nu deden alle ledematen pijn. Bij elke beweging begon zijn hoofd pijnlijk te kloppen, hij had in de loop van de nacht een blauw oog gekregen en had over de hele linie het gevoel alsof hij de wereld vanachter een dik gordijn van uitgestelde shock beleefde.

Hij nam een douche, trok schone kleren aan en liep naar de dichtstbijzijnde nachtwinkel om ontsmettingsmiddel en pleisters te kopen. Waarschijnlijk zou hij naar een dokter moeten om te laten controleren of hij een hersenschudding had, maar hij vermoedde ook dat het op zijn zachtst gezegd onverstandig was om op die manier de aandacht op zichzelf te vestigen. Waarschijnlijk had Wijayapala de politie nu wel een beschrijving van hem gegeven en ze zouden hem vast in verband brengen met het bloedbad aan Nordhavn, omdat Kjeldsen een van de doden was. Het verstandigste was om zich schuil te houden totdat hij uit Kopenhagen vertrok. Daar moest hij niet te lang mee wachten. Hoe langer hij bleef, hoe groter de kans werd dat hij bij een moordonderzoek betrokken zou raken.

Hij kon echter niet zijn schepen achter zich verbranden en naar Londen teruggaan zonder te weten waar Marty was gebleven. Hij moest uitzoeken wat er met zijn vriend was gebeurd, zelfs al had die vriend zijn gerieflijke en voorspelbare leventje veranderd in een rauwe overlevingsstrijd. 'Marty, je bent een kloothommel,' mompelde hij verschillende keren, terwijl hij door de bijtende kou van een troosteloze ochtend terugliep naar het hotel. Hij had het natuurlijk al veel vaker gezegd, maar hij had er nooit echt iets van geleerd.

Hij had erop gerekend meteen naar boven te kunnen lopen om een ontbijt naar zijn kamer te laten brengen en wilde zichzelf als medicijn sterke, zwarte koffie voorschrijven. Halverwege de foyer werd hij evenwel onderschept door een onverwachte bezoekster: Regina Celeste.

'Ah, daar ben je dan, Richard. Ik dacht al dat het de moeite waard zou zijn om te zien of je snel terugkwam. Waar zou je immers op een ochtend als deze naartoe gaan, hè?' Ze leek overdag nog luidruchtiger en nog opzichtiger gekleed dan 's avonds. Of misschien, dacht Eusden, was hij er nu gewoon gevoeliger voor. 'Maar hé, wat is er met jou gebeurd? Je hebt gisteravond toch niet gevochten? Dat is een joekel van een blauw oog.'

'Ik ben uitgegleden in de badkuip.'

'Echt?' Hij kon haar scepsis wel begrijpen.

'Wat is precies de reden van je bezoek, Regina? Ik ben bang dat ik nog steeds niets van Marty heb gehoord.'

'Niets?'

'Nee. Zoals ik al tegen Werner zei, zal ik het jullie laten weten zodra ik van hem hoor.'

'Daar gaat het nu net om, Richard. Werner heeft van Marty gehoord.'

'Wat?'

'Je zult het met me eens zijn dat we even moeten overleggen.'

Ze vonden een café aan Bredgade dat net open was gegaan. De enige andere klanten waren Japanners die zich zoet hielden met het fotograferen van hun ontbijt. Eusden nam genoegen met koffie. Terwijl Regina met veel omhaal haar kruidenthee liet trekken, zat hij na te denken over de afgrijselijke manier waarop Marty hem met zijn zorgvuldig gepresenteerde plan om Straub te ontlopen had misleid. Want dat hij hem had misleid, was wel zeker. De vraag was alleen op welke schaal. Regina's aankondiging had een maar al te bekende snaar in hem geraakt. Het leek erop dat Marty hem voor de zoveelste keer had belazerd.

'Waar is Werner nu?' vroeg hij.

'Dat is nu net het probleem, Richard. Dat weet ik niet. Toen ik vanochtend bij zinnen kwam, was hij al weg. Hij had dit briefje voor me achtergelaten bij de receptie. Ze haalde een vel briefpapier van het Hôtel d'Angleterre uit de hutkoffer die voor haar handtas doorging en reikte het hem aan.

Lieve Regina,
Het spijt me dat ik weg moet zonder je op de hoogte te kun-nen stellen. Marty heeft contact met me opgenomen. Ik heb een afspraak met hem en hoop antwoorden te krijgen op al onze vragen. Wacht hier op me. Ik zal je later vandaag bel-len. Als ik terug ben, zullen we onze zaken in Hannover zo snel mogelijk afhandelen.
Hartelijke groet,
Werner

'Hartelijke groet? Ammehoela,' vervolgde Regina toen ze het briefje terugkreeg. 'Hij moet gisteravond al hebben geweten dat hij met stille trom zou vertrekken. Hij heeft me er gewoon niets over verteld, omdat hij wist dat ik dan per se met hem mee zou willen. Of op zijn minst zou willen weten waar hij heen ging. Ik word niet graag aan het lijntje gehouden, Richard, en al helemaal niet door een profiteur als Werner. Snap je wat ik bedoel?'

'Jazeker.'

'Toen we gisterochtend naar Klampenborg gingen, was alles nog leuk en gezellig. Hvidøre is tegenwoordig een congrescentrum, maar hij had geregeld dat we een heuse rondleiding kregen. Je kon je voor-stellen hoe de kamers er tijdens Dagmars leven uit hadden gezien, vol met lomp meubilair en kitscherige beelden en stoffige aspidis-tra's. Ik kreeg echt een beeld van de oude dame, zal ik je vertellen. Vooral de torenkamer waar ze zo vaak zou hebben gezeten om uit te kijken over zee. Hoe dan ook, Werner had geen meer attente gastheer kunnen zijn, of hij had me ten huwelijk moeten vroegen, maar dan zou ik hem luid en duidelijk hebben afgewezen. We hebben lekker geluncht in een restaurant aan de kustweg, een klein stukje van Hvidøre, en daarna zijn we doorgereden naar Rungsted, om het Karen Blixen Museum te bezoeken. Tja, die kans wilde ik me niet laten ontglippen. Ik was echt dol op die film. En jij?

Bij Eusden kwam opeens de herinnering boven, verleidelijk en pijnlijk tegelijk, aan hoe hij medio jaren tachtig in Guildford met Gemma naar de bioscoop was gegaan om *Out of Africa* te zien, de film waar Regina zo dol op was geweest. Hij was toen een tevreden echtgenoot, Gemma een heimelijk ontevreden vrouw. Tijd, dacht hij vaak, was meer een kweller dan een heler.

'Toen we in het museum waren, werd Werner mobiel gebeld. Hij deed een beetje quasi-verlegen en liep naar buiten om te bellen. Toen hij weer binnenkwam, vertelde hij me dat zijn moeder had gebeld, maar dat geloofde ik geen seconde. Maar wat kun je eraan doen als vrouw? Daarna gedroeg hij zich anders. Gespannen. Verstrooid. Dat duurde tot na het diner in het d'Angleterre. Meteen daarna verontschuldigde hij zich. Zei dat hij op tijd naar bed moest, wat ik helemaal niets voor hem vond. Ik wist niet wat ik ervan moest denken.' Ze lachte grimmig. 'Nu wel, natuurlijk. Die achterbakse gluiperd.'

'Hoe laat kwam dat telefoontje?'

'Weet ik niet precies... een uur of drie, denk ik.'

Drie uur kwam tergend dicht in de buurt van het tijdstip waarop Marty in Kopenhagen had moeten aankomen. Al wist Eusden niet wat deze timing te betekenen had – óf het iets te betekenen had.

'Heb je inspirerende gedachten?'

'Ik ben bang van niet. Het spijt me, Regina. Ik heb geen flauw idee wat Marty van plan is. Of Werner.'

'Die zitten samen een deal te maken, dát zijn ze van plan.'

'Dat... zou kunnen.' Regina had natuurlijk gelijk. Dat was de enige logische verklaring.

'De vraag is: nemen jij en ik daar genoegen mee?'

'Wat kunnen we eraan doen?'

'Om te beginnen kunnen we open kaart spelen.' Dat leek Eusden geen goed idee, al zou hij dat niet zeggen. Hij was niet van plan haar iets over zijn recente activiteiten te vertellen. 'Heb je echt geen idee wat er in Clem Hewitsons archief staat?'

'Geen flauw benul.'

'Dat is... tamelijk teleurstellend.'

'Wat moet je voor zaken afhandelen in Hannover?' vroeg Eusden, om het gesprek op een ander onderwerp te brengen.

'Ach, dat kan ik je nu net zo goed vertellen. Dankzij zijn escapade hoeft Werner er wat mij betreft niet meer op te rekenen dat ik informatie als vertrouwelijk behandel. Hij heeft onderhandeld met een verzamelaar van nazicuriositeiten in Hannover, ene Hans Grenscher, over de aanschaf van een verzameling Gestapodocumenten die essentiële informatie zou bevatten over Anastasia. Ze woonde tijdens de Tweede Wereldoorlog in Hannover, op aandringen van de Gestapo. Om een of andere reden wilden ze niet dat ze door het land zou zwerven. Ze werd één keer naar Berlijn gebracht, voor een ontmoeting met de Führer. Wat Hitler met haar voor ogen had, is niet duidelijk. Misschien zag hij haar als een potentiële inzet bij zijn onderhandelingen met Stalin. Hoe dan ook, ik weet niet precies wat Grenscher over haar heeft, maar volgens Werner hoort het bij iets wat Marty's grootvader heeft bewaard om te bewijzen dat Anastasia echt Anastasia was. Blijkbaar is Grenscher niet bereid zijn verzameling op te splitsen. We moeten de hele boel kopen om aan het ene stuk over Anastasia te komen. Ik heb zelfs al een forse aanbetaling moeten doen om de eerste rechten te hebben.'

Eusden vroeg zich af of Straub het geld van Regina's aanbetaling had gebruikt om te proberen Marty af te kopen. Het leek typerend voor de man om andermans geld te gebruiken in plaats van zijn eigen geld – als hij dat al had. Het leek al even typerend voor hem dat hij zo nodig met iedereen marchandeerde: met Regina, met Marty, en waarschijnlijk ook met Grenscher. 'Hoe kan Werner nu zeker weten dat dit hoort bij wat er dan ook in de papieren moge staan, die Marty van zijn grootvader heeft geërfd?'

'Dat snap ik ook niet, Richard. Maar daar is hij vanaf het begin al heel stellig in geweest. Daarom ben ik ook hierheen gevlogen. Omdat hij zo zeker wist dat we voor eens en hopelijk altijd de DNA-leugen konden ontzenuwen dat de dame die ik in Charlottesville had leren kennen alleen maar een Poolse boerin was. Nu vraag ik me af of Werner het bedrag van het voorschot opschroefde om zichzelf onderhandelingskapitaal te verschaffen. Begrijp je waar ik heen wil? Misschien wil hij bewijzen vergaren om er zelf beter van te worden. Om een boek te schrijven, de filmrechten te verkopen en mij buiten te sluiten. Misschien ben ik alleen de melkkoe die hij ondertussen wil uitmelken. Nou, deze koe kan meer dan met haar staart zwaaien, laat ik je dat wel vertellen.'

'Wat ben je van plan?'

'Een reis naar Hannover. Een gesprek onder vier ogen met Hans Grenscher. Als het moet, kan ik zelf onderhandelen.

'Daar twijfel ik niet aan.'

'Maar ik moet wel weten wat er hier gebeurt, terwijl ik weg ben. Daar kom jij in het spel.'

'Echt waar?'

'Werner komt geheid bij jou aankloppen als hij terugkomt en ontdekt dat ik weg ben. Ik wil graag dat jij hem dan de verkeerde kant uit stuurt. Zeg maar dat ik 'm ben gesmeerd naar Sint-Petersburg, achter Dagmar aan – om een bezoek te brengen aan haar laatste rustplaats, die ze deelt met de tsaar, de tsarina en een paar van hun kinderen. Daar trapt hij vast wel in, als hij bedenkt hoe ik moest huilen tijdens ons bezoek aan Hvidøre. Ach, ik ben nu eenmaal emotioneel, Richard. Dat zul je vast beseffen. Maar de emotie die nu bij mij overheerst, is achterdocht. Daarom wil ik ook dat je zo mogelijk precies uitzoekt wat Marty en hij van plan zijn – en dat je me het laat weten. Wat vind je ervan?'

Dit was beslist niet het goede moment om te vertellen dat het beslissende document dat in Clems archief zou zitten – met de rest van het archief – onherroepelijk buiten hun bereik was en dat ze het met geen mogelijkheid, geen bedrog en geen verraad, terug zouden krijgen. Eusden betwijfelde of hij nog in Kopenhagen was als Straub terugkwam. Maar hij kon Regina Celeste niet uitleggen waarom. Hij vond het vervelend haar te moeten misleiden, maar er waren dingen die hij nog veel vervelender vond. Hij schonk haar een geruststellende glimlach. 'Ik zal zeker mijn best doen, Regina.'

Een half uur later bereikte Eusden eindelijk zijn kamer in het Phoenix. Hij kalefaterde zichzelf op, bestelde ontbijt en ging op bed liggen wachten totdat het werd gebracht. Hij was te moe om na te denken over de mate waarin en de reden waarom Marty deze keer misbruik maakte van hun vriendschap. Hij wist alleen dat het een nieuw dieptepunt markeerde – en een einde maakte aan zijn betrokkenheid bij Marty's gecompliceerde zaken. Het was tijd om zichzelf los te snijden.

Hij keek op zijn mobiele telefoon om bevestigd te zien dat Marty geen verontschuldigend of hem vrij pleitend bericht had gestuurd. Aangezien Marty, voor zover hij wist, niet eens zijn mobiele nummer kende, was die kans trouwens heel gering. Toch wilde Eusden hem het voordeel van de verwaarloosbare twijfel gunnen.

Er was inderdaad geen boodschap van Marty. Maar Gemma had weer gebeld. Aan *Bel me z.s.m.* had ze toegevoegd *Uiterst dringend*. Eusden liet zich vermurwen en belde haar terug, al had hij absoluut geen zin om vragen te beantwoorden over wat Marty en hij de afgelopen dagen hadden uitgespookt. Hij was allang blij toen Gemma zelf opnam, in plaats van Monica.

'Met mij.'

'Jezus, Richard, waarom heb je me niet eerder gebeld? Ik werd bijna gek.' Ze klonk beslist radeloos, al kon hij niet bedenken waarom.

'Wat is er?'

'Hoe bedoel je, "wat is er"? Jij bent toch in Kopenhagen?'

'Ja.' Terwijl hij antwoord gaf, vroeg Eusden zich af hoe ze dat wist.

'Waarom heb je het me dan niet verteld? Waarom moest ik het van een Deense politieagente horen?'

'Wát horen?'

'Over Marty, natuurlijk.'

'Wat ís er met Marty?'

'Zit jij me voor de gek te houden, Richard?'

'Nee. Marty is niet bij me. Eerlijk gezegd weet ik momenteel niet precies waar hij uithangt.'

'Natuurlijk is hij niet bij je. Hij is...' Ze brak haar zin af.

Er viel een geladen stilte. Eusdens angst trok als een nevel op in zijn hoofd.

'Gemma?'

'Weet je het echt niet?'

'Verdomme, wát weet ik niet?'

'O, jezus.'

'Wát moet ik weten?'

'Het spijt me, Richard.'

'Het spijt je? Wat is er in godsnaam...'

'Marty is dood.'

29

'*Je zult me missen als ik dood ben.*' Achteraf verbaasde het Eusden dat Marty dit in de loop van de paar dagen die ze samen in Hamburg en Århus hadden doorgebracht helemaal niet had gezegd. Misschien had hij het niet hoeven zeggen. Misschien vond hij het te vanzelfsprekend. Dat wás het ook, al hadden zich verschillende gelegenheden voorgedaan waarbij Eusden het stellig zou hebben ontkend. Toch vielen ten overstaan van de dood alle grieven, beledigingen en irritaties, zelfs de talrijke keren dat Marty feiten voor hem had verzwegen, in het niet. Dat was toen hij later die ochtend naar Marty stond te kijken op de tafel in het mortuarium van Roskilde Amtssygehuset; zijn koude, bleke, lege gezicht leek helemaal niet meer op dat van Marty.

Een medewerker die graag wilde weten of Eusden Marty's uitvaart zou verzorgen – hetzij bij een plaatselijke uitvaartonderneming of thuis in Amsterdam of Engeland – week niet van zijn zijde. Eusden omzeilde zijn vragen. Het zou waarschijnlijk nog zeker een week kosten om alle regelingen te treffen, en zo lang kon hij niet in Kopenhagen blijven. Hij zou de verantwoordelijkheid aan Gemma moeten overdragen, en dat zou hij haar op een of andere manier moeten uitleggen.

Toen hij het ziekenhuis uit liep en naar het centrum van Roskilde wandelde, langs het station waar hij een paar uur geleden vanuit Kopenhagen was aangekomen, kon hij het niet opbrengen om zich op zulke kille praktische zaken te concentreren. De dood van zijn jeugdvriend voelde als de amputatie van een lichaamsdeel waarvan hij tot dan toe niet had geweten dat hij het bezat. Hij moest steeds denken aan Marty's meest karakteristieke gezichtsuitdrukking, waarin op wonderbaarlijke wijze al zijn ondeugendheid, humor en lef – zijn onontkoombare levenslust – naar voren kwamen. Eusden zag het weer voor zich, helder en met een gouden gloed. Op zaterdagochtend sprong Richard op de Fountain Arcade in Cowes van de bus uit Newport en Marty stond hem kauwgom kauwend en glimlachend op te wachten. De uitdrukking op zijn gezicht verzekerde Richard ervan dat het leven de eerstkomende uren één groot feest zou worden. Toen hij in Frau Straubs appartement in Hamburg het plakband van Marty's gezicht had getrokken, had hij nog restanten van die uitdrukking gezien. '*Blij je te zien, Coningsby.*' En ondanks alles – ondanks de verbeurde borgsom, de rivaliteit om Gemma, de ruzies en het bedrog – was het genoegen wederzijds geweest. Zoals altijd. Maar nu was het voorgoed voorbij.

Naast het station lag een oud kerkhof dat nu was ingericht als park. Op deze vochtige, kille dag had Eusden de bankjes voor zichzelf. Hij zat uit te kijken over de rode baksteengevels en de met koper beslagen torenspitsen van de kathedraal van Roskilde, die verzwommen achter zijn tranen. Volgens de informatie die Gemma hem had doorgegeven, was Marty gistermiddag rond half vier in de kathedraal in elkaar gezakt. Bij aankomst in het plaatselijke ziekenhuis werd de dood vastgesteld. De doodsoorzaak was een zware beroerte. Hij had geen paspoort bij zich en was geïdentificeerd aan de hand van een recept in zijn zak dat was uitgeschreven door de apotheek van Århus Kommunehospital. Toen hij daar was binnengebracht, had hij Gemma als zijn naaste familielid opgegeven. Blijkbaar had de oncoloog er bij hem op aangedrongen in het ziekenhuis te blijven, gezien de gerede kans op een tweede beroerte. Marty had er echter op gestaan te vertrekken. Eusden wist hoe hardnekkig hij kon zijn.

Als Marty inderdaad om 11.54 uur in Århus op de trein was gestapt, was hij net voor drie uur in Roskilde aangekomen, het tijdstip waarop hij Straub zou hebben gebeld. Een half uur later liep hij de kathedraal binnen – maar hij kwam er niet meer uit. Ze zouden nooit weten waarom hij überhaupt in Roskilde was uitgestapt. Waarschijnlijk had hij om een of andere reden besloten niet door te reizen naar Kopenhagen. Regina Celeste zou zeggen dat hij was uitgestapt om een stiekeme afspraak te maken met Straub. Die afspraak zou echter niet in Roskilde plaatsvinden. Straubs briefje had de indruk gewekt dat hij een stuk verder zou reizen. Eusden dacht eerder dat Marty Straub op een dwaalspoor had gebracht, zodat hij niet in Kopenhagen zou zijn als Marty daar na een strategische tussenstop in Roskilde aan zou komen – maar dat zijn plotselinge dood de uitvoering van zijn plan verijdelde. Als Eusden gelijk had, was Marty overleden terwijl hij hen beiden had geprobeerd te beschermen.

Eusden was één keer eerder in Roskilde geweest, samen met Gemma en Holly, voor een bezoek aan het Vikingschipmuseum. De kathedraal had die dag maar een bijrol gespeeld in het vermaak, al had Holly het erg leuk gevonden om naar het graf van Harald Blauwtand te zoeken. Destijds moest Dagmars graf deel hebben uitgemaakt van de crypte, maar Eusden had er niet naar gezocht. Nu was het graf er natuurlijk niet meer, dus was het moeilijk te zeggen waarom Marty naar de kathedraal was gegaan. Hij was een gezworen atheïst en geen groot liefhebber van kerkarchitectuur. De laatste rustplaats van tig eeuwen Deens koningshuis zou normaal gesproken weinig meer hebben uitgelokt dan een onverschillig schouderophalen.

Maar hij wás ernaartoe gegaan. En Eusden volgde. Hij liep het voorportaal binnen en werd begroet door een vrijwilliger die rondleidingen gaf. Toen hij uitlegde dat hij een vriend was van de man die er de dag tevoren was overleden, werd hij naar de vrouw achter de verkoopbalie begeleid. Zij, zo werd hem op zachte toon verteld, 'wist er alles van'.

Dit kwam, zo werd duidelijk, doordat Marty niet in de kathedraal zelf in elkaar was gezakt, maar in de portiek. De verkoopster, een vriendelijke, goedlachse vrouw van middelbare leeftijd, die volgens haar naamkaartje Jette heette, had het zien gebeuren.

'Hij was net binnen en had bij mij een kaart en een gidsje gekocht. Hij vroeg naar prinses Dagmar, de moeder van de laatste tsaar van Rusland. Zij was een Deense, weet u, en was hier begraven. Althans, tot afgelopen september; toen zijn haar stoffelijke resten naar Sint-Petersburg gebracht. Hij wilde weten waar haar graf was geweest. Ik heb het hem laten zien op de plattegrond in het gidsje. We hebben er ook ansichtkaarten van.' Ze plukte een kaart uit het rek en liet deze aan Eusden zien. Dagmars grote kist, versierd met prachtig houtsnijwerk, werd weergegeven in haar vaste hoek van de crypte tussen iconen en brandende kaarsen. 'Hij heeft ook zo'n kaart gekocht.'

'Hoe kwam hij op u over?'

'Een tikje... beverig. Ik zag dat hij... zweette, hoewel het echt behoorlijk koud was, en hij wreef steeds over zijn hoofd, alsof het pijn deed. Maar hij had een prachtige glimlach. Heeft u hem lang gekend?'

'Van jongs af aan.'

'Ach, jee. U zult wel erg verdrietig zijn.'

'Ja, dat klopt.'

'Heet u Coningsby?'

'Pardon?'

'Hij wilde een boodschap laten doorgeven aan iemand die Coningsby heette. Dat was het laatste wat hij zei, toen hij daar lag.' Ze wees naar de deur die naar het midden van de kerk leidde. 'Hij had maar een paar passen gelopen toen hij bleef staan en zijn hoofd boog. Hij stak zijn armen uit alsof hij houvast zocht, maar hij stond te ver van de muur. Ik besefte dat hij niet goed werd en ging hem helpen, maar voordat ik bij hem was, viel hij op de grond. Er kwamen nog een paar bezoekers helpen. We hielden zijn hoofd rechtop. Ik weet niet zeker of hij ons kon zien. Zijn ogen zagen er... vreemd uit. Hij had ook moeite met praten.'

'Maar hij zei wel iets.'

'Ja. Hij vroeg ons een boodschap door te geven aan Coningsby. Daarna... overleed hij.'

'Ik ben Coningsby. Zo heet ik niet echt, maar soms... noemde hij me zo.'

'Dan is de boodschap voor u bestemd.'

'Ja.' Eusden knikte. 'Wat zei hij?'

'Zeg tegen Coningsby dat die baboesjka gelijk had.'

De baboesjka. Natuurlijk. Eusden was haar compleet vergeten. Tot nu.

'Zegt dat u iets?'

'O, ja. Zeker.'

30

September 1976. De dorre nasleep van een hete zomer. Gemma stelde voor een reisje naar Parijs te maken om het gat tussen hun vakantiebaantjes en het begin van het nieuwe collegejaar in Cambridge op te vullen. Ze haalde Pamela, een schoolvriendin van haar, over om mee te gaan en regelde alles. Ze zouden elkaar in Portsmouth treffen en daar op de veerboot naar Le Havre stappen.

Omdat hij toch niets beters te doen had, ging Richard de dag voor hun vertrek met zijn moeder mee naar Southampton, voor een van haar maandelijkse boodschappentochten. Toen hij rondneusde in Gilbert's Bookshop, een literaire schatkamer van verschillende verdiepingen die altijd een onweerstaanbare aantrekkingskracht op hem uitoefende, deed hij, zoals gewoonlijk, een impulsaankoop. *Het dossier Romanov*, geschreven door Anthony Summers en Tom Mangold, vers van de pers.

Tijdens de overtocht en onderweg naar Parijs begon Marty erin te lezen, zodra Richard het boek neerlegde. Het duurde niet lang voordat ze het nergens anders meer over hadden, tot groot ongenoegen van Gemma. Toen ze op aandringen van Pamela door het Louvre sjokten, kregen ze een uitbrander omdat ze de kunstwerken negeerden en in plaats daarvan discussieerden over de vraag of de vrouwen uit de keizerlijke familie in de nacht voor de zogenaamde massamoord echt in het geheim vanuit Jekaterinenburg naar Perm konden zijn overgebracht, zoals de auteurs beweerden.

Marty ontwikkelde al snel een samenzweringstheorie, waarbij hij Lord Mountbatten als grote boosdoener aanwees in een complot om Anastasia haar erfenis te ontzeggen: miljoenen ponden die de tsaar bij de Bank of England in bewaring zou hebben gegeven. Tot zijn opwinding kwam hij erachter dat Mathilde Kschessinskaja, de oudere ballerina die voor zijn huwelijk de maîtresse van de tsaar was geweest en daarna met een van zijn neven was getrouwd, in Parijs woonde. Tijdens een interview op de Franse televisie in 1967, toen ze vijfennegentig was, had ze de aanspraak die Anna Anderson maakte op haar rechten gesteund. Gemma werd gedwongen om het relevante boekfragment te lezen en bracht naar voren dat Mathilde al over de honderd zou zijn, als ze überhaupt nog leefde, maar Marty wierp zich vol enthousiasme op zijn speurtocht naar de oude dame.

Gemma had op hun laatste ochtend in Parijs een bezoek gepland aan Les Invalides, maar Marty had andere plannen. Uiteindelijk bezochten de twee meisjes samen het graf van Napoleon, terwijl Marty en Richard zich naar Klein Rusland begaven, het gebied rondom de orthodoxe Alexander Nevsky Kathedraal, waar Russische vluchtelingen zich na de Revolutie hadden gevestigd. Volgens hem was er geen betere plek om naar overlevende Romanovs te informeren en opinies te peilen.

De resultaten waren teleurstellend. De hooghartige eigenaar van een Russische boekenwinkel vertelde hun dat de 'grootvorstin Mathilde' was overleden. Hij wierp een minachtende blik op hun boek, dat inmiddels vol ezelsoren zat en zei dat er 'vele, vele leugens' over de keizerlijke familie waren verteld. Bovendien was Marty vergeten de openingstijden van de kathedraal op te zoeken. Ze waren net op een dag gekomen waarop er geen bezoekers werden toegelaten.

Toen ze voor de kathedraal stonden te kijken naar de goudkleurige koepels en de dichte deur, ontstond er een verwijtende sfeer. Toen zag Marty een oudere vrouw in versleten kleren een advertentie prikken op het mededelingenbord dat aan de muur van het bisschoppelijk kantoor hing. Ze was geheel in het zwart gekleed. Haar gegroefde gezicht, dat uit een strak om haar hoofd geknoopt doek piekte, zag eruit als een opgedroogde rivierbedding. In haar advertentie, opgesteld in het Russisch en het Frans, bood ze de plaatselijke gemeenschap haar diensten aan als helderziende. Marty sprak haar in het Engels aan, zonder resultaat, maar uiteindelijk lukte het Richard en hem om in rudimentair Frans met haar te communiceren. Had zij de grootvorstin Mathilde gekend? Ja. Net als Mathildes zoon, haar echtgenoot en talrijke neven. Wist zij iets over de vrouw die zei dat ze Anastasia was? Opnieuw: ja. Ze wist veel en wilde wel vertellen – mits ze haar een maaltijd aanboden. Ze was arm en verwaarloosd, ze had honger, en vormde een bron van informatie.

Informatie had de baboeska, zoals Marty haar later noemde, zeker. Ze vertelde hun veel, terwijl ze haar soep opslurpte en wodka dronk in een nabijgelegen bar, waar ze door het personeel duidelijk met diepgewortelde achterdocht werd bekeken. Jammer genoeg droeg het kleine beetje dat Marty en Richard konden volgen weinig bij aan hun totale kennis. Mathildes echtgenoot, grootvorst Andrej, had ook zijn geloof in Anna Anderson uitgesproken en dat overtuigde de baboeska, die hem ooit een hand had gegeven en zijn hand lang genoeg had vastgehouden om te voelen, zoals ze hem ook vertelde, dat zijn zoon hem zou verraden. En ja hoor, de zoon, Vladimir – 'la vipère Vova', zoals zij hem noemde – was overgelopen en had Anna afgedaan als een bedriegster. Waarom? 'Pour l'argent. Toujours pour l'argent.' Dat was, verklaarde ze botweg, de ware ondergang van de Romanovs. 'La cupidité.' Hebzucht. 'Dank voor dit verbijsterende inzicht,' mompelde Marty terwijl zij nog een glas wodka naar binnen goot.

Misschien omdat ze het gevoel had dat ze hun gulheid maar matig had terugbetaald, bood de baboeska uiteindelijk aan om hun hand te lezen. Richard wilde niet, maar Marty liet het vrolijk over zich komen. Hij werd beloond met vage voorspellingen van geluk en rijkdom, wat hij zo onbevredigend vond dat hij vroeg hoe lang hij zou leven. Langer dan zij, zei de baboeska gevat en ze zei er bijna terloops achteraan: 'Vous mourrez dans un endroit sacré.'

Marty lachte om het idee dat hij op een heilige plaats zou sterven. Toen Gemma het verhaal later te horen kreeg, zei ze dat hij van geluk mocht spreken als hij op een heilige plaats zou worden begraven, laat staan dat hij er zou sterven. Op dat moment stonden ze boven in de Eiffeltoren een vlek aan de horizon te bewonderen die volgens Pamela de kathedraal van Chartres was. 'Ik heb een pesthekel aan kathedralen,' fluisterde Marty tegen Richard, 'en nu heb ik het perfecte excuus om er vandaan te blijven.'

Eusden liep de kathedraal van Roskilde uit, de koude grijze Deense middag in. Maar zijn gedachten bleven hangen bij de verblindende zon in het Parijs van dertig jaar geleden. Hij zag Marty naar hem glimlachen boven een cafétafel in Montmartre. Hij voelde hoe op het Île St-Louis de hitte werd weerkaatst tegen de stenen muur boven de kade. Hij hoorde hoe het verleden hem riep, en hij kon geen antwoord geven.

'Meneer Eusden?'

Een mollige man met een kaalgeschoren hoofd in een grijs pak, wit overhemd en blauwe stropdas stond hem in de weg, Achter hem stond een glanzend zwarte Mercedes langs de weg geparkeerd. Opeens werden Eusdens gedachten naar het heden getrokken. 'Ja,' zei hij zacht.

'Ik heb opdracht om u naar het hoofdkantoor van Mjollnir te brengen.'

'Wat?'

'Mjollnir. Birgitte Grøn wil u spreken.'

'Wie?'

De chauffeur glimlachte flauwtjes. 'Mijn bazin.'

'Ik ken haar niet. Ik denk ook niet dat ik haar wil spreken.'

'Moment alstublieft.' De chauffeur haalde zijn telefoon uit zijn zak en toetste een nummer in. Hij sprak een paar woorden in het Deens en reikte daarna Eusden zijn telefoon aan. 'Hier is ze zelf.'

'Hallo?' zei Eusden voorzichtig.

'Richard Eusden?' De stem was afgemeten en scherp genoeg om te wijzen op ongeduld.

'Ja.'

'Met Birgitte Grøn, financieel directeur van Mjollnir. We moeten praten.'

'Waarover?'

'Over zaken die niet door de telefoon kunnen worden besproken. Jørgen zal u naar mijn kantoor brengen.'

'Misschien wil ik helemaal niet worden gebracht.'

'En misschien wil ik hier op zaterdagmiddag helemaal niet zijn, meneer Eusden. Maar ik bén hier, en u zult wel degelijk met me komen praten. Als u dat niet doet, krijgt de politie een naam die past bij de beschrijving die ze heeft van een man die ze willen ondervragen over de dubbele moord van gisteravond op een advocaat die Anders Kjeldsen heet en een journalist met de naam Henning Norvig. Mijn kantoor is een stuk comfortabeler dan een verhoorkamer op het hoofdbureau van politie en niemand zal opnemen wat u vertelt. Stap dus maar in de auto. Ik zie u zo.'

31

Ten zuiden van Kopenhagen bleek een hele tweede stad te worden bijgebouwd. Eusden keek door de getinte ramen van de Mercedes naar de kantoorcomplexen en appartementenblokken die omhoogschoten tussen groepjes hijskranen en bergen aarde, waar binnen afzienbare tijd hun buren zouden staan. Dit was de toekomst. En in het hart van dit alles, als een vinger die naar de lucht wees, stond *Det Blå Tryllestav*, zoals Jørgen het noemde – de Blauwe Toverstaf: een glazen toren met lazuurblauwe zonwering dat Mjollnir AS huisvestte.

Jørgen reed meteen de ondergrondse parkeergarage in en begeleidde Eusden naar de lift. Een lift die pijlsnel omhoogging, bracht hem helemaal boven in de toren. Toen de liftdeuren opengingen, zag hij een verlaten kantoortuin en een vrouw in een chique broekpak die naar hem toe liep en hem begroette toen ze dichterbij kwam. 'Meneer Eusden. Ik ben Birgitte Grøn.'

Ze was klein en tenger gebouwd, een jaar of vijfenveertig, met vrij kort, blond haar, scherpe gelaatstrekken en een smal brilmontuur dat aan een brievenbus deed denken. Onder haar roze overhemd droeg ze een sobere ketting van platina. Ze kwam kordaat en zakelijk over en haar toon deed vermoeden dat ze op een gemiddelde dag heel wat van dit soort afspraken had.

'Loop mee naar mijn kantoor,' zei ze na een obligate handdruk. 'We hebben het kantoor vanmiddag voor onszelf. Mjollnir moedigt overwerk in het weekend niet aan, maar dit is een noodgeval.'

'O ja?'

'Ja. Voor ons én voor u.' Ze liep terug in de richting waar ze vandaan was gekomen en Eusden volgde. 'Anders zou ik hier nu niet zijn.'

Ze liepen een kantoor met glazen wanden, gestoffeerd en ingericht met zachte pasteltinten en licht hout. Daar stond hun een man op te wachten, gekleed in een zwart pak en wit overhemd, zonder das. Zo te zien was hij rond de vijftig, kalend, met een keurig baardje en melancholieke blauwe ogen.

'Erik Lund, CSO,' zei Birgitte.

Eusden gaf de man een hand. Lund had een stevige greep. Hij keek Eusden aan zonder te glimlachen.

'Waar staat CSO voor?'

'Chief Security Officer,' zei Lund, 'oftewel hoofd beveiliging.'

'Aha.'

'Wilt u thee of koffie, meneer Eusden?' vroeg Birgitte.

'Koffie lijkt me heerlijk. Zwart. Zonder suiker.'

'Net als jij, Erik,' zei Birgitte. 'Wil jij hem koffie inschenken? Ik hoef niets. Laten we gaan zitten.'

Ze gingen zitten aan een brede vergadertafel van esdoornhout die naar een hoek van het gebouw gedraaid stond en door het visgraatmotief van de zonwering uitzicht bood op de uitgestrekte bouwplaats die tot het centrum van Kopenhagen reikte.

'Mijn oprechte deelneming met de dood van uw vriend.'

'Moet ik dat serieus nemen?'

'Het was serieus bedoeld.'

'Straks vertelt u me nog dat Karsten Burgaards dood echt een ongeluk was.'

'Voor zover ik weet wel.' Birgitte schonk hem een meelevend glimlachje dat hem een indruk gaf van de levendige persoonlijkheid die ze 's ochtends thuis achterliet. 'U heeft een hels etmaal achter de rug, geloof ik. Dat ziet er niet best uit.' Ze maakte een hoofdbeweging naar de snee in zijn voorhoofd en het blauwe oog eronder. 'U ziet er moe uit en ietwat hopeloos. Ik hoop dat u het me niet kwalijk neemt dat ik dat zeg.' Lund bracht de koffie en ging naast haar zitten. 'Misschien helpt dat.'

'Wie weet.' Eusden nam een slok. Het hielp inderdaad – een beetje.

'Als u vragen heeft...'

'U gaat me vast vertellen waarom ik hier ben.'

'Dat klopt.'

'Dan houd ik het bij één vraag: waar is Tolmar Aksden?'

'Helsinki.'

'Saukko Bank neemt veel van zijn tijd in beslag, hè?'

'Niet meer dan hij had verwacht.'

'Maar hij... heeft toestemming gegeven voor deze afspraak?'

'Hij vertrouwt me, meneer Eusden. Ik handel met zijn toestemming.'

'Is dat een ja of een nee?'

Lund mompelde iets in het Deens wat Birgitte blijkbaar negeerde. 'Dit is wat u moet weten,' vervolgde ze. 'De politie heeft vastgesteld dat de kogels waarmee Kjeldsen en Norvig zijn gedood afkomstig zijn uit het pistool dat is aangetroffen bij de twee motorrijders die gisteravond laat op Østbanegade zijn omgekomen bij een botsing met een vrachtwagen. De motorrijders zelf zijn nog niet geïdentificeerd. De hadden miljoenen kronen bij zich. De bestuurder van de vrachtwagen denkt dat ze achter een man aan zaten die vlak voor hem de weg over rende. Eerder werd er een conciërge ingesloten in Kjeldsens kantoor in Jorcks Passage door een vermoedelijk Engelse man, die zei dat hij naar Marmorvej ging – de kade waar Kjeldsen en Norvig werden doodgeschoten. De politie heeft niet echt een goede beschrijving van deze man. Er is weinig kans dat ze hem vindt. Waarschijnlijk heeft hij op verschillende plaatsen zijn vingerafdrukken achtergelaten, maar ik betwijfel of ze in de database van Europol staan, dus, tenzij zijn naam bekend wordt...'

'U bent heel duidelijk.'

'Mooi.'

'Wat wilt u van me?'

'Hulp.'

'Míjn hulp?'

'Ja. We hebben een... probleem... waar we een oplossing voor zoeken.'

'Wat voor probleem?'

'We zijn benaderd door de mensen die volgens ons de twee motorrijders hebben ingehuurd om Kjeldsen en Norvig te vermoorden en het geld terug te pakken dat aan hen was uitbetaald.

We weten niet wie deze mensen zijn. Laten we zeggen... de Oppositie. Zij hebben materiaal dat schadelijk kan zijn voor onze directeur en daarmee voor ons bedrijf... zeer schadelijk zelfs. Zij zijn bereid het aan ons te verkopen en wij zijn bereid het te kopen. We hebben eerlijk gezegd geen keus. Er staat ons mogelijk een... ramp te wachten.'

'Wat is het voor materiaal?'

'Weet u dat niet, meneer Eusden?'

'Misschien wel. Misschien ook niet.'

Toen Lund weer iets in het Deens mompelde, fronste Birgitte geïrriteerd haar wenkbrauwen. 'We zitten hier niet om de aard of details van het materiaal te bespreken. We geloven dat het bij de grootvader van uw overleden vriend vandaan komt, Clement Hewitson. Is dat correct?'

'Ja.'

'Marty Hewitson heeft het aan Kjeldsen in bewaring gegeven. Kjeldsen heeft het gestolen en heeft contact opgenomen met Norvig, een journalist die verschillende negatieve artikelen over ons bedrijf heeft geschreven. Samen hebben ze een overeenkomst afgesloten met de Oppositie, die hen vervolgens heeft bedrogen. Is het zo gegaan?'

'Min of meer.'

'U mag van geluk spreken dat u nog leeft, meneer Eusden.'

'Dat weet ik.'

'En dat is ook ons geluk, want u heeft het materiaal gezien. U weet hoe het er oorspronkelijk uitziet. Nietwaar?'

'Ja. Nou en?'

'Misschien zal de Oppositie proberen ons een vervalsing te verkopen. Ze hebben al laten zien dat je er niet van moet uitgaan dat ze zich netjes gedragen. We hebben iemand nodig die het materiaal kan autoriseren. We hebben u nodig.'

'Ik mag het dan gezien hebben, maar ik heb het niet grondig bekeken. Ik zou niet zeker weten of alles erbij zit.'

'U zult gewoon uw best moeten doen. Er is niemand anders die we hiervoor kunnen inschakelen.'

211

'U bedoelt dat u niemand anders door middel van chantage kunt dwingen het risico te nemen dat deze mensen doen wat ze met Kjeldsen en Norvig hebben gedaan.'

'Dat is niet waarschijnlijk. Kjeldsen en Norvig waren verkopers. Wij willen kopen.'

'Leuk onderscheid.'

'Een belangrijk onderscheid. Bovendien zal de Oppositie niet nog meer mensen kwijt willen raken. Ik denk niet dat de... blootstelling van afgelopen nacht hun lekker zit.'

'Ik vond het ook niet zo fijn.'

'Dat begrijpen we, meneer Eusden. Ik vind het echt heel vervelend dat we u hierbij moeten betrekken. Het spijt me dat er geen alternatief is.'

'Voor mij wel. Misschien lever ik me liever over aan de politie dan aan een anonieme boevenbende uit god mag weten welk land.'

'Ik raad het u af. Denk aan uw carrière, meneer Eusden. Denk aan uw pensioen. Denk aan de maandenlange onzekerheid over wat de aanklacht tegen u zou zijn – over welke straf u zou krijgen als u werd veroordeeld. Wij bieden u een veel betere deal.'

'Zo klinkt het anders niet.'

'Dat komt doordat ik nog niet ben uitgepraat. We vragen u niet om het materiaal midden in de nacht op een verlaten kade op te halen. Alles wordt onder toezicht afgehandeld. U komt niet in gevaar.'

'Dat zegt u.'

'Om het te bewijzen sturen we iemand met u mee.'

Eusden keek Lund twijfelend aan. 'Wie?'

'Mij niet,' gromde Lund.

'Mjollnir mag hier niet mee in verband worden gebracht, meneer Eusden,' zei Birgitte. 'We zullen elke... betrokkenheid ontkennen.'

Wist Tolmar Aksden wat zijn ondergeschikte deed? Daar was Eusden nog steeds niet zeker van. Birgitte Grøn had benadrukt dat ze in het belang van Mjollnir handelde. Misschien was dat voor haar niet hetzelfde als het belang van de oprichter van het bedrijf. 'Ik neem aan dat dit gesprek niet echt plaatsvindt.'

'Dat is juist.'

'Wie wilt u eigenlijk met me mee sturen?'

'Pernille Madsen.'

'Tolmars ex-vrouw?'

'Ja.'

Dit was, zacht uitgedrukt, een hele verrassing. Het versterkte Eusdens vermoeden dat Tolmar Aksden hier zelf niet bij betrokken was. 'Waarom zij?'

'Interessante vraag. Het wijst erop dat u het materiaal inderdaad niet grondig heeft bestudeerd. Het is schadelijk voor alle familieleden van onze algemeen directeur, vooral voor zijn zoon. Als liefhebbende moeder wil Pernille haar kind beschermen.' Birgitte schraapte zacht haar keel. 'Dat zou ik ook doen als ik in haar schoenen stond.'

'En wat verwacht u precies van haar – van óns?'

'Pernille is volledig op de hoogte gebracht. Ze zal u vertellen wat u moet weten, áls u het moet weten.'

'Geweldig.'

'Erik heeft me erop gewezen dat we de kans op inmenging door derden moeten minimaliseren.'

'Wat wil dat zeggen?'

'Straub,' zei Lund, op een toon die suggereerde dat het Deens was voor een verstopte afvoer.

'Hij is vanochtend naar Oslo gevlogen,' zei Birgitte. 'Weet u waarom?'

Eusden zag niet in waarom hij zich van de domme moest houden. Het was toch al uitputtend om te beslissen wat hij kon vertellen en wat hij moest verzwijgen. 'Ik wist dat hij was vertrokken, maar niet waarheen. Wat de reden betreft, ik denk dat Marty daar met hem had afgesproken, al geloof ik niet dat hij van plan was de afspraak na te komen. Het was een manier om Straub uit de buurt te houden, totdat we het... materiaal konden ophalen... bij Kjeldsen.' Hij haalde zijn schouders op. 'Er is van alles misgegaan.'

213

'Straubs Amerikaanse vriendin, mevrouw Celeste, heeft Kopenhagen ook verlaten.'

'Zij is niet belangrijk.'

'Dat zullen we van u moeten aannemen. Maar u bent wel met ons eens dat Straub een lastpost is – of kan worden.'

'Niet in Oslo.'

'Maar daar zal hij niet lang blijven, hè? En hij zal van u tekst en uitleg willen over de reden waarom meneer Hewitson niet is komen opdagen. Daarom moeten we u... buiten zijn bereik houden. We zouden willen dat u Hotel Phoenix belt en hun vertelt dat u iemand stuurt om uw bagage op te halen en uw rekening te betalen. Wij regelen die iemand.'

'Waar ga ik heen?'

'Naar Stockholm, vannacht. Jørgen zal u naar het vliegveld brengen. Daar stapt u op de trein. U moet overstappen in Malmö, waar uw bagage u zal opwachten. We hebben een hotel voor u geboekt in Stockholm. Pernille rijdt daar morgen naartoe en ziet u daar. Met haar neemt u dan de nachtboot naar Helsinki.'

'Helsinki?'

'Ja. Daar vindt maandag de overdracht plaats.'

'Maar Tolmar is in Helsinki.'

'Ja. De dreiging is duidelijk. Als wij de eisen van de Oppositie niet inwilligen, stappen ze naar de Finse pers. Dat zou onze directeur – en ons – in een onmogelijke positie brengen.'

'Zou u hem niet waarschuwen dat hij daar weg moet?'

'Hij moet eerst zijn transactie afronden.'

'Hij weet dit zeker niet, hè?'

Lund trok een envelop uit zijn zak en smakte deze op tafel. 'Uw reisbescheiden,' zei hij, alsof dat het enige soort antwoord op zijn vraag was waar Eusden op mocht rekenen.

'Er zit een ticket bij voor een vlucht van Helsinki naar Londen, aanstaande dinsdag, Finnair, Club Class,' zei Birgitte. 'Dan is de kwestie wel tot een goed einde gebracht.'

'Hoe zeker weet u dat?'

'Heel zeker.'

'Echt?'

'Echt waar.'

Eusden zuchtte, keek naar de envelop en keek toen op naar Birgitte. 'Ik wou maar dat ik er ook zo zeker van was.'

'We waarderen het zeer dat u wilt meewerken, meneer Eusden.' Ze schonk hem nog zo'n vluchtig glimlachje waardoor het leek of de zon door dikke bewolking brak. 'En nu... moeten we u wegbrengen; anders haalt u die trein niet.'

STOCKHOLM

32

'Met mij.'

'Richard? Ik heb de hele avond op een telefoontje van je zitten wachten. Wat is er aan de hand? Je hotel meldde dat je vanmiddag was vertrokken.'

'Dat klopt.'

'Waar ben je dan nu?'

'Stockholm.'

'Wat?'

'Ik kan het je niet uitleggen, Gemma. Ik moest weg uit Kopenhagen. Ik zal het je echt uitleggen. Maar niet nu. Het punt is...'

'Hoe kon je zomaar uit Kopenhagen weggaan? Hoe moet dat met Marty?'

'Ik kan niets voor hem doen.'

'Natuurlijk wel. Er moet van alles geregeld worden. Tante Lily zit te wachten op nieuws. Ze wil weten hoe en wanneer hij naar Engeland over wordt gevlogen. Ze hoopt dat hij op Wight kan worden begraven.'

'Misschien wel. Ik weet het niet.'

'Maar jij bent daar, Richard. Althans, je wás daar. Wat heb je tegen het ziekenhuis gezegd?'

'Niets.'

'Niets?'

'Marty is in een kathedraal gestorven.'

'Dat weet ik. Wat...'

'Precies zoals de baboeska voorspelde.'

'De wie?'

'De baboeska. Weet je dat niet meer? De oude vrouw die we tegenkwamen voor de Russisch-orthodoxe kathedraal in Parijs in september 1976.'

'Dat is niet belangrijk. Alleen het hier en nu doet ertoe.'

'Was het maar zo eenvoudig.'

'Beheers je, Richard, in hemelsnaam. Waarom ben je naar Stockholm gegaan?'

'In opdracht, ben ik bang.'

'Opdracht? Waar ben je in godsnaam...'

'Ik moet gaan, Gemma. Je moet zelf Marty's begrafenis maar regelen. Ik kan er niets aan doen.'

'Dat is belachelijk. Ik...'

'Het spijt me.'

Na afloop van het gesprek bleef Eusden nog ruim een minuut naar de telefoon zitten kijken, stond toen op en liep de kamer door. Hij trok de schuifpui open en stapte het balkon op. De nacht was stil en koud, de lichten van Stockholm blonken helder op in de bewegingsloze lucht. Hij wist dat hij het gesprek met Gemma beter had moeten afhandelen, maar zijn vermoeidheid en verdriet vergrootten zijn onwil om zijn gedrag op enigerlei wijze te rechtvaardigen. Hij zou het wel weer goed maken. Hij zou wel moeten. Ondertussen...

De kou had zijn verdovende werk gedaan. Hij liep de kamer binnen en schoof de pui dicht. Hij had onrustig geslapen in de trein en wist dat hij niet zou kunnen slapen als hij nu naar bed ging, hoe moe hij ook was. Hij besloot naar de hotelbar te gaan. De enige manier om de komende nacht door te komen, alleen in een anoniem hotel, terwijl hij rouwde om een vriend en zijn pech vervloekte, was om deze zo goed mogelijk uit zijn bewustzijn te wissen.

De zondag brak wolkeloos en ijskoud aan. Terwijl hij door het dikke dubbele glas van zijn hotelkamer staarde, met een mok koffie in zijn handen en een bonkende pijn achter de snee boven zijn oog, liet Eusden alle manieren waarop hij zijn huidige omstandigheden had kunnen voorkomen nog eens de revue passeren. Het zou natuurlijk het beste zijn geweest om nooit uit Londen te vertrekken, maar daar had hij nu niet veel aan.

Pakweg een uur voor de vertrektijd van de boot naar Helsinki, kwart voor vijf, zou Pernille Madsen hem opzoeken in het hotel. Eusden moest zich een halve dag zelf vermaken. Hij had natuurlijk de stad kunnen verkennen, als hij in de stemming was geweest om de toerist uit te hangen. Stockholm zag er prachtig uit in het wit met goud van een winterse zondag. De haven was bevroren en mensen maakten een wandeling over het ijs. Toen hij het Sheraton uit liep en de brug naar Gamla Stan overstak, kon Eusden hen horen lachen. Hij zag hoe het gouden licht op de okerkleurig gepleisterde gevels van de oude stad viel. Maar beelden en geluiden drongen amper tot hem door. Hij had afgelopen nacht over Marty gedroomd, een springlevende, gezonde, jonge Marty die het bericht over zijn dood afdeed als een boosaardig gerucht. Maar de dag sprak de nacht tegen. Het gerucht was waarheid, een waarheid die als lood op Eusdens hart drukte.

Toen hij ruim een uur doelloos rond had gelopen, was hij zo koud en moe dat hij verheugd opmerkte dat de cafés open waren. Hij liep een kroegje binnen dat eerder Iers aandeed dan Zweeds en dronk een Deens biertje, terwijl een ijshockeywedstrijd op een breedbeeldtelevisie nauwelijks werd bekeken. Hij verzamelde zijn moed en controleerde of hij nog berichten had, in de volle verwachting dat Gemma een nachtje over haar verontwaardiging had geslapen, om bij het wakker worden te merken dat ze nog steeds nijdig was en hem aan zijn verantwoordelijkheden te helpen herinneren. Opmerkelijk genoeg had zij hem niet gebeld, maar Bernie Shadbolt wel. Hij had zijn mobiele nummer ingesproken, met het bevel dat Eusden hem zou terugbellen, iets wat hij niet van plan was.

De andere boodschap was minder gemakkelijk te negeren. Hij had vergeten om Regina Celeste zijn nummer te geven, en nu had hij er spijt van. Op het moment zelf had het onbelangrijk geleken. Maar elke beslissing was voorwaardelijk geworden: ze konden stuk voor stuk worden ingehaald door de loop der gebeurtenissen.

'Hai, Richard. Met Regina. Zoals je zult kunnen afleiden, heb ik een mobiele telefoon aangeschaft waarmee ik op dit continent kan

bellen. Wil jij mij bellen? Ik wil het laatste nieuws horen over Werner.
Misschien wil jij wel weten wat ik tot nu toe in Hannover heb gedaan.
Als ik niet snel van je hoor, zal ik je hotel proberen. Dag.'

Hij ging iets langzamer drinken en probeerde koel en rationeel na te denken. Blijkbaar was Regina op de een of andere manier aan zijn nummer gekomen en misschien was dat maar goed ook. Als zij het Phoenix belde en ontdekte dat hij was vertrokken, zou ze misschien op een holletje terugkomen naar Kopenhagen en naar hem gaan zoeken. Erger nog, dan zou ze misschien weer met Straub gaan samenwerken. Hoe minder ieder van hen wist waar hij mee bezig was, hoe beter. Het was veel veiliger om Regina dom te houden. Ze had minder dan een half uur geleden ingesproken, dus was er een gerede kans dat ze het Phoenix nog niet had gebeld. Hij besloot ervoor te zorgen dat ze dat ook niet hoefde te doen.

'Hai, Richard. Fijn dat je terugbelt.'

'Geen probleem.'

'Wat speelt er zoal bij jou?'

'Niet. Ik heb niets van Werner gehoord, of gezien.'

'En van Marty ook niet, zeker?'

'Nee.' Eusden dwong zich om nonchalant te klinken. 'Ook niets van Marty.'

'Jij zit dus maar een beetje duimen te draaien?'

'Zo ongeveer.'

'Nou, gelukkig heb ik wel iets uitgevoerd. Werner en Marty zullen onaangenaam verrast worden. Dankzij mijn persoontje.'

'Hoe bedoel je?'

'Ik heb inderdaad Hans Grenschers verzameling van Gestapo-stukken gekocht. Zodra het geld morgenochtend op zijn bankrekening staat, heb ik ze in mijn handjes. Dat betekent dat ik het enige in mijn bezit heb waar ik echt in ben geïnteresseerd: een archiefstuk met Anastasia's vingerafdrukken die de politie van Hannover in 1938 heeft genomen, in opdracht van Berlijn. Dát is het magische vergelijkingsmateriaal waar Werner zoveel ophef over maakte. Geen wonder, als ze inderdaad kunnen worden vergeleken.'

'Ik begrijp het niet. Vergeleken?'

'Met Anastasia's vingerafdrukken van voor 1918. Begrijp je dat niet, Richard? Dáár moet Marty's grootvader aangekomen zijn, al weet ik niet hoe. Haar vingerafdrukken moeten zijn genomen tijdens het keizerlijke bezoek aan Cowes in 1909. Clem Hewitson moet ze hebben bewaard.'

Was dat mogelijk? Clem zei dat hij Anastasia aan boord van het keizerlijke jacht had ontmoet. Hij was aan boord gegaan om zich door de tsaar en tsarina te laten bedanken, omdat hij de aanslag op Anastasia's oudere zussen, Olga en Tatjana, had voorkomen. Waar en hoe konden vingerafdrukken bij zo'n gelegenheid ter sprake komen? Aan het begin van de twintigste eeuw had die wetenschap waarschijnlijk nog in haar kinderschoenen gestaan. In Rusland was het in 1909 waarschijnlijk nog geheel onbekend – een punt waar Regina duidelijk over had nagedacht.

'Klinkt idioot, hè? Een agent op het eiland Wight die de vingerafdrukken van een Russische prinses neemt. Ik kan me niet voorstellen hoe dat in zijn werk kan zijn gegaan. Maar laten we zeggen dát het is gebeurd. Laten we zeggen dat agent Hewitson zat op te scheppen over hoe de Britse politie met vergevorderde wetenschappelijke methoden werkte, zag dat Anastasia inkt op haar vingers had – iedereen zei altijd dat ze een slordig kind was – en ter plekke spontaan voordeed hoe je iemands vingerafdrukken nam. Laten we ook zeggen dat hij de vingerafdrukken bewaarde als souvenir aan zijn omgang met de Russische tsarenfamilie. Als ze overeenkomen met de vingerafdrukken uit 1938... hebben we goud in handen.'

Áls ze overeenkwamen. Helaas voor Regina wist Eusden dat zij nooit de kans zou krijgen om uit te vinden of ze overeenkwamen of niet. Bovendien zat hem nog steeds een troebele kwestie dwars. Wat had Tolmar Aksden hiermee te maken? Wat verbond hem met Anastasia? Hoe konden de brieven die Hakon Nydahl al die jaren geleden aan Clem had geschreven, hem zo beschadigen?

'Dus,' vervolgde Regina enthousiast, 'kan Werner afspreken met Marty wat hij wil. Op een gegeven moment zullen ze zaken moeten doen met mij. We zullen allebei iets hebben wat de ander nodig heeft om Anastasia erkend te krijgen. Vingerafdrukken zijn veel betrouwbaarder dan DNA, mits je ze kunt vergelijken. We zullen tot een vergelijk moeten komen. Tenzij jij je jeugdvriend kunt overhalen om Werner er helemaal buiten te houden. De man verdient tenslotte niet beter. Wat vind jij, Richard? Wil je het proberen?'

Toen Regina het gesprek had beëindigd, kon Eusden zich niet precies herinneren wat hij had geantwoord. Doordat ze zorgeloos aannam dat hij nu haar enthousiaste hulpje was, had hij zich eruit kunnen draaien. Zodra haar transactie met Grenscher was afgehandeld, zou ze naar Kopenhagen terugkeren, in de overtuiging dat hij op haar zou wachten. Helaas voor haar was haar bezit van Anna Andersons vingerafdrukken niet langer relevant, als gevolg van een andere transactie honderden kilometers verder op. Ze zouden nooit ergens mee worden vergeleken.

Hoewel zijn nieuwsgierigheid zinloos was, kon Eusden die toch niet helemaal onderdrukken. Hij ging terug naar het Sheraton om op Pernille Madsen te wachten en haalde zijn tas op die hij na het uitchecken bij de conciërge had achtergelaten. Hij liep de bar in, bestelde een kop koffie, deed zijn tas open en haalde er Burgaards stamboom van de Nydahls en Aksdens uit. Hij had zich Anna Andersons bewering herinnerd dat zij in december 1918 een zoon had gebaard en wilde zich ervan verzekeren dat Peder Aksden niet die zoon kon zijn geweest. Dat klopte. Volgens Burgaard, die zeker zijn feiten zou hebben gecheckt, was Peder Aksden in 1909 geboren. Een gat van negen jaar kon je niet negeren. Hij was niet de zoon van Anastasia en dus was Tolmar niet haar kleinzoon. Er was geen verband tussen hen. En toch was dat er wel. Dat moest er zijn. Maar wat het kon zijn, wist hij....

'Richard Eusden?'

De licht gemoduleerde stem hoorde bij een vrouw die naast zijn stoel stond. Hij had haar niet horen aankomen. Ze was gekleed in een zwarte jas en laarzen en droeg een sjaal met pauwenmotief om haar nek. Ze had niets van de Scandinavische blondheid. Haar haren en ogen waren donkerbruin, haar gezicht bleek, met fijne gelaatstrekken. Haar roze gestifte mond krulde zich tot een aarzelende glimlach, al fronste ze tegelijkertijd licht haar wenkbrauwen.

'Ik ben Pernille Madsen.'

33

'Hoe kom je daaraan?' Pernille wees naar het vel papier op Eusdens schoot. 'En waarom staat mijn naam erop?'

'Kijk zelf maar.' Eusden stond op en overhandigde het vel aan haar. 'Heeft u de naam Karsten Burgaard weleens gehoord?'

'Ja.' Meer zei ze niet. Toen ze een poosje aandachtig naar de stamboom had staan kijken, gaf ze het vel terug. 'Heeft hij dit gemaakt?'

Eusden knikte en stak alsnog zijn hand uit. Haar glimlach werd aarzelend een fractie breder. Ze gaven elkaar een hand. 'Wil je koffie?'

'Ja, graag. Het was een lange rit.' Ze trok haar jas uit en deed haar sjaal af. De kleding eronder was eveneens zwart – wollen vest, trui, rok en een brede glimmende ceintuur. Het enige kleuraccent kwam van een ketting van olivijn, die ze vasthield toen ze gingen zitten.

De serveerster kwam al aanlopen met de koffie. Eusden gebaarde dat ze het kopje bij Pernille moest neerzetten en bestelde nog een koffie voor zichzelf.

'Doet het pijn?' Pernille gebaarde met haar wenkbrauwen naar de wond aan zijn hoofd.

'Alleen als ik lach. Daar heb ik de laatste tijd trouwens weinig reden toe gehad.'

'Birgitte heeft me verteld over je vriend. Mijn deelneming.'

'Dank je. Wat heeft ze je nog meer verteld?'

'Alles wat ik moet weten.'

'En nu ga jij me alles vertellen wat ík moet weten.'

Ze dronk van haar koffie en keek hem lange tijd onderzoekend aan, wat op de een of andere manier geruststellend was. 'In Helsinki worden we opgewacht door een gepensioneerde oud-medewerker van Mjollnir: Osmo Koskinen. Hij regelt de overdracht. Dat is alles wat ik weet.'

'Dat zal toch niet.'

Op Burgaards stamboom had hij gelezen dat ze eind veertig was, maar ze was al zowel jonger als ouder overgekomen. Ze straalde zowel kwetsbaarheid als kracht uit, zowel onzekerheid als zelfbeheersing. Haar huwelijk met Tolmar Aksden was een ervaring geweest die haar had gevormd.

'Ik heb geen idee wat Hakon Nydahls brieven aan Clem Hewitson onthullen over uw ex-man, maar u weet dat vast en zeker wel. Daarom bent u hier.'

'Niet helemaal.'

Ze zweeg toen de tweede kop koffie werd gebracht. Eusden zag hoe haar blik door de bar schoot, zodra de serveerster tussen hen in kwam te staan. Ze was bang, al besefte hij dat hij er niet achter zou komen waar ze bang voor was. Misschien, bedacht hij, was ze al heel lang bang.

De serveerster liep weer weg. Ze klemde haar lippen op elkaar, keek hem weer aan. 'Ik weet alleen dat het... materiaal dat we moeten ophalen... dodelijk zou zijn voor Tolmar als het in de media werd gepubliceerd. Ik weet niet hoe. Dat wil ik ook niet weten. Michael, onze zoon, is belangrijker dan... al mijn problemen met Tolmar. Heb jij kinderen, Richard?'

'Nee.'

'Misschien mag je van geluk spreken. Misschien is het beter om... niet zoveel om iemand te geven, niet zo verschrikkelijk van iemand te houden die... opgroeit en verandert en... je soms zelfs lijkt te haten. Maar zo voelt het om moeder te zijn. Ik maak me voortdurend zorgen om Michael. Hij is niet zo sterk als zijn vader. Hij zou er niet tegen kunnen om... onder druk te staan. Hij is van plan om voor Mjollnir te werken. Hij vindt Tolmar een... geweldige man. Hij wil net zo worden als hij, al kan hij dat niet. Als Tolmar zou worden geruïneerd, weet ik niet wat er met Michael zou gebeuren. Ik wil het ook niet weten.'

'Misschien zou het juist goed voor hem zijn'

'Nee, ik weet zeker van niet.'

'Je neemt wel een groot risico voor hem.'

'Niet alleen voor hem. Als Tolmar zou worden geruïneerd... zou hij heel gevaarlijk worden. Trouwens, Birgitte zei dat het niet gevaarlijk was. Deze mensen... willen alleen geld. En dat heeft Mjollnir voldoende.'

'Hoeveel betalen ze ervoor?'

'Dat is nog iets wat ik niet weet en niet wil weten. Koskinen levert het geld bij ons af en wij betalen het in een veilige omgeving aan de mensen die Birgitte de Oppositie noemt. Zij dragen het attachékoffertje over, jij controleert de inhoud en de transactie is compleet. Dan gaat ieder zijns weegs en jij en ik kunnen verder met ons leven.'

'Klinkt doenlijk.'

'En waarom ook niet?'

'Zit jij er niet mee dat Tolmar hier helemaal niets van weet?'

'Birgitte Grøn kan zijn belangen beter schatten dan hij zelf. Zij is kalm en berekenend. Tolmar... wordt kwaad als hij wordt bedreigd. En dan...' Pernille nam nog een slok van haar koffie en pakte opnieuw haar ketting vast. 'Dit werkt beter,' zei ze zacht, alsof ze in zichzelf praatte, in plaats van tegen Eusden. 'Veel beter.'

Het was maar een korte rit naar de terminal van de Viking Line in Stadsgården. Toen ze de brug naar Gamla Stan over reden, wierp de ondergaande zon lange schaduwen over het ijs in de haven. Pernille trok haar zonneklep omlaag en Eusden zag dat er een foto van een glimlachende jongen van twaalf of dertien aan de binnenkant zat geplakt. De Michael die zijn moeder zich het liefst herinnerde, hing daar om haar te begroeten zodra de zon scheen.

Pernille bracht haar BMW voorzichtig tot stilstand in de rij voor de veerboot. De blauwige grijstinten van de schemer schoven over de haven. Ze haalde het mapje met hun kaartjes uit het vak in het portier, controleerde de inhoud en liet het toen weer in het vak vallen. Nu hun vertrek dichterbij kwam, leek ze zenuwachtig te worden.

'Op de terugweg ga ik eerst in Stockholm winkelen,' zei ze. 'Dan trakeer ik mezelf... op normale dingen.'

'Goed idee.'

'Tegen die tijd ben jij terug in Londen en zit je zelf weer in je oude leventje.'

'Dat zal wel.'

'Dat klinkt niet overtuigd.'

'Ik kan me eerlijk gezegd amper herinneren hoe het is om een normaal leven te leiden.'

'Hoe hebben ze je overgehaald om hen te helpen? Mjollnir, bedoel ik. Ik ben hier voor mijn zoon. Waarom ben jij gekomen?'

'Ze lieten me geen keus.'

'Ik had al zo'n vermoeden.' Ze liet haar handen over het stuur glijden. 'Ik heb vroeger voor Mjollnir gewerkt. Zo heb ik Tolmar leren kennen. Op het eerste gezicht zijn ze een... perfecte werkgever. Goed salaris, prima arbeidsvoorwaarden. Ziektekostenverzekering. Kinderopvang. Pensioen. Alles wat je je maar kunt wensen.'

'En bij nader inzien?'

'Ze organiseren alles zo dat... je geen keus hebt... Je moet wel doen wat Mjollnir wil.'

'Of wat Tolmar wil.'

'Dat komt op hetzelfde neer.'

'Deze keer niet.'

'Blijkbaar.'

'Waarom ben je met hem getrouwd?'

'Ik was jong. Hij was... machtig, rijk en aantrekkelijk. Erg aantrekkelijk zelfs. Ik hield van hem en maakte mezelf wijs dat het wederzijds was.'

'Wanneer kwam je erachter dat het niet zo was?'

'Na de geboorte van Michael. Dat was het enige wat Tolmar van me wilde. Een zoon en erfgenaam. Toen hij die had... sloot hij me uit zijn leven.'

'Nou ja, nu ben je weer in zijn leven, al weet hij dat zelf niet.'

De zon was onder, maar in het westen was de lucht nog licht toen ms. Gabriella wegvoer van de pier en de vaarroute volgde die voor haar lag als een donkergrijze slang in de matwitte ijsvlakte. Eusden bleef bij de andere stoere lieden aan dek en zag het stadslandschap langzaam veranderen naarmate het schip de haven overstak. Pernille was naar haar hut gegaan. Ze zouden later samen eten. Hij vroeg zich af of zij hetzelfde voelde als hij: dat het beter was om deze reis met z'n tweeën te maken dan alleen; stukken beter.

ÖSTERSJÖN – ITÄMERI

34

Pernille speelde met de zalm op haar bord en nam kleine slokjes van haar wijn. Ze leek niet veel trek te hebben en was evenmin erg spraakzaam. Eusden vermoedde dat onzekerheid over wat er voor hen lag een waarschijnlijke verklaring was dan zeeziekte. Ze konden geen van beiden weten of de geplande uitwisseling van het attachékoffertje voor Mjollnirgeld net zo soepel, simpel of veilig zou verlopen als anderen hadden voorspeld. Die anderen zouden niet bij de overdracht zijn.

'Ik weet niet of je er iets aan hebt, Pernille,' hij gooide een visje uit, 'maar ik denk dat het allemaal erg gemakkelijk zal gaan.'

Ze glimlachte flauw. 'Vanmiddag zei je wel iets anders.'

'En daarna heb ik erover nagedacht.'

'O ja? Nou, ik ook. Trouwens, je hebt vast gelijk. De Oppositie wil geld. Mjollnir wil het materiaal. Wij zijn alleen maar de... *mellemmændene* – de bemiddelaars. De overdracht zal geen problemen opleveren.'

'Wat dan wel?'

'Zoals jij bij de terminal al zei, ik ben terug in Tolmars leven, zelfs al weet hij dat niet. Maar hij komt er wel achter. Vroeg of laat komt hij overal achter.'

'Tegen die tijd is het vast niet meer van belang.'

'Je kent hem niet. Het is altijd belangrijk.'

'Ik krijg de indruk dat... je bang voor hem bent.'

'Dat zei mijn psychotherapeute ook al.'

'Is het waar?'

'O, zeker.' Ze schudde glimlachend haar hoofd alsof ze zich verbaasde over hoe vanzelfsprekend de waarheid was. 'De vraag is of die angst over iets anders gaat... iets in mij. Dat gelooft mijn psychotherapeute tenminste.'

'Waarschijnlijk geloven ze dat soort dingen altijd.'

Ze lachte. 'Hoe weet jij dat nou? Jij bent toch zeker nooit in therapie geweest.'

Hij moest zelf lachen en kwam erachter dat hij eerder vanmiddag gelijk had gehad: als hij lachte, begon de snee boven zijn rechteroog pijnlijk te bonzen. 'Hoe kun je zoiets zeker weten? Je kent me nauwelijks.'

'Het spreekt voor zich. Kijk eens naar jezelf, Richard. Blank, man, middelbare leeftijd, verdient goed, heteroseksuele Engelsman. Fijne familie. Goed opgeleid. Aangenaam leven. Waar zou jij het met een psychotherapeut over moeten hebben?'

'Mijn scheiding misschien. Die stond niet in je lijstje.'

'Die is vast heel... beschaafd verlopen.'

'De jouwe niet?'

'Zo lijkt het wel, ja.'

'Wat bedoel je daarmee?'

'Ik bedoel dat Tolmar me geld genoeg geeft en me met rust laat. Maar elke keer dat er wordt aangebeld en ik opendoe, bedenk ik dat hij voor de deur kan staan met die... blik in zijn ogen die ik me zo goed kan herinneren, omdat ik erover droom.'

'Is hij gewelddadig, Pernille?'

'Hij heeft me nooit geslagen. Echt nooit. Maar ik weet dat... als het zou gebeuren... het echt maar één keer zou gebeuren.' Ze nam een slok wijn. 'Ik snap niet waarom ik je dit allemaal vertel. Meestal kom ik niet zo gemakkelijk los. Jij waarschijnlijk ook niet.'

'Misschien heb ik niet zoveel om over los te komen.'

'Er is altijd wel iets. Genoeg, volgens mijn psychotherapeut.'

'Heb je er ooit aan gedacht... te hertrouwen?'

'Een keer. Een paar jaar geleden. Hij was een goede man, maar het liep fout.' Na een korte stilte vroeg ze: 'Ga je me niet vragen wat er misging?'

'Als je dat wilt.'

'Hij overleed. Bij een auto-ongeluk. 's Nachts.' Ze keek Eusden recht aan. 'Doet dat je ergens aan denken?'

'Wil jij zeggen...'

'Toen hij met de scheiding instemde, vertelde Tolmar me dat ik beter niet meer... aan een vaste relatie kon beginnen. Ik dacht dat hij me... advies gaf. Maar toen Paul doodging... herinnerde ik me dat Tolmar altijd letterlijk meent wat hij zegt.'

'Mijn god.'

'Niets wijst erop dat het geen ongeluk was. Ik kan niets bewijzen. Maar... ik zou niet nog een dood op mijn geweten willen hebben.' Ze legde haar vork en mes recht neer. 'Ik kan niet meer eten. We kunnen de rest van de wijn in mijn hut opdrinken, als je wilt. Mjollnir heeft een suite voor me geboekt. We kunnen net zo goed gebruikmaken van de ruimte.'

Pernilles suite vormde een elegant contrast met Eusdens benauwde eenpersoonshut. Mjollnir behandelde de ex van hun algemeen directeur heel anders dan een buitenstaander. Schuin aflopende ramen – de gordijnen waren nog open – boden uitzicht over de boeg en de stille, koude Baltische nacht. De gerieflijk ingerichte zitkamer was groot genoeg om er een feestje te geven en de gratis fles champagne die bij het arrangement hoorde, stond veronachtzaamd in een emmer water dat eerder ijs was geweest.

'Het spijt me als ik je het restaurant uit heb gesleurd,' zei Pernille terwijl ze hun wijnglazen bijvulde. 'Ik vond opeens dat ik... te veel zei... in een openbare ruimte.'

'Bang dat iemand je had herkend?'

'Dat niet. Maar...' Ze drukte het glas tegen haar hals en staarde naar het donker. 'Een van de redenen waarom ik naar Stockholm ben gereden, was om er zeker van te zijn dat ik niet werd gevolgd. Ik ken de voortekenen. Ik ken ze heel goed. Tolmar heeft geen spionnen aan boord. Hij weet niet wat wij doen. Maar toch...'

'Hoe lang neem je dit soort voorzorgsmaatregelen al?'

'Sinds de dood van Paul.'

'Hoe lang is dat gelden?'

'Zeven jaar.'

'Het spijt me.'

'Wat?'

'Dat hij dood is. Dat je je... zorgen maakt. Het lijkt me geen lolletje om gescheiden te zijn van Tolmar Aksden.'

'Het is nog altijd beter dan met hem getrouwd zijn. Neem dat maar van mij aan.'

'Wanneer zijn jullie gescheiden?'

'Toen hij Michael wegstuurde, naar een... *kostskole*. Ken je dat? Een school waar kinderen niet alleen leren, maar ook wonen.'

'Een internaat.'

'Precies. Michael was twaalf. De school stond in de buurt van Aalborg, helemaal in het noorden van Jutland. We waren nog maar net verhuisd van Århus naar Kopenhagen. Rond die tijd werd alles anders. Tolmar werd... harder.' Ze glimlachte. 'Ik denk dat hij eindelijk een besluit had genomen over wat hij wilde. Daarbij... was ik niet belangrijk.'

'Wat wílde hij dan?'

'Dat weet ik niet. Hij heeft veel geheimen, Richard. Hij verzamelt ze. Hij geníet ervan.'

'Iedereen lijkt te denken dat wat wij gaan kopen... het grootste geheim van allemaal is.'

'Misschien is dat wel zo.'

'Je moet weten dat het betrekking heeft op zijn vader.'

'Ja. Er heeft altijd al een... sluier van geheimzinnigheid rond die familie gehangen. Alleen Tolmar kent het mysterie. Lars zou het graag willen kennen, Elsa juist liever niet, maar Tolmar is de enige die weet wat er speelt. Al denk ik dat hij het op een dag wel tegen Michael zal zeggen.'

'Als zijn zoon en erfgenaam.'

'Ja. Dat maakt me ook bang. Dat Michael... de volgende bewaker wordt van het familiegeheim.'

'Er is een Russische connectie. Dat zul je ook weten.'

'Natuurlijk,' zei ze verdrietig. 'Het laatste huis waar ik met Tolmar in woonde, was in Klampenborg. De tuin bood uitzicht op Hvidøre. Lars zei dat Tolmar het huis had uitgekozen, omdat je daarvandaan Hvidøre kon zien. Hij vertelde me verhalen over zijn oudoom, Hakon Nydahl, de hoveling. Hij dacht dat ik meer uit

Tolmar kon loskrijgen dan hij. Maar dat zou ik niet hebben gekund, zelfs al had ik het geprobeerd. Niemand krijg meer uit Tolmar los dan hij los wil laten. Dat is niet veel.' Ze dronk haar glas leeg en zette het neer op tafel. 'Heb jij zin om mee aan dek te gaan? Ik heb behoefte aan frisse lucht na al dat... gepraat over het verleden.'

'Het is er vast ijskoud.'

Ze knikte hem glimlachend toe. 'Mooi. Precies wat ik nodig heb.'

Het was inderdaad ijskoud. Zij waren de enigen die de elementen trotseerden. In de lucht boven hen flonkerden meer sterren dan Eusden zich kon herinneren ooit bij elkaar te hebben gezien. Het was intens, bijna voelbaar koud. Onder hun voeten gromde de scheepsmotor. Het zee-ijs strekte zich blauwgrijs en spookachtig in alle richtingen uit.

'Hier lijkt het allemaal zo eenvoudig,' zei Pernille. Haar adem bevroor in de lucht toen ze omhoogkeek. 'De sterren en de zee en het schip dat beweegt. Maar zo kan het nu eenmaal niet blijven, hè? Morgen komen we zeker in Helsinki aan.'

'Ben je er al eens eerder geweest?' vroeg Eusden.

'Nee. Tolmar is vaak voor zaken naar Helsinki geweest, maar hij heeft me nooit meegenomen. Hij heeft er een appartement. Het is zijn enige basis buiten Denemarken.'

'Heeft hij het huis in Klampenborg nog steeds?'

'Nee. Na de scheiding is hij naar het platteland verhuisd. Hij heeft een landgoed gekocht in de buurt van Helsingør. Het is er prachtig – althans, dat heb ik gehoord. Als ik bij hem was gebleven... woonde ik daar nu ook.'

'Dat zou je toch niet willen?'

'Nee. Ik ben erg happy in mijn... appartementje in de binnenstad. Het ligt dicht bij de winkels, en bij mijn werk.'

'En waar werk je?'

'Ik ben personeelsdirecteur bij een liefdadigheidsinstelling die Skoler til Afrika heet. We sturen lesmateriaal naar... waar daar in

Afrika behoefte aan is. Eigenlijk overal. Ben je er weleens geweest, Richard?'

'Telt Kaapstad ook mee?'

'Nee.'

'Dan ben ik er nog nooit geweest.'

'Dat zou je echt moeten doen. Ik heb in klaslokalen in Burkina Faso gestaan en naar de gezichten van de kinderen gekeken. Toen besefte ik... dat ik eindelijk iets deed wat de moeite waard was.'

'Dat klinkt goed.'

'Dat is het ook. Je zou het moeten proberen. Birgitte vertelde dat je in Londen op het ministerie van Buitenlandse Zaken werkt. Is dat zo?'

'Ik ben bang van wel.'

'Hoe lang al?'

'Bijna dertig jaar.'

'Bij Skoler til Afrika zouden we iemand met jouw ervaring goed kunnen gebruiken.'

'Bied je me een baan aan?'

'Ik bied je een kans om je leven om te gooien. Maar misschien... wil je dat helemaal niet.'

'Ik denk van wel. Zielsgraag zelfs.'

'Dan moet je me bellen... als dit achter de rug is.'

Ze wensten elkaar op ingetogen wijze welterusten voor de deur van Pernilles suite. Eusden liep de trappen af naar zijn eigen lager gelegen hut. Hij was licht in het hoofd van vermoeidheid en broze wanhoop. Pernille Madsen was, zoals ze hem duidelijk had gemaakt, een gevaarlijke vrouw om van te gaan houden. Er was geen reden om meer achter haar voorstel te zoeken dan een mogelijkheid om van loopbaan te veranderen. Maar hij kon niet ontkennen dat hij dolblij was te weten dat ze elkaar na morgen zouden blijven zien. Hij dacht niet dat zij er net zo over dacht, maar dat maakte het nog niet gemakkelijker zijn gevoelens te onderdrukken.

HELSINKI

35

Helsinki was wit na recente sneeuwval en de kustlijn die de stad afscheidde van het met sneeuw bedekte zee-ijs was moeilijk te zien. De lucht was een kleurloze koepel van gekneusde wolken. Het dunne winterlicht wierp geen schaduwen op. Zelfs geluiden klonken gedempt op deze Finse winterochtend. De Gabriella kwam om tien uur aan en tegen half elf hadden Eusden en Pernille Madsen ingecheckt in het Grand Marina Hotel, een fraai gerenoveerd pakhuis op korte afstand van de terminal. Mjollnirs man in Helsinki, Osmo Koskinen, stond hen al op te wachten.

Hij was rond de zeventig, met een droevig gezicht. Zijn hangwangen en waterige ogen vormden een schril contrast met zijn enthousiaste glimlach. Hij had grijs, achterovergekamd haar en de nederige houding van levenslange dienstbaarheid. Zijn wijde bruine pak leek te zijn aangeschaft in een tijd toen hij zwaarder was. In combinatie met zijn bleke gezicht en een lichte trilling in zijn handen en stem deed het vermoeden dat zijn gezondheid niet al te best was. Toch, dacht Eusden, werd deze voormalige topfunctionaris bij Mjollnirs Finse dochterbedrijf blijkbaar geacht te beschikken over de perfecte combinatie van afstandelijkheid en betrouwbaarheid die voor deze klus nodig was.

Koskinen gaf dat ook min of meer toe, toen ze koffie dronken in Pernilles suite met uitzicht op de haven. 'Birgitte Grøn heeft me gevraagd om op u te passen, mevrouw Madsen. En natuurlijk op u, meneer Eusden. Ik ben nu met pensioen, maar Mjollnir vraagt me... af en toe nog steeds... voor speciale projecten. Ik weet niet hoezeer ze te maken hebben gehad met de mensen die u later zult ontmoeten. Dat hoef ik ook niet te weten. Maar ik heb alle maatregelen getroffen die Birgitte me heeft gevraagd te treffen. Allereerst wil ik mijn excuses aanbieden. U zou eigenlijk in het Kämp moeten logeren, het mooiste en oudste hotel van Helsinki. Ik had u ook graag de stad laten zien. Ik woon hier al mijn hele leven. Men heeft mij echter gezegd dat we... discreet moeten zijn. Een hotel bij de veerboot en geen onnodige verplaatsingen. Dat waren mijn instructies. Het spijt me, maar ik heb gedaan wat men mij vroeg.'

'Zit er maar niet over in, *herre* Koskinen.' Pernille keek langs hem heen het raam uit. 'We zijn hier niet voor ons plezier.'

'Nee. Het is spijtig. Maar ik begrijp het.'

'Wat heeft u precies voor maatregelen getroffen?' vroeg Eusden.

'Natuurlijk. De maatregelen. De uitbetaling zal plaatsvinden in obligaties aan toonder, in Amerikaanse dollars. Ter waarde waarvan weet ik niet, en ook dát hoef ik niet te weten. Ik zal ze vanmiddag om twee uur afhalen bij de bank van Birgittes keuze. Ik zal ze om half drie bij u brengen. Ze zitten dan in een veilige koffer met combinatieslot. De overdracht zal om half vier plaatsvinden in mijn huis in Munkkiniemi. Het adres is Luumitie 27. Ik heb het voor u aangegeven. Koskinen vouwde een plattegrond van Helsinki open op de tafel. Een rood kruisje markeerde de plek in een woonwijk in het noordwesten van de stad. 'Hier zijn we nu.' Hij wees de locatie van het hotel aan op het schiereiland Katajanokka, aan de andere kant van de stad. 'Erik Lund verzorgt de beveiliging en regelt dat er een notaris als getuige van de overdracht aanwezig is. Hij heet Juha Matalainen. Hij zal met u meerijden. De combinatie van de koffer zal aan hem worden doorgebeld als u het materiaal heeft gecontroleerd, meneer Eusden, dat de andere partij aanbiedt. Mevrouw Madsen zal zich over het materiaal ontfermen. De andere partij neemt het geld in ontvangst en de overdracht is compleet. Iedereen vertrekt.' Hij glimlachte. 'En dan kan ik naar huis om mijn avondeten te koken.'

'Het is aardig van u om uw huis hiervoor beschikbaar te stellen,' zei Pernille.

'O, ik help maar al te graag. Eerlijk gezegd is het eigenlijk Mjollnirs huis. Als ze niet zo... gul waren geweest, zou ik nu waarschijnlijk ergens op kamers wonen. Een goede werkgever is net zo belangrijk als een goede vrouw, zeggen ze...' Koskinens stem stierf weg. Waarschijnlijk schoot hem te binnen dat Pernille de ex-vrouw was van zijn vroegere baas. Hij kuchte ongemakkelijk. 'Nu ja, dat is het. Alles zou heel... soepel moeten verlopen.'

'Waar bestaat de beveiliging precies uit die... Erik Lund... verzorgt?' vroeg Eusden. Hij ving Pernilles blik. Ze leek Koskinens gêne erg vermakelijk te vinden.

'Het zal voldoende zijn, meneer Eusden, dat verzeker ik u. Als u bij het huis aankomt, zult u het zelf kunnen zien.'

'Ik weet zeker dat het ruim voldoende zal zijn,' zei Pernille. 'Deze mensen willen tenslotte alleen maar geld.'

'Ja.' Koskinen glimlachte. 'Precies.'

'En tot half drie?'

'Ik moet u vragen, mevrouw Madsen, om hier te blijven. Uw man... ik bedoel, meneer Aksden is in de stad. Birgitte zei dat we... voorzichtig moeten zijn.'

'Natuurlijk.'

'Maar u moet wel even de deur uit, meneer Eusden.'

'O ja?'

'Naar het kantoor van Matalainen. Om een... geheimhoudingsverklaring te tekenen. Om aan te geven dat u... nooit zult praten over het materiaal dat u vanmiddag te zien krijgt.'

'Is dat nu nodig?' In Pernilles klonk een zekere irritatie door.

Koskinen maakte een hulpeloos gebaar met zijn handen. 'Het is niet mijn beslissing. Maakt u... bezwaar, meneer Eusden?'

'Wat gebeurt er als ik ja zeg?'

'Dan... hebben we een probleem.'

Eusden liep langzaam naar het raam en weer terug om erover na te denken. De reden waarom Birgitte Grøn niets over een dergelijke formaliteit had gezegd, was wel duidelijk. Hoe minder hij erop bedacht was, des te kleiner de kans was dat hij zou protesteren. Als het materiaal eenmaal bij Mjollnir in handen was, zou hij sowieso niets kunnen bewijzen, aangenomen dat hij ook maar iets wijzer werd van brieven die in het Deens waren geschreven. Dat lag toch al niet voor de hand. Zijn handtekening op een vel papier was niet bijster relevant. Zijn weigering om te tekenen zou de zaken alleen maar ingewikkeld maken, terwijl alle betrokkenen het juist zo eenvoudig mogelijk wilden houden.

'Hebben wij een probleem, meneer Eusden?'

'Nee, nee. Ik zal braaf mijn handtekening zetten. Hoe laat verwacht Matalainen mij?'

Het antwoord luidde dat Koskinen voorstelde Eusden meteen naar Matalainens kantoor te brengen. Hij zei dat hij beneden bij de receptie op hem zou wachten, groette Pernille en liep de deur uit.

'Birgitte had me hierover moeten vertellen,' zei Pernille, zodra de deur achter Koskinen dicht viel.

'Het maakt niet uit.' Eusden dronk zijn koffiekopje leeg. 'Het is veel belangrijker dat de overdracht goed verloopt. Het klinkt alsof alles goed geregeld is. Wat vind jij?'

'Ja. Het klinkt goed.'

'Tja, dan ben ik dus de bofkont. Ik mag de deur uit, terwijl jij binnen moet blijven.'

'Bel me als je terug bent. Ik ga een bad nemen. Dat zal me helpen om rustig te blijven.' Ze zuchtte en liet haar vingers over haar gezicht glijden. 'Ik denk dat ik vanavond heel erg dronken wil worden, Richard. Doe je mee?'

Eusden glimlachte. 'Afgesproken.'

Het was maar een korte taxirit van het hotel naar het centrum van de stad. Onderweg wees Koskinen Eusden op de bezienswaardigheden. 'Russisch-orthodoxe Uspenski-kathedraal.' (Eusden keek op naar sneeuwbedekte uien.) 'Het presidentieel paleis.' (Ze reden langs een groot huis met een zuilenrij en een fronton.) 'Senaatsplein.' (De lutherse Domkerk van Helsinki doemde wit als een bruidstaart boven hen op.) 'De Bank van Finland.' (Nog meer zuilenpracht.) 'Het meeste van wat u ziet, is gebouwd toen Finland onder Russisch bewind viel, meneer Eusden. In minder dan een eeuw nadat ze het van de Zweden hadden overgenomen hebben ze ons een stad gegeven om trots op te zijn. En hoe hebben wij hen daarvoor bedankt? Nadat ze de tsaar hadden afgezet, zijn we zo snel mogelijk in opstand gekomen. Slim, hè?'

'Heel slim. Als ik het goed begrijp, heeft Saukko Bank de traditie voortgezet.'

'Hoe... bedoelt u?'

'Door slim zaken te doen met Rusland.'

'O, juist. Ja, zo zou u het kunnen stellen.'

'Is dat dan niet de reden waarom Tolmar Aksden hen heeft uitgekocht? Om hun Russische bezittingen in handen te krijgen?'

'Ik... weet het niet. Het...' Toen de taxi stilhield, keek Koskinen opgelucht uit het raam. 'Aha, we zijn er.' Hij deed het portier open en stapte uit.

Eusden stapte aan de andere kant uit en lette daarbij op of er verkeer aankwam. Er reed niemand vlak achter hen. De dichtstbijzijnde wagen, ook een taxi, was nog een eind weg en reed langzaam. Hij keek in de richting van de taxi terwijl hij de deur dichtgooide en om de kofferbak heen liep. De passagier zat voorin. Zijn blik kruiste die van Eusden in een moment van herkenning. Toen keek hij weg en zei hij iets tegen de taxichauffeur, die de richtingaanwijzer aanzette en plotseling naar rechts afsloeg.

Eusden hoorde Koskinen naar hem schreeuwen toen hij naar de zijstraat rende. Hij wist dat zijn achtervolging zinloos was, maar die wetenschap hield hem niet tegen. Wat hem wel tegenhield, was een laag ijs die zich had gevormd rondom een regenpijp. Hij viel met zo'n harde klap op het trottoir dat zijn hoofdwond begon te kloppen. Tegen de tijd dat hij weer bij zinnen was en was opgestaan, sloeg de taxi aan het eind van de straat opnieuw naar rechts af. De remlichten lichtten dofrood op in het dunne grijze licht.

'Gaat het, meneer Eusden?' Koskinen hijgde toen hij bij hem aankwam.

'Ja. Ik... meende de passagier in die taxi te herkennen.'

'Welke taxi?'

'De taxi die net...' Toen hij Koskinens niet-begrijpende blik zag, besloot hij dat het geen zin had het verder uit te leggen. Want wat zou hij zeggen – wat kón hij zeggen – als Eusden het gezicht dat hij had herkend een naam gaf? Dat Lars Aksden in Helsinki was, was al verontrustend genoeg. Het feit dat hij hen was gevolgd, was niet gewoon verontrustend, maar absoluut onheilspellend. Maar wat wilde het zeggen? Wat had het te betekenen? Het enige waar Eusden op dat moment zeker van was, was dat Osmo Koskinen hem niet zou kunnen helpen om erachter te komen. 'Laat maar. Ik heb me vast vergist. Laten we naar binnen gaan.'

36

Juha Matalainens kantoor was het toonbeeld van Fins minimalisme, met grote ramen die uitzicht boden op omringende daken en een doorkijkje naar de koepels van de lutherse kathedraal. Matalainen zelf was gekleed in een chocoladebruin kostuum met smalle revers en een crèmewit overhemd zonder boord. Hij was een magere, hoekige man met kort donker haar en een baardje dat was getrimd tot enkele potloodstrepen om zijn kaak en mond. Zijn blik was rustig en nieuwsgierig en hij had minutenlang naar Eusden gekeken.

Eusden had die minuten zogenaamd besteed aan het lezen van de zeer bondig geformuleerde geheimhoudingsverklaring die Matalainen hem over het onberispelijk lege bureau toe had geschoven om te tekenen. De Engelstalige versie ging vergezeld van een Deense en een Finse versie. De overeenkomst kwam erop neer dat hij zich bereid verklaarde om nooit aan een derde partij enige informatie te verstrekken die hem op Luumitie 27, 00330 Helsinki, Finland, op deze twaalfde dag van februari, 2007 zou worden geopenbaard. Het had hem luttele seconden gekost om dit vast te stellen, toen waren zijn gedachten afgedwaald naar de talrijke vragen die Lars Aksdens verschijning in de straat onder hem opriep. Ongetwijfeld schudde hij alleen fronsend zijn hoofd, doordat hij zo serieus over die vragen nadacht.

'Zijn er problemen, meneer Eusden?' vroeg Matalainen.

'Wat?'

'Problemen? Met de verklaring?'

'Nee. Ik...' Eusden maakte een verontschuldigend gebaar. 'Sorry. Ik was alleen...' Hij concentreerde zich met moeite. 'De verklaring is prima. Ik zal met alle plezier tekenen.' Toen vertelde zijn intuïtie hem om niet al te inschikkelijk te zijn. 'Ik kan natuurlijk geen Deens lezen.'

'Ik kan u verzekeren dat het exacte vertalingen zijn.' Matalainen kneep zijn ogen dicht toen de strekking tot hem doordrong. 'Maar u kunt toch ook geen Fins lezen, meneer Eusden?'

'Nee. Dat klopt.'

'Maar u noemde Deens in het bijzonder.'

'Ik had het niet over deze documenten. Ik bedoel de documenten die vanmiddag aan ons worden overgedragen. Die zijn allemaal in het Deens. Hoe zou ik daar iets uit kunnen oppikken wat ik later bekend zou kunnen maken? Deze verklaring sluit een onmogelijke eventualiteit uit.'

Matalainen glimlachte zuinig. 'In dat geval heeft u niets te verliezen als u het tekent.'

Eusden glimlachte terug. 'Dat is waar.' Hij pakte de aangeboden pen op en tekende.

Koskinen tekende als getuige. Matalainen vergaarde de drietalige versies van de documenten, gaf één ervan aan Eusden en stond op, ten teken dat de bijeenkomst ten einde was. '*Näkemiin*, meneer Eusden.' Hij stak met een lichte buiging zijn hand uit. 'Tot vanmiddag.'

'Matalainen doet me denken aan mijn tandarts,' zei Koskinen toen ze in de lift naar beneden gingen.

'Dan moet u een andere tandarts nemen.'

'O, nee. Hij is erg efficiënt. Ik wil alleen niet met hem gaan vissen. Maar ik krijg na een bezoek altijd trek in drank. Wilt u er ook één?'

'Ik wil er wel meer, maar één is genoeg.'

Koskinen nam hem mee naar Café Engel op het Senaatsplein. Hun tafeltje aan het raam bood uitzicht op de voorkant van de Domkerk die aan de overkant van het met sneeuw bedekte plein stond. Trams reden rammelend voorbij. Klanten die vroeg lunchten zorgden voor geroezemoes.

'*Kippis.*' Koskinen nam alvast een slok bier. 'Op uw gezondheid, meneer Eusden.'

'Zeg maar Richard. Hoe lang heb je voor Mjollnir gewerkt, Osmo?'

'Helemaal niet zo lang. Ze hebben me overgenomen met VFG Hout. Maar ze zijn goed voor me geweest. Een ander bedrijf had me... weggestuurd.'

'Tolmar Aksden is dus wel een goede man om voor te werken?'

'Hij vraagt veel. Hij geeft veel.'

'Heb je hem goed leren kennen?'

'Niet echt, Richard, nee. Hij hanteert de stelregel "Breng je gezin niet mee naar je werk." Dat heeft hij zelf ook nooit gedaan. Trouwens, het grootste deel van de tijd was hij in Kopenhagen.'

'Heb je zijn broer Lars weleens ontmoet?'

'Nee. Ik heb wel van hem gehoord. Hij schildert, geloof ik. Maar nee, ik heb hem nooit ontmoet.'

'Zou je weten wie hij was, als je hem zag?'

Koskinen fronste zijn wenkbrauwen. Eusdens vragen begonnen verwondering te wekken. 'Waarschijnlijk niet.'

'Heb je Tolmar tijdens zijn laatste bezoek aan Helsinki nog gezien?'

'Nee. Volgens de kranten heeft hij het erg druk gehad. Dat is het enige wat ik weet, nu ik met pensioen ben, wat ik in de kranten lees.'

'En wat lees je zoal over hem?'

'O, er worden vuile spelletjes gespeeld nu hij Saukko Bank heeft gekocht. De kranten staan er vol mee.'

'Wat staat erin?'

Koskinens glimlach had meer van een grimas. Hij voelde zich duidelijk ongemakkelijk bij de wending die het gesprek had genomen. 'Het lijkt of niet iedereen even blij is met de omvang van Saukko's investeringen in Rusland nu de overname ze aan het licht heeft gebracht. Commercieel gezien is het slim, maar het ligt... politiek gevoelig.' Hij haalde zijn schouders op en nam een grote slok bier. Toen keek hij door het raam en kneep zijn ogen dicht, alsof hij tuurde naar iets in de verte. 'Wij Finnen maken ons altijd zorgen om Rusland. Of het is te sterk of te zwak. Maar het is altijd ons buurland.' Hij keek Eusden weer aan. 'Neem me niet kwalijk, Richard. Dit gepraat over zwakheden werkt op mijn blaas.'

Koskinens stoel schraapte toen hij opstond. Hij sjokte naar de toiletten en Eusden dacht eens te meer na over de geheimzinnige aanwezigheid van Lars Aksden in Helsinki. Moest hij het Pernille vertellen? Hij zou snel een beslissing moeten nemen. Hij was zich er ook van bewust dat hij aan het begin van een nieuwe werkweek Buitenlandse Zaken zou moeten bellen met een verse – of opgepiepte – smoes voor zijn afwezigheid, al begon zijn leven daar steeds meer weg te hebben van de valse herinneringen van iemand anders. Om wat afleiding te hebben pakte hij een achtergelaten krant van een tafeltje naast het zijne.

Helsingin Sanomat voorspelde voor Helsinki temperaturen onder de min tien graden en bewolking. 'Geweldig,' mompelde Eusden in zichzelf. Hij bladerde door pagina na pagina onbegrijpelijke Finse koppen. 'Helemaal geweldig. Toen zag hij het magische woord: Mjollnir. En toen...

Op een foto in de economiekatern van de krant, naast een artikel dat, voor zover hij kon nagaan, analyseerde hoe het met Mjollnir ging sinds de overname van Saukko Bank, stonden twee glimlachende driedelig grijze zakenmannen in een met veel hout ingerichte vergaderzaal. Het fotobijschrift identificeerde hen als Arto Falenius en... Tolmar Aksden.

Falenius was een elegante figuur van middelbare leeftijd in krijtstreep met een gespikkelde stropdas en dito pochetje dat uit zijn borstzak plooide. Hij droeg zijn grijze haar gedurfd lang en zijn knappe gezicht was bruin genoeg om de indruk te wekken dat hij een aanzienlijk deel van de noordelijke winter in zonniger oorden doorbracht. Zijn status werd Eusden niet duidelijk. Misschien was hij de algemeen directeur van Saukko, die een synergetische fusie vierde? De foto hoefde natuurlijk niet recent te zijn. Deze kon ook afgelopen herfst zijn genomen.

Het leed in elk geval geen twijfel dat Aksden de dominante partner was. Hij was ongeveer tien centimeter langer dan Falenius, enkele tientallen jaren ouder en al met al heel wat serieuzer. Zijn pak en stropdas waren effen, zijn glimlach was koeler, zijn blik harder. Hij oogde kolossaal, wat betreft spiermassa en intellect. Hij leek sterk op zijn broer, maar dan zonder de verwoestende effecten van een onmatig leven. In plaats daarvan spraken er kalmte en zekerheid uit zijn gezicht, zelfvertrouwen ging vergezeld van een tartende blik. Of was het minachting? Ja, die sprak wel uit zijn houding en gedrag: een diepgeworteld besef van zijn eigen superioriteit.

Opeens zag Eusden bij de deur iets bewegen. Hij keek net op tijd op om te zien dat Koskinen het café uit liep, terwijl hij de jas aanschoot die hij in het voorbijgaan van de kapstok had geplukt. Hij liep snel, zonder om te kijken.

'Osmo!' riep Eusden. Maar hij was te laat. De deur was al dicht. Verbijsterd en ontzet stond hij op. Waar was die man mee bezig? Hij wilde achter hem aan lopen.

De ober sneed hem met de rekening de pas af. Er heersten onbegrip en verwarring. Eusden verspilde kostbare minuten door eerst met Deense en toen Zweedse kronen te willen betalen, voordat hij de nodige euro's uit zijn zak trok. Tegen de tijd dat hij op straat stond, was Koskinen verdwenen. Hij vloekte, luid genoeg om een passerende vrouw te beledigen, en vroeg zichzelf opnieuw af waar Koskinen mee bezig was. Zijn gedrag was onverklaarbaar.

Toen herinnerde Eusden zich dat hij vlak voordat hij naar het toilet ging uit het raam had gekeken. Maar waarnaar? Het meest voor de hand liggende antwoord was: de Domkerk, die het uitzicht over het plein domineerde. Had iemand op de trappen die ernaartoe leidden hem gewenkt. Had de op de klok aangeduide tijd aanleiding gegeven tot zijn vertrek?

In zekere zin maakte het niet uit. Feit was dat hij was vertrokken. Eusden huiverde en toen hij de bijtende kou voelde, besefte hij dat hij zijn jas in het café had laten hangen. Hij wilde teruglopen.

Een man stond hem in de weg, met een zwarte muts op en donkere vrijetijdskleding aan. Hij was lang en gespierd; zijn gezicht was uitdrukkingsloos. Een seconde lang staarde Eusden hem aan. De man staarde uitdrukkingsloos terug. Eusden hoorde een auto stoppen langs het trottoir naast hem, slippend over de opgevroren goot. Toen gaf de man hem een knietje, zo hard dat hij dubbelklapte en de tranen hem in de ogen sprongen van de pijn. Hij werd bij zijn schouders vastgegrepen. Een zware hand sloeg neer op zijn nek. Hij werd achteruit geduwd en getrokken. Zijn hakken sleepten over het trottoir.

Opeens bevond hij zich op de vloer van een Transitbusje. De deur schoof dicht terwijl het busje al wegreed. Er stonden twee mannen om hem heen die heen en weer werden geslingerd door de bewegingen van het busje. Hij hoorde het geluid van plakband dat van een rol werd getrokken. Hij probeerde rechtop te gaan zitten, maar werd weer teruggeduwd. Zijn handen werden achter zijn rug bij elkaar getrokken. Het plakband werd er strak omheen gewikkeld, en tegelijkertijd om zijn enkels. Binnen enkele seconden was hij gekneveld, hulpeloos.

'In godsnaam,' bracht hij moeizaam uit. 'Waar zijn jullie...' Meteen daarop werd er ook een stuk plakband over zijn mond geplakt.

'De plannen zijn veranderd, meneer Eusden.' Eusden draaide zich in de richting waar de stem vandaan kwam en zag Erik Lund vanaf de bijrijdersstoel door het rasterwerk naar hem glimlachen. 'Voor u.' Hij voelde dat er iets scherps in zijn linkerarm werd gestoken. 'Ik raad u aan om u niet langer te verzetten.'

Eusden was absoluut niet van plan om Lunds raad op te volgen, maar binnen enkele seconden had hij geen keus. Het schudden van het busje ging over in golven van sufheid die bezit namen van zijn hoofd. De figuren om hem heen vervaagden tot zwartwitbeelden en werden vervolgens opgeslokt door het donker.

37

Toen hij wakker werd, dacht Eusden heel even dat hij thuis, in Londen, in bed lag en schreef hij het bonken van zijn hoofd en de stijfheid van zijn ledematen toe aan een stevige kater. Niet dus. De werkelijkheid besprong zijn gedachten met de kracht van een nachtmerrie. Hij lag nog steeds in het busje, maar nu alleen, alleen en koud, omgeven door duisternis.

Hoewel, er piekte een streepje licht naar binnen, genoeg om in het busje schaduwen op te werpen. Hij kroop rond op zijn knieën en keek zo goed mogelijk om zich heen. Ergens buiten hoorde hij een luik klepperen, maar verder hoorde hij niets. Hoelang hij hier had gelegen – waar 'hier' dan ook mocht zijn – kon hij niet achterhalen. Hij kon zijn horloge niet zien. Waarom hij daar was achtergelaten, was al even moeilijk te doorgronden. 'De plannen zijn veranderd, voor u,' had Erik Lund gezegd, alsof dit wat Mjollnir betreft altijd al het plan was geweest. Koskinens gedrag bevestigde dat. Hij was in de val gelokt, maar waarom?

Hij moest weg zien te komen. Voorlopig was dat alles waar hij aan kon denken. Een paar schaduwen aan de voorkant van het busje lieten een scheur zien in het rasterwerk dat de chauffeurscabine van de laadruimte afscheidde. Hij kroop erheen om het van dichterbij te bekijken. De lijst was gebutst en op verschillende plekken waren de metaaldraden losgeraakt. De uiteinden waren stijf en scherp. Hij draaide zich om, strekte zijn armen achter zijn rug en voelde een van de metaaldraden tegen de muis van zijn hand. Hij manoeuvreerde zo, dat deze tegen het plakband aan drukte en zaagde toen net zo lang totdat het openscheurde.

Binnen enkele minuten had hij zijn handen losgemaakt. Hij trok voorzichtig het stuk plakband van zijn mond, ging zitten en keek op zijn horloge. Het was een paar minuten over twee. Koskinen zou nu zo'n beetje die koffer vol obligaties moeten ophalen. Waarschijnlijk had hij bij Pernille een of ander voorgekookt verhaal opgehangen over hoe Eusden was verdwenen. Hij voelde in zijn zak naar zijn telefoon, maar die hadden ze meegenomen. Niet echt een verrassing. Hij maakte het plakband om zijn enkels los en trok aan de hendel van de schuifdeur. Op slot. Ook niet echt verrassend. Hij stond op en liep naar de achterdeuren. Ook op slot. Hij kon er niet uit. Nadat hij doelloos op het dichtstbijzijnde deurpaneel had gebonkt, ging hij zitten en zat mistroostig naar de schaduwen te kijken terwijl hij vergeefs de hendel naar beneden trok. God, wat was het koud. Wilde Lund hem laten doodvriezen?

Meer om het warmer te krijgen dan uit gegronde hoop om op die manier het busje uit te komen probeerde hij het rasterwerk verder los te trekken. Er kwamen geen staaldraden meer los. Het enige wat hij ermee bereikte, was dat hij zijn vinger openhaalde. Hij plofte weer neer, likte zijn wond en vervloekte Lund en Birgitte Grøn – en Marty, omdat hij hem bij dit alles had betrokken.

Er gingen ontelbare minuten voorbij, terwijl hij nadacht over de afschuwelijke situatie waarin hij zich bevond. Het onzichtbare luik bleef klepperen. De kou begon aan hem te knagen. Hij begon te rillen. 'Verdomme, Marty,' zei hij hardop, 'hoe kon je...'

Een geluid dat dieper en verder weg klonk dan het klepperende luid bereikte zijn oren. Het was een automotor. Het hield op en werd gevolgd door kabbelende stemmen. Hij hoorde het kraken van een deur die openging. Het licht werd iets helderder. Door het rasterwerk en de voorruit erachter kon hij schaduwen zien bewegen op een bakstenen muur. Er werd een schakelaar omgezet en hoog boven hem ging een tl-buis branden. Aan de achterkant van het busje werd het slot opengedraaid. Eerst ging de ene deur open, toen de andere.

Eusden knipperde met zijn ogen om te wennen aan de scherpte van het licht. Een gedrongen man met een dikke nek en een kaalgeschoren hoofd, gekleed in spijkerbroek en windjack, keek hem aan. Toen kwam er iemand naast hem staan, een langere, dunnere man, gekleed in een donkere overjas met de kraag omhoog. Hij had een rond gezicht met zachte gelaatstrekken, een wilde bos rood haar waar grijze plukken in zaten. Een bijkleurend stoppelbaardje bedekte zijn vlezige kaken. Zijn blauwgroene oogjes keken Eusden vanachter ronde brillenglazen aandachtig aan.

'Ben jij Eusden?' Hij had een Amerikaans accent, westkust.

'Ja.'

'Dan kan het feest beginnen. Kom er maar uit.' Zijn gedrongen maat haalde iets uit zijn windjack dat hij op Eusden richtte: een pistool. 'Een uitnodiging die je niet kunt afslaan.'

Toen Eusden langzaam opstond, naar de achterkant van het busje liep en uitstapte, deden de twee mannen een stap achteruit. Ze bevonden zich in een of andere werkplaats, die werd afgesloten door een schuifeur die tot het plafond reikte en waar een kleinere deur in was ingebouwd. Er waren geen ramen, alleen drie lege muren, met een werkbank langs één muur. Tegen deze werkbank leunde een derde man die, net als zijn maten, naar Eusden keek. Hij was lang en zwaargebouwd, met zwart haar en dito baard, een haviksneus en een donkere, broeierige blik. Hij droeg een lange zwartleren jas en was druk aan het kauwen. Naast hem, op de werkbank, stond Clems attachékoffertje.

'Wie zijn jullie?' Eusden keek de spraakzame man recht aan en probeerde niet zo bang te klinken als hij was.

'Ik ben Brad. Die bolle met de blaffer heet Gennady. De kauwer bij de koffer – die trouwens ook een blaffer heeft – is Vladimir. Ze spreken Engels, als het moet, maar meestal communiceren ze op andere manieren.'

'Wat willen jullie?'

'Jou, makker. De man die een paar nachten geleden onze makkers Ilya en Yuri de dood in heeft gejaagd.'

'Dat was een ongeluk.'

'Daar heb je waarschijnlijk gelijk in. Je lijkt me niet het type dat hen zou kunnen overmeesteren. Trouwens, Yuri was altijd al een brokkenpiloot. Maar laat niet de feiten een gezonde wrok in de weg staan. Gennady wil niets liever dan je een kogel door je kop schieten – nadat hij je verrot heeft geschopt. Als een vriend sterft, moet een vreemdeling boeten. Oude Oekraïense traditie. Daar komen ze namelijk vandaan. Ze hechten eraan dat ik benadruk dat ze geen Russen zijn, al klinken ze zo en zien ze er zo uit. Ze worden ook erg prikkelbaar als ze niet net een paar liter wodka hebben gedronken. Overigens zijn ze vandaag broodjenuchter. Trek je eigen conclusies. En als je toch bezig bent, vertel me dan maar meteen wat jouw rol is binnen Mjollnir.'

'Die heb ik niet.'

'Wat doe je dan in Helsinki?'

'Ze hebben me gechanteerd.'

'Juist, ja. Wat zeiden ze dat je moest doen? Ik mag aannemen dat ze je niet hebben verteld dat ze je aan ons zouden overdragen.'

'Ik moest... de echtheid van de brieven verifiëren.' Eusden knikte naar het koffertje.

'Nergens goed voor, makker. We hebben hun overal kopieën van gefaxt. Maar jij vond het waarschijnlijk wel geloofwaardig. Het punt is echter dat we meteen al jouw hoofd op een dienblad *plus* het enorm hoge geldbedrag als prijs hebben bedongen. Ze gingen zonder blikken of blozen akkoord. Ik kreeg de indruk dat ze het helemaal niet erg zouden vinden als wij je omlegden. Hoe zou dat nou komen?'

'Ze lijken te denken dat ik te veel weet.'

'Waarover?'

'Tolmar Aksden.'

'Aha. De Onzichtbare Man. Is dat zo?'

'Ik weet dat hij een geheim heeft.'

'Wie niet?'

'Mjollnir wil het zijne koste wat het kost bewaren.'

'Uiteraard. Daarom kopen ze het van ons voor een prijs die het voor ons de moeite waard maakt de eigenlijke koper buiten te sluiten en voldoende compensatie biedt voor de twintig miljoen kronen die fladderden in de wind van Kopenhagen, om nog maar niet te spreken van Ilya en Yuri die op een troosteloze weg zijn geplet. Dus, aangenomen dat we misschien, héél misschien, zouden kunnen overwegen je niet te doden, waarom vertel jij ons niet wat dat geheim is?'

'Als je de brieven hebt, moet je dat toch weten.'

'Tja, het vreemde toeval wil dat ik nooit Deens heb geleerd toen ik opgroeide in California. Spaans, natuurlijk. Frans en Italiaans? Ik kan me redden. Ik heb zelfs genoeg Russisch geleerd om Vladimirs grappen te begrijpen op de schaarse momenten dat hij er een maakt. Maar Deens? Op een of andere manier heb ik het niet opgepikt. Slordig, ik weet het. Maar zo is het nu eenmaal.'

'We hadden Olsen moeten laten leven,' gromde Vladimir.

Brad grijnsde. 'Daar komt-ie nú mee. Je zult je vast afvragen wie Olsen was, makker, dus zal ik je uit je lijden verlossen. Hij was de enige echte, Deense vertegenwoordiger van onze eigenlijke koper. Wij werden ingehuurd voor bijkomende hand- en spandiensten. Toen we besloten Mjollnir als alternatieve koper te peilen probeerde Olsen zijn baas te bellen. We moesten hem afkappen, als je begrijpt wat ik bedoel. Helaas was hij er toen nog niet aan toe gekomen ons te vertellen waar de brieven over gingen. Daarom doen we... graag een beroep op jou.'

Eusden slikte moeizaam. Het was een bijna onmogelijke taak om het kleine beetje wat hij wist zo aanlokkelijk te maken dat hij hen kon overtuigen hem te laten leven. Toch was het zijn enige hoop. 'Ze vormen een verslag van de vroege jaren van Tolmar Aksdens vader, Peder, op een boerderij in Jutland.'

'Een boerderij in Jutland, hè?' spotte Brad. 'Waarom gaat mijn hart daar nu niet sneller van kloppen?'

'Ik kan ook geen Deens lezen, maar ik weet dat Tolmars geheim iets te maken heeft met... Anastasia.'

'Echt waar? Weet je zeker dat hij zelf niet Elvis Presley in vermomming is? De leeftijd zou aardig kloppen.'

'Ik zeg niet dat ik het begrijp, maar het ís zo.'

'Jij beweert dus dat Tolmar Aksden op de een of andere manier familie is van de dochter van de laatste tsaar?'

'Ja.'

257

'Degene waar een of andere gekke ouwe taart schathemelrijk mee is geworden door te doen alsof zij haar was?'

'Anna Anderson. Ja.'

'Anna Anderson. Precies. Heb ik een paar jaar geleden niet een slechte miniserie over haar op televisie gezien? Misschien met Jane Seymour in de titelrol?'

'Jane Seymour.' Gennady leek op te fleuren toen hij haar naam hoorde. '*Dr Quinn, medicine woman*. Ze is gewéldig.'

Brad liet zijn ogen rollen. 'Weet je? We hebben hier echt geen tijd voor, echt niet. Anastasia doet bij mij geen bellen rinkelen, makker. Ik denk dat we het verrot trappen maar overslaan en gewoon meteen een kogel door je kop schieten.' Zijn vriendelijke gelaatstrekken vertrokken zich plotseling tot een strak en kwaadaardig masker. Hij trok een pistool uit zijn jaszak en richtte de loop op Eusdens hoofd. 'Geef me onmiddellijk een goede reden om niet de trekker over te halen. Geloof me, zo'n kans krijg je nooit meer.'

'V-Vingerafdrukken.' Eusden hoorde zijn gestotter aan vanuit een vreemde, afgescheiden plaats waar de dood een ophanden zijnde, reële optie was, en niet de verlammende gruwel die hij zich bij zo'n situatie altijd had voorgesteld. 'Jullie moeten... vingerafdrukken hebben gevonden... tussen de brieven.'

Brad schudde langzaam en nadrukkelijk zijn hoofd. 'Geen vingerafdrukken.'

'Ze móeten er zijn.'

'Maar ze zijn er niet.'

'Misschien zitten ze verstopt in het koffertje.'

'Kijk eens, Vlad.' Vladimir maakt het koffertje open en keerde het om. De brieven gleden over de werkbank. 'Van wie zoeken we vingerafdrukken, makker?'

'Van Anastasia. Genomen in 1909, toen ze acht was. Ik heb contact met een genealoge uit Virginia die een set vingerafdrukken van Anna Anderson heeft gekocht, genomen in 1938. Als ze overeenkomen, zou dat bewijzen dat ze echt Anastasia was.'

Vladimir stond op het koffertje te kloppen en ernaar te kijken als een sceptische theaterbezoeker die op verzoek de hoge hoed van de goochelaar inspecteert.

'*Nichivo*,' mompelde hij, en Eusden vermoedde dat dat 'niets' betekende in het Russisch of het Oekraïens – of allebei.

'Het bewijs zou veel geld waard zijn,' drong Eusden aan. Hij gooide al zijn wilskracht in de strijd om ervoor te zorgen dat Brad naar hem zou luisteren – en hem zou geloven. 'Het zou een wereldwijde sensatie zijn. Je zou je eigen prijs kunnen noemen.'

'Klinkt geweldig. Alleen jammer dat we dat bewijs niet hebben.'

'Het moet erin zitten. Laat mij anders kijken.'

'Blijf staan. Vlad?'

Vladimir had het koffertje op zijn kant gelegd en stond in de binnenkant van deksel en onderkant te prikken. Hij schudde zijn hoofd onheilspellend.

'Het ziet er niet zo best voor je uit, makker.'

'Laat mij dan in godsnaam...'

'Wacht,' zei Vladimir. 'Ik geloof, ja, ik geloof dat er wel iets is.' Hij trok een mes uit zijn zak en sneed de voering van het deksel open. Er gleed een roomwitte envelop op de bodem van het koffertje. Hij keek ernaar met een mengeling van ontzag en verbazing. Toen sloeg hij langzaam en weloverwogen een kruis.

'Wat is het, verdomme?'

'*Tsarski piriot.*'

'Wat?'

'Kijk.' Vladimir hield de envelop omhoog. De voorkant was leeg, maar toen hij de envelop omdraaide, zagen ze, duidelijk zichtbaar op de flap gedrukt, de zwarte, tweekoppige adelaar van de Romanovs.

38

De envelop was niet verzegeld. Er zat één vel kalfsperkamenten schrijfpapier in. Bovenaan stond dezelfde tweekoppige adelaar die een rijksappel en een scepter vasthield. Eronder was, keurig gerangschikt, in rode inkt een complete set vingerafdrukken te zien, eerst de linkerhand, toen de rechter. Onder de vingerafdrukken had iemand met zwarte inkt geschreven: *A.N. 4 viii '09.*

'Wat is dit precies, makker?' vroeg Brad. Hij hield het vel omhoog. Hij had zijn pistool weer in zijn zak gestopt, maar Gennady hield het zijne nog steeds op Eusden gericht.

'De vingerafdrukken van grootvorstin Anastasia, genomen aan boord van het keizerlijke jacht voor de kust van Cowes op 4 augustus 1909.' Het was dus waar, al kon Eusden het amper geloven. De afdrukken waren duidelijk die van een kind en de datum klopte ook. A.N. was Anastasia Nikolajevna. Er was bijna een eeuw voorbijgegaan sinds Clem de 'vrijpostige' jongste dochter van de tsaar had vermaakt met een demonstratie van de recentste vorderingen van de Britse politie in de opsporingswetenschap. Eusden kon het zonlicht als het ware zien glinsteren op de koppen van de golven voor Cowes Roads, en de vrolijke lach van het adellijke meisje horen. Clem was altijd al goed geweest met kinderen. *'Zo houdt Scotland Yard die helse anarchisten in de gaten, Hoogheid. Eerst één vinger, dan de volgende.'* 'Ze kwamen voor de regatta. De tsaar, tsarina en al hun kinderen. De koning en koningin kwamen ook...'

'Kan mij die koning en koningin verrotten. Dit is dus echt?'

'Absoluut.'

'En je kunt aan een set vingerafdrukken van Anna Anderson komen, om deze mee te vergelijken?'

'Ja.'

'Hoe snel?'

'Regina heeft ze waarschijnlijk al. Ze is in Duitsland. Het is alleen een kwestie van...'

'Bel haar.' Brad wierp Eusden zijn mobiel toe. 'Bel haar meteen en zorg dat ze hierheen komt.'

'En Mjollnir dan?' vroeg Vladimir.

'We hebben afgesproken hun de brieven te verkopen. Dit is iets anders. Dit, jongens, heet nu een bonus. Die hebben we ook wel verdiend. Bellen, makker.'

'Goed, ik zal het proberen.'

'Proberen is niet goed genoeg.'

'Ik heb haar nummer in mijn portefeuille.'

'Haal het er dan uit.'

Eusden haalde zijn portefeuille uit zijn jasje en vond het blaadje waar hij haar nummer op had geschreven. Het was natuurlijk niet eerlijk om haar hierbij te betrekken, maar hij had geen keus. Dit was zijn enige kans om het er levend af te brengen. Hij toetste het nummer in en begon te bidden dat ze zou antwoorden.

En dat deed ze. 'Hallo?'

'Regina, met Richard Eusden.'

'Richard. Hai. Ik herkende het nummer niet. Ik probeerde je al te bellen.'

'Sorry. Ik ben mijn telefoon kwijt, heel dom. Ik heb er een moeten lenen. Waar ben je?' Hij hoorde vage geluiden op de achtergrond, toen de ding-dong die voorafging aan een omroepbericht.

'Het vliegveld van Hannover. Ze kunnen elk moment mijn vlucht naar Kopenhagen omroepen.'

'Heb je het archiefstuk met de vingerafdrukken uit 1938?'

'Ja, nou en of. Heb jij nog nieuws?'

'Ja, ik heb de vingerafdrukken uit 1909 om mee te vergelijken, Regina. Ik kijk ernaar.'

'Dat meen je niet.'

'Wel. Ze liggen voor me.'

'Maar... hoe kom je eraan?'

'Ik zal het uitleggen als we elkaar zien. Het is vrij... ingewikkeld.'

'Goed. Ik zou rond half vier in je hotel kunnen zijn.'

'Half vier? Dat is al over...' Op het laatste moment herinnerde Eusden zich dat het in Finland een uur later was dan in Duitsland en Denemarken. 'Om je de waarheid te zeggen, Regina, ben ik niet langer in Kopenhagen. Ik ben in Helsinki.'

'*Helsinki?*'

'Zoals ik al zei, is het ingewikkeld. Kun jij hierheen komen?'

'Tja... waarschijnlijk wel. Ik zou een verbindende vlucht kunnen boeken voordat ik hier vertrek.'

'Het is veel veiliger om hier af te spreken. Werner gaat vandaag of morgen geheid naar ons op zoek in Kopenhagen.'

'Oké, je hebt gelijk. Ik kom wel naar je toe.'

'Bel me op dit nummer als je weet hoe laat je aankomt. Dan haal ik je op van het vliegveld.'

'Doe ik. Zeg, Richard, heb jij soms iets voor me verzwegen? Dit is allemaal wel heel plotseling.'

'Ik zal je het hele verhaal vertellen als je hier bent. Tot snel. Dag.'

'Leuk gespeeld, makker,' zei Brad toen hij zijn telefoon terug pakte. 'Zo te horen heb je jezelf uitstel van executie bezorgd.'

'We moeten hem hier doden,' zei Vladimir.

Brad zuchtte diep. 'We weten niet hoe die genealoge uit Virginia eruitziet, Vlad. Bovendien verwacht ze dat onze makker Eusden haar komt ophalen. We zetten hem dus nog even op ijs. Hoe laat is het?'

'De afspraak met Mjollnir is binnen een uur.'

'Oké. Nog één telefoontje, dan gaan we. Brad toetste een nummer in zijn telefoon in. Terwijl hij wachtte op verbinding, vroeg Eusden zich licht misselijk af wat er precies werd bedoeld met 'op ijs'. Toen zei Brad: 'Bruno? Brad... Ja, ja... Ik heb iets voor je. Hoe ben jij met vingerafdrukken?... Magnifico. Heb ik niet altijd gezegd dat Orson Welles te ver ging met die opmerking over koekoeks-klokken?... Over klokken gesproken, tijd is van groot belang bij dit project. We moeten je vanavond hier hebben... Helsinki... Ja, ja. Doe je lange onderbroek aan voordat je vertrekt. We zitten hier in de ijstijd... Begrepen. Laat horen wanneer je aankomt. Ja, goed... Natuurlijk, Bruno, natuurlijk. Standaardtarief, standaardpercentage. Wanneer heb ik jou nou ooit te weinig betaald?... Oké. *Ciao*, goede vriend.' Hij verbrak de verbinding en glimlachte naar Eusden. 'Bruno zal verifiëren of de vingerafdrukken overeenkomen of niet. Zo ja, dan kunnen we zaken doen, en anders...' Brads glimlach hield net iets te lang aan. Eusden wist dat ze hem alleen in leven zouden houden zolang dat nut voor hen had. Zijn nut zou snel ophouden als Regina met de andere vingerafdrukken was geland. Maar vliegvelden waren drukke openbare ruimten. Eenmaal daar moest hij een goede kans hebben om te ontsnappen en Regina mee te nemen. Als al het andere mislukte, zou hij zichzelf, en Regina, waarschijnlijk kunnen laten arresteren. Tot die tijd kon hij alleen maar precies doen wat Brad vroeg.

'Laten we gaan.' Brad trok zijn pistool weer tevoorschijn. 'Haal de auto, Gennady. Rijd achteruit richting de deur en maak de achterbak open.' Gennady knikte en liep naar buiten door het deurtje dat hij achter zich open liet staan. 'Stop de brieven terug in de koffer, Vlad.' Terwijl Vladimir daarmee begon, begon er buiten een automotor te brullen. De achterbak van een zilveren Mercedes gleed hun blikveld in en sprong open. 'Daar ga jij in, makker. We kunnen niet riskeren dat je vriendjes bij Mjollnir je zien. Klim erin.'

Eusden kon maar een heel snelle blik werpen op de industriële woestenij waar Lund hem had gedumpt, voordat de druk van Vladimirs hand op de achterkant van zijn hoofd hem duidelijk maakte dat hij in de achterbak van de stationair draaiende Mercedes moest klimmen.

'Vaste vloerbedekking en massa's beenruimte,' zei Brad smalend toen hij achteromkeek. 'Toen Gennady en zijn vier broers in Kiev opgroeiden hadden ze minder comfort en ruimte.'

'Wanneer mag ik hier weer uit?'

'Als we je nodig hebben. Maak je geen zorgen. We weten waar je bent.' Hij reikte omhoog om de achterklep dicht te gooien, maar stopte. Zijn telefoon ging. Hij trok het toestel uit zijn zak en las het nummer van de beller hardop. Zegt mij niks. Jou wel, makker?'

'Regina.'

'Dan kun je het gesprek beter aannemen.' Hij gaf Eusden de telefoon.

'Regina?'

'Hai, Richard.' Ze klonk buiten adem. 'Even snel, want ik ben al onderweg naar de gate. Ik heb een stoel geboekt op een vlucht van Kopenhagen naar Helsinki die om tien voor half acht aankomt. Vluchtnummer Finnair zes zes vier.'

'Zes zes vier om tien voor half acht. Staat genoteerd. Tot dan.'

'Ja, tot dan. Dag, dag.'

Eusden gaf de telefoon braaf terug aan Brad. 'Heeft het zin om je te vertellen dat ik claustrofobisch ben?'

'Geen zier. Maar we zullen je niet vergeten, hoor. We zullen regelmatig even bij je komen kijken.' Brad fronste zijn wenkbrauwen nadenkend, alsof hij zijn strategie voor de aanstaande afspraak in Koskinens huis de revue liet passeren. Hij trommelde met zijn vingers tegen de achterklep, toen trok hij de envelop met de vingerafdrukken uit zijn zak en schoof deze in de binnenzak van Eusdens gekreukte jasje. 'Pas jij daar maar op, makker. Alsof je leven ervan afhangt.' Toen smeet hij de achterklep dicht en lag Eusden in het stikdonker.

39

De achterbak rook voor negen delen naar tapijt en voor één deel naar diesel. Er was geen enkele verlichting. Eusden zocht een paar minuten lang naar een schakelaar voor de binnenverlichting, maar gaf toen op. Gennady reed als de chauffeur van een rijke oude weduwe: soepel en langzaam. De auto reed dan sneller, dan weer langzamer, draaide en reed weer rechtdoor. Op het gelijkmatige gesnor van de motor na waren de geluiden gedempt en ver weg: claxons, luchtdrukremmen, rinkelende trams en pneumatische boren kwamen aandrijven en vervaagden, terwijl de Mercedes door de straten van Helsinki naar hun bestemming reed.

Eusden bleef zich voortdurend – vervuld met twijfel – afvragen of het hem zou lukken om op het vliegveld aan de greep van de drie mannen te ontsnappen. Brad zou vast rekening houden met zo'n poging en proberen hem vóór te zijn. Hij moest hopen dat zijn hebzucht het zou winnen van zijn gezond verstand en hij kende de man niet goed genoeg om te beoordelen of dat waarschijnlijk was.

Hij troostte zich met de gedachte dat hij hen tot nu toe had kunnen overhalen om hem te laten leven. Zolang hij rustig bleef, zou hij een redelijke kans hebben om hun te slim af te zijn. Daarmee zou hij ook Mjollnir overtroeven, aangezien Lund ongetwijfeld aannam dat hij al dood was. Wat had Koskinen tegen Pernille gezegd? vroeg hij zich af. Welke verklaring hadden ze bedacht voor zijn plotselinge verdwijning? Wat voor leugen ze ook hadden verzonnen, zodra hij vrij was, zou hij hen er hardhandig mee confronteren. Pernille zou denken dat hij haar in de steek had gelaten. Hij zou ervoor zorgen dat ze snel beter wist. Ze zou nu, samen met Matalainen, in het huis van Koskinen zitten wachten en zich zorgen maken. Hij kon niets doen om haar te helpen of zijn afwezigheid te verklaren, maar hij zou niet rusten, beloofde hij zichzelf, voordat zij de waarheid zou horen – en anderen daarvoor ter verantwoording waren geroepen.

Hij glimlachte om de ironie dat Brad de envelop met de vingerafdrukken bij hem in bewaring had gegeven. Hij probeerde zich voor te stellen wat er op die augustusdag in 1909 aan boord van het keizerlijke jacht was gebeurd om wat afleiding te vinden van zijn benarde situatie. Maar Clem in zijn politie-uniform en de grootvorstinnen in hun witte, met kant afgezette jurken, waren beelden uit een droom. De zon die hij zich voorstelde, gaf geen warmte, de stemmen hadden geen zeggingskracht, de glimlachjes vervaagden. Hij was waar hij was. En zij waren ver weg en lang geleden.

De auto stopte, wat al verscheidene keren eerder was gebeurd. Daarna viel de motor stil. Dit was anders. Ze waren aangekomen bij Luumitie 27. De overdracht zou nu snel plaatsvinden.

Na een minuut of wat hoorde hij een portier dichtslaan. Daarna nog een. Brad en Vladimir waren uitgestapt. Er zoemde en klikte iets vlak bij de achterbak. De antenne, gokte hij. Gennady had de radio aangezet. Hij wilde tijdens het wachten naar muziek luisteren, al vond hij blijkbaar dat hij het volume laag moest houden. Eusden hoorde er niets van. De stilte op straat was compleet.

De tijd verstreek. Vijf minuten. Tien. Vijftien. De inleidende plichtplegingen zouden nu wel voorbij zijn. Matalainen zou de brieven wel vergelijken met de gefaxte kopieën. Het zou niet veel langer duren voordat hij aangaf tevreden te zijn. Dan zou de combinatie van de koffer die Koskinen bij Pernille had afgeleverd worden doorgebeld. Brad zou de koffer openmaken, de obligaties aan toonder controleren en op zijn beurt zijn tevredenheid betuigen. En dan...

Het geluid ging vergezeld van een schokgolf van lucht. Geluid en licht scheurden zijn donkere, benauwde ruimte open. De auto ging omhoog en klapte weer neer alsof er een aardbeving plaatsvond. Er boorde zich iets groots en zwaars in de achterklep en kerfde deze open tot op luttele centimeters van Eusdens gezicht. Daarbij sprong de achterklep open. Hij was duizelig en doof tegelijk en kon alleen in elkaar duiken onder de gewelddadige, bulderende kracht van een onbegrijpelijke gebeurtenis.

Toen keerden zijn gezichtsvermogen, gehoor en begrip met volle kracht terug. Vallende stukken metselwerk landden op andere auto's, stuiterden op daken, raakten ramen en zakten in de sneeuw in de goten. Grote wolken rook en stof golfden over straat. Met een zakdoek uit zijn zak voor zijn neus en mond klauterde hij uit de achterbak.

Het huis dat ooit aan de overkant van de straat had gestaan, was nu een bouwval vol vlammen en rook, van losgeslagen muren en versplinterd glas. Het dak was ingezakt en tussen de nog overeind staande gevelspitsen lag puin. Pernilles BMW stond op de oprit, overladen met brokstukken, de ramen kapot en een omgevallen stuk deurpost, met huisnummer 27 erop geschroefd, lag op het trottoir. Terwijl Eusden vol afschuw maar dit tableau keek, kletterden er nog steeds kleinere brokstukken naar beneden. De rook sloeg op zijn longen en hij deed een paar stappen achteruit.

Op dat moment ging het linkerportier van de Mercedes open en viel Gennady in de met sneeuw bedekte berm. Uit een hoofdwond stroomde bloed en al het glas dat eerder de voorruit was geweest kwam met hem mee. Hij keek op naar Eusden en kreunde. Zijn ogen rolden omhoog onder zijn oogleden en hij verslapte.

Meteen daarna begaf een van de gevelspitsen het en stortte tussen het puin. Rook en stof waaierden uit. Eusden werd nog verder nar achteren gedrongen. In de voortuin van een huis achter hem verscheen een vrouw van middelbare leeftijd. Ze riep hem iets toe in het Fins.

'Bel om een ambulance,' schreeuwde hij terug. 'Er zijn mensen in dat huis.'

'Wat is er gebeurd?'

'Ik weet het niet. Een of andere explosie.'

Ze keek langs hem heen, haar mond slap van shock. Ze begon te hoesten.

'Bel om hulp. Nú!'

'Goed. Ja.' Ze rende weer naar binnen.

Eusden bleef staan en tuurde door de zich uitbreidende sluier. Luumitie 27 zag eruit alsof er een bom was ontploft. Dat, besefte hij, was precies wat er was gebeurd: een bom. Niemand in het huis zou zo'n explosie hebben kunnen overleven. De bom had het huis verwoest, muren en vloeren aan puin geblazen, vlees en botten verbrijzeld. Brad, Vladimir, Matalainen én Pernille moesten allemaal wel dood zijn.

Eusden besefte opeens hoe graag hij wilde geloven dat Pernille nog zou kunnen leven, al wees alles erop dat het niet zo was. Er was eenvoudigweg geen hoop, maar dat kon hij niet accepteren. Dat weigerde hij te accepteren. Hij wilde de weg op rennen.

Hij stopte abrupt bij het geluid van een claxon en gierende remmen. Een pick-uptruck kwam een paar meter van hem vandaan schuddend tot stilstand en er sprongen twee mannen in overalls uit. Ze schreeuwden iets tegen hem in het Fins.

'Er zitten mensen vast in dat huis.' Hij maakte een gebaar naar het geruïneerde huis. 'Ga mee kijken of ze nog leven.'

De twee mannen keken hem ongelovig aan. Toen zei de oudste van de twee: 'Te gevaarlijk. Iedereen in dat huis moet wel dood zijn.'

'We moeten het proberen.'

'Doe het niet. Er kunnen...'

Een luide knal veroorzaakt ergens tussen het puin een steekvlam. Brokken puin vlogen door de lucht. Een stuk sloeg in de voorruit van de pick-uptruck. De twee mannen draaiden zich om en renden weg.

'Achteruit,' riep de oudste over zijn schouder naar Eusden.

Toen begaf de tweede gevelspits het en daarmee zakte het laatste beetje hoop dat Eusden nog voelde de grond in. Met prikkende ogen en moeizaam ademend liep hij terug naar de overkant. Golven stof en rook stegen op in de lucht. Achter hem knetterden vlammen.

Hij bereikte de Mercedes, zijn gedachten gespitst op één besluit: Iemand zou hiervoor moeten boeten. Hij knielde naast Gennady's bewegingsloze lichaam en zocht onder zijn jas naar het pistool. Opeens voelde hij het in zijn hand, een automatisch pistool van het soort dat hij al heel vaak in films had gezien, maar nog nooit in de wereld waarin hij tot een week geleden had geleefd. Het was te groot en te zwaar om in zijn jasje te dragen. Daarom trok hij Gennady's wollen sjaal van zijn nek en wikkelde het pistool daarin. Hij stond op en liep weg.

Inmiddels waren ook andere bewoners naar buiten gekomen. Ze keken vol ontzetting naar de ruïne van wat ooit Osmo Koskinens huis was geweest. Ze letten niet op Eusden, hadden alleen oog voor het brandende, rokende restant van nummer 27. Hij versnelde zijn pas.

Toen hij aan het eind van de straat was gekomen, zag hij een grote zwarte Saab SUV op de kruising langs de kant stoppen. De chauffeur keek ingespannen in de richting van de rookpluim en glimlachte flauw.

De chauffeur was Erik Lund. Hij zat alleen in de wagen en leek zich absoluut niet bewust van Eusdens aanwezigheid. Hij keek recht langs hem heen en zag alleen wat hij verwachtte te zien. De voetganger die voor hem de weg overstak was niet meer dan een schaduw.

Daar kwam verandering in toen Eusden aan de passagierskant het portier opentrok en in de wagen sprong.

'Hov! Hvad...' Lunds gezicht verstarde. Hij kon duidelijk zijn ogen niet geloven: een man van wie hij vol vertrouwen had aangenomen dat hij nu wel dood zou zijn, zat naast hem – met een pistool in zijn hand.

40

Ze keken elkaar verscheidene lange, stille seconden lang aan. Toen slikte Lund moeizaam en zei: 'Schiet me niet dood. Alsjeblieft.'

'Waarom niet? Jij hebt me erin geluisd, klootzak. Je rekende erop dat ze me zouden doden, niet dan?'

'Ik volgde... bevelen op.'

'Ga daar vooral mee door; dan overleef je dit misschien. Rijden.'

Ze kwamen in beweging. 'Waar gaan we heen?'

'Naar het vliegveld.'

'Luister, Eusden, ik...'

'*Jij moet luisteren.* Geef gewoon antwoord op mijn vragen. Oké?'

'Oké.'

'Wist Tolmar Aksden dat dit zou gebeuren?'

Lund knikte. 'Ja.'

'Heeft hij alles vanaf het begin geweten?'

'Ja.'

'Wat waren zijn instructies?'

'Het koffertje vernietigen. De Oppositie met vertoon van overweldigende kracht dwingen om afstand te nemen. En jou uit de weg ruimen.'

'Net als Pernille?'

'Ja.' Ze draaiden de belangrijkste winkelstraat van Munkkiniemi op. Er kwam hun een brandweerwagen tegemoet met zwaailichten en gillende sirene. Iets verder weg klonk nog een sirene. 'Hij zegt altijd dat... een probleem een kans inhoudt.'

'Jullie hebben Burgaard ook vermoord, hè?'

'We hebben niemand vermoord. Alles wordt... aanbesteed.'

'Wat ontzettend zakelijk.' De brandweerwagen reed gierend

langs. 'Wacht eens. Hoe zit het met de beveiliging die je zou regelen?'

'Ik had twee mannen in het huis gestationeerd. Ze waren bedoeld om Pernille het gevoel te geven dat ze veilig was.'

'En je hebt ze gewoon... opgeofferd?'

'Ik heb gedaan wat ik moest doen. Ik weet niet hoe jij hebt kunnen ontsnappen, Eusden, maar ik beloof je dat ik het niet aan Tolmar zal vertellen.' Er liep een straaltje zweet langs Lunds slaap. 'Het vliegveld is een goede keus. Je kunt vanavond nog naar Engeland vliegen. Niemand zal erachter komen.'

'Natuurlijk komen ze erachter, Lund. Jij zult het hun vertellen.'

'Nee.'

'Blijf rijden. En blijf antwoord geven op mijn vragen. Wist Koskinen ook wat er ging gebeuren?'

'Niet tot in detail. Maar hij doet wat hem verteld wordt. Net als ik.'

'Waar is hij nu?'

'Hij logeert tijdelijk bij zijn broer.'

'Adres?'

'Weet ik niet.'

'Maak dat je zuster wijs.'

'Ik zweer het je, ik weet het niet. Ik zou ook best iets kunnen verzinnen. Hoe zou je weten of ik de waarheid sprak? Ik weet het eerlijk niet.'

Er reed een politiewagen langs. Toen nog een.

'Hoe zit het met Tolmar? Waar is hij?'

'De stad uit.'

'Wanneer komt hij terug?'

'Vannacht. Morgen. Ik weet het niet precies.'

'Waar is zijn appartement?'

'Mäkinkatu 6. Maar daar kom je niet binnen. Het heeft de allermodernste beveiliging.'

'Wist Birgitte Grøn hiervan?'

'Nee. Ze zou niet hebben meegewerkt als ze wist wat Tolmar had besloten. Ze dacht dat hij gewoon zou betalen.'

'Er werkt dus toch nog iemand bij Mjollnir die een geweten heeft?'

Ze lieten het centrum van Munkkiniemi nu achter zich en naderden een groot verkeersknooppunt. Lund ging in de rij staan om links af te slaan naar de hoofdweg naar het noorden.

'Je hebt geen idee hoe het werkt, Eusden. Dat kun je je niet voorstellen. Het geld. De luxe. Als hij weet dat je iets wilt hebben, geeft hij het je... in ruil voor andere dingen. Voor je het weet, zit je er te diep in om nog te stoppen'

'Gebruik je dat als excuus?'

'Ik doe gewoon wat me gevraagd wordt.'

'Zoals Tolmar helpen zijn ex-vrouw te vermoorden.'

'Er is geen moord gepleegd. De explosie is veroorzaakt door een gaslek.'

'Ik weet wel beter.'

'Ik zeg alleen maar wat ik denk dat de Finse politie zal concluderen. Een afschuwelijk ongeluk. Waarom Pernille erbij was... Wie zal het zeggen?' Lund trok op en draaide de hoofdweg op. Het begon minder licht te worden. Vanuit het oosten werd de lucht donker. De middag liep snel ten einde. 'Je kunt zonder kleerscheuren wegkomen, Eusden. Vanavond nog. Ik zal het Tolmar niet vertellen. Echt niet. Het zou er niet goed voor me uitzien als ik moest toegeven dat je was ontsnapt.'

'Jij bent echt een harteloze klootzak, hè?'

'Ik ben een realist. Pernille is dood. Jij leeft. Je zou alles op alles moeten zetten om het zo te houden.'

'Wat doet Birgitte als ze erachter komt dat je haar hebt belazerd?'

'Niets. Zij is ook een realist.'

'Wat heeft Lars Aksden hiermee te maken?'

'Niets.'

'Maar hij is hier in Helsinki. Waarom?'

Lund schudde zijn hoofd. 'Ik weet niet waar je het over hebt. Lars is hier niet.'

'Ik heb hem vanochtend anders zelf gezien. Vlak bij Matalainens kantoor.'

'Daar heeft Koskinen anders niets over gezegd.'

'Hij heeft hem niet gezien. Ik wel.'

'Misschien heb je je... vergist.'

'Nee. Hij was het.'

'Dan weet ik het ook niet. Het is heel vreemd. Hij zou hier niet mogen zijn.'

'Misschien wil hij achter het familiegeheim proberen te komen.'

'Dat zal hem nooit lukken.'

'Maar jij zou het hem toch kunnen vertellen? Birgitte en jij hebben tenslotte de gefaxte kopieën van de brieven gelezen.'

'Nee. Ze zijn naar Tolmars nummer gefaxt. Alleen hij heeft ze gelezen. Alles wat we jou en Pernille hebben verteld... was op zijn instructie.'

'Omdat we zouden hebben geweigerd ermee door te gaan als we hadden geweten dat Tolmar de leiding had. Daarom moesten we de indruk krijgen dat jullie zonder zijn medeweten handelden.'

'Precies.'

'Dat je mij voor de wolven gooide, is tot daaraan toe, Lund, maar Pernille? Hoe kon je haar dat aandoen?'

'Het was dom van haar om te denken dat ze gewoon bij Tolmar weg kon gaan. Ze had moeten weten dat hij zich niet zo liet behandelen.'

'En dat is jouw grondgedachte, hè? Ongehoorzaamheid wordt gestraft.'

'Zo is het.'

'Mijn god.'

Er viel een stilte. Eusden kon geen vragen meer bedenken en kon zijn ongeloof dat iemand volgens zulke meedogenloze regels kon leven niet onder woorden brengen. Ze waren nu een snelweg op gedraaid en reden in noordoostelijke richting. Op borden langs de weg was het vliegveldsymbool te zien. Er waren nog maar zeven kilometer te gaan. Eusdens gedachten dwaalden af naar hoe het minder dan een uur geleden in Koskinens huis moest zijn geweest: Pernille, Matalainen, Brad en Vladimir zouden aan tafel hebben gezeten, met de twee beveiligingsmedewerkers van Lund op de achtergrond; de behoedzame gesprekken; het telefoongesprek; het ronddraaien van het combinatieslot op het koffertje dat Pernille had meegebracht; het openspringen van...

Eusden werd voorover geslingerd toen Lund op de remmen ging staan. Hij was vergeten zijn autogordel om te doen. Hij kon net op tijd zijn handen omhoogbrengen om te voorkomen dat zijn hoofd tegen de voorruit sloeg, maar daarbij gleed het pistool uit zijn hand en viel kletterend op de grond. De auto zwenkte opzij en kwam en paar centimeter van een vangrail slippend tot stilstand. Lund dook naar het pistool en had zijn vinger op de kolf toen Eusden bij zinnen kwam. Hij stampte op Lunds uitgestrekte hand. De Deen schreeuwde het uit van de pijn. Toen greep Eusden hem bij de nekharen, trok zijn hoofd omhoog en stompte hem hard op de neus. Terwijl Lund achteroverviel, boog Eusden voorover en pakte het pistool weer op.

Uit de neusgaten van de Deen stroomde bloed. Hij ademde zwaar door zijn mond en greep met één hand zijn neus vast, terwijl hij de andere wapperde om de pijn in zijn vingers te verlichten. Hij deinsde achteruit toen Eusden het pistool op hem richtte. 'Het spijt me,' hijgde hij. 'Sorry.'

'Stap uit de auto.'

'Wat?'

'Geef me je telefoon en je portefeuille en stap uit.'

'Hoor eens, ik breng je wel naar het vliegveld. Geen punt. Ik zal niet...'

'Eruit!' Eusden duwde de loop van het pistool dichter bij Lunds gezicht. 'Of ik zweer bij god dat ik het menselijke ras een groot plezier doe door ter plekke een eind te maken aan jouw ellendige, moreel bankroete leven.'

41

Tegen de tijd dat Eusden het vliegveld in Vantaa had bereikt was het nacht. Hij liet de Saab achter in een van de parkeerterreinen, met Lunds portefeuille erin. Die had hij alleen meegenomen om de man te vertragen. Hij had geen vertrouwen in Lunds belofte om niets tegen Tolmar Aksden te zeggen. Hij gooide de sleutel in de struiken naast het parkeerterrein. Het zou te riskant zijn om de Saab nog een keer te gebruiken.

Niet dat hij echt wist wat hij nu moest doen. Het eerste probleem dat zich voordeed was hoeveel hij Regina Celeste moest vertellen. Ze zou snel doorkrijgen dat het niet echt geweldig met hem ging. Hij friste zich zo goed mogelijk op in de toiletruimte op het vliegveld, maar zijn spiegelbeeld vertelde zijn eigen verhaal. Hij zag er moe en radeloos uit, als een man die aan het eind van zijn Latijn is.

Dat was hij ontegenzeggelijk ook. Het verdriet dat hij voelde om Pernille Madsen, een vrouw die hij logisch gezien amper kende, had hem zowel geschokt als uitgeput. Haar dood bracht een toekomst buiten bereik waar hij net over was gaan durven nadenken. Het had zijn hoop de bodem in geslagen. Wat overbleef, was een sterke behoefte haar dood te wreken. Lund had zich waarschijnlijk niet gerealiseerd hoezeer hij op het randje van de dood had gestaan. Zijn moordneiging was in elk geval heviger geweest dan hij zich ooit had kunnen voorstellen. Als Tolmar Aksden naast hem in de auto had gezeten in plaats van Lund, zou Eusden de trekker wel hebben overgehaald. Daar twijfelde hij niet aan. Het pistool had hij trouwens ook nog.

Hij had een stapel euro's uit Lunds portefeuille gehaald waarmee hij in een van de winkels op het vliegveld een warme jas kocht. De zakken waren groot genoeg om het pistool in te verbergen. Nu zag hij er iets minder uit als een man die pas door gangsters in elkaar was geslagen. Hij keek op het aankomstbord of er nieuws was over Regina's vlucht. Het vliegtuig werd op tijd verwacht. Toen zag hij een andere vlucht die een kwartier eerder zou binnenkomen, uit Zürich. Hij herinnerde zich Brads verwijzing naar wat Harry Lime in *The Third Man* over koekoeksklokken had gezegd en vroeg hij zich af of Bruno, de vingerafdrukexpert, aan boord zou zijn. Als dat zo was, zou niemand hem opwachten. Tenzij Eusden de egards waarnam.

Er stonden verscheidene chauffeurs van limousines die naambordjes ophielden toen de eerste passagiers uit Zürich de aankomsthal in liepen. Eusden stond tussen hen in met de BRUNO op het deksel van een doos die hij bij een fastfoodtentje had gebietst.

De man die hem benaderde, was kort en dik, gekleed in maatgemaakt tweed en een zeer lange kasjmier sjaal. Met zijn goed gekapte donkerbruine haar, korte snor en bril met schildpadmontuur kon hij doorgaan voor een ijdele en pietluttige professor.

'Wie ben jij?' vroeg hij in Italiaans klinkend Engels.

'Een vriend van Brad.'

'Naam?'

'Marty Hewitson.' Het gebruik van Marty's identiteit als pseudoniem was zo intuïtief dat Eusden verbaasd was toen hij het zichzelf hoorde zeggen.

'Brad heeft je naam nooit genoemd. Waarom is hij hier zelf niet?'

'Onvoorziene omstandigheden.'

'Hij had me moeten doorgeven dat de plannen veranderd waren.'

Eusden haalde zijn schouders op. 'Sorry.'

Bruno trok zijn telefoon uit zijn zak met een misnoegd keelgeluid en toetste met een vinnige, dikke wijsvinger een nummer in. Hij was niet blij met het resultaat. Hij probeerde het opnieuw, met even mager resultaat. 'Er zit iets fout. Brads telefoon doet het niet.'

'Hoor eens, Bruno, ik...'

'Mijn naam is Stammati. Alleen vrienden noemen me Bruno, maar jou heb ik nooit eerder gezien.'

'Oké, meneer Stammati. Het spijt me echt. Zoals u weet, wil Brad dat u twee sets vingerafdrukken vergelijkt. Eén set heb ik bij me. De andere is in handen van een zekere mevrouw Celeste die uit Kopenhagen komt en elk moment kan landen. Heeft u er bezwaar tegen om even te wachten terwijl we op bericht van Brad wachten?'

Stammati keek alsof hij daar wel bezwaar tegen had, maar voelde zich gehouden aan de belofte die hij Brad had gedaan. Zijn snor trilde van ergernis, maar hij zei: 'Ik zal wachten in dat café,' hij wees naar een koffieboonlogo een stukje verderop, 'maar niet langer dan een half uur.' Met die woorden liep hij snel weg.

Eusden besloot Stammati niet achterna te lopen. Hij vermoedde dat pogingen om de man te sussen averechts zouden werken en had sowieso niet het gevoel dat hij er de energie voor had. In de aankomsthal hoefde hij niet lang te wachten, al zat Regina niet bij de eerste groep passagiers uit Kopenhagen die door de douane kwamen. Vertraagd door het ophalen en meezeulen van een gigantische koffer op wieltjes verscheen ze uiteindelijk vijf minuten voordat Stammati's deadline verstreek.

'Ik had een triomfantelijker ontvangst verwacht, Richard,' zei ze terwijl ze hem van top tot teen opnam. 'Wat is er in hemelsnaam met jou gebeurd?'

'Ik heb een zware dag gehad.'

'Ik zie het.'

'Regina, ik heb een niet-zo-tamme expert op het gebied van vingerafdrukken hier vlakbij geparkeerd. Als we niet voortmaken, loopt hij weg.'

'Wat moeten we nou met een expert? Jij en ik zijn toch zeker prima in staat om te beoordelen of de twee sets overeenkomen. Ik heb er trouwens alle vertrouwen in dát ze overeenkomen.'

'Ik ook. Maar als we een neutraal oordeel kunnen krijgen, moeten we het niet laten.'

'Goed dan, oké, maar laat me even op adem komen. Wil jij deze jongen voor me sturen? Ze zwaaide het handvat van haar koffer zijn kant op. 'Dan kunnen we naar die zogenaamde expert. Waar heb je hem opgeduikeld?'

'Dat is een lang verhaal.'

'Laat me alsjeblieft eerst héél even kijken naar wat je hebt gevonden, voordat we naar hem toe gaan.'

Eusden haalde de envelop uit zijn zak en hield deze haar voor. Bij het zien van de tweekoppige adelaar van de Romanovs rolde ze met haar ogen.

'Maar goed dat ik een sterk hart heb,' zei ze ademloos.

Het in pastelkleurig plastic ingerichte Café Quick had Stammati's slechte bui niet gesust. Hij hield op geërgerd naar zijn zogenaamde espresso te kijken en meldde: 'Brad heeft me niet gebeld.'

Eusden glimlachte gemaakt. 'Meneer Stammati, mag ik u voorstellen aan Regina Celeste.'

'Wat leuk om kennis te maken,' zong Regina en ze stak haar hand uit.

Stammati's Italiaanse genen lieten zich alsnog gelden. Hij stond op en pakte met zijn beide handen de hare beet. '*Buonasera, signora.*'

'Uit welk gedeelte van Italië komt u, meneer Stammati?' vroeg Regina toen ze aan zijn tafeltje gingen zitten.

'Het Zwitserse gedeelte, *signora.*'

'O ja, echt?'

'Hoe, mag ik vragen, kennen jullie Brad?'

'Wie is Brad?'

'Een wederzijdse kennis,' onderbrak Eusden. 'Zullen we eens kijken wat we hebben?'

'Dit is een spannend moment voor mij, meneer Stammati,' jubelde Regina. Ze maakte haar handtas open en haalde er een vierkante bruine envelop uit met een kartonnen achterkant.

'Alstublieft, *signora*, zeg maar Bruno.' Blijkbaar was hij gevoelig voor haar zuidelijke charme. 'Ik geloof dat er moet worden gekeken of twee sets vingerafdrukken overeenkomen.'

'O, dat doen ze vast en zeker, Bruno. Reken daar maar op.' Ze maakte de envelop open en schoof de inhoud eruit: twee archiefkaarten die langs de rand een beetje vergeeld waren. Op de ene stond RECHTE HAND en op de ander LINKE HAND. Op elke kaart stonden vierkantjes met de afdrukken van alle vingers en duim en daaronder een groter vierkant waar de handpalm en vingers samen op waren afgedrukt.

Stammati keek naar de details die aan de onderkant van de kaarten waren getypt. 'Vingerafdrukken van ene Frau Tschaikovsky, genomen in Hannover, 9 juli 1938. Dat is lang geleden. Leeft deze dame nog?'

'Jammer genoeg niet. Ze is al ruim twintig jaar dood. Maar we staan op het punt haar in zekere zin weer tot leven te wekken, niet waar, Richard?'

'*Richard*?' Stammati keek Eusden achterdochtig fronsend aan. 'Ik dacht dat je Marty heette.'

'Marty is een bijnaam.' Onder tafel stootte Eusden Regina's knie aan met de zijne.

'En wel een héél rare,' lachte Regina. Ze keek hem van opzij geïntrigeerd aan. 'Zo noem ik hem nooit.'

'De andere set vingerafdrukken,' ging Eusden snel verder. Hij haalde het vel papier uit de envelop met de tweekoppige adelaar en legde het naast de twee kaarten.

Stammati keek er aandachtig naar. 'Vier augustus 1909,' mompelde hij. 'Nóg langer geleden.'

'Toen was ze nog een kind.' Regina's toon deed vermoeden dat ze het beeld van een kind voor ogen had terwijl ze sprak.

'Dat maakt niet uit,' zei Stammati. Hij keek beurtelings naar het vel papier en de kaarten. 'Vingerafdrukken zijn al uniek als een kind nog in de baarmoeder zit. Ze veranderen nooit.'

'Echt waar?'

'Ja. Echt waar. Nu...' Stammati keek verwijtend naar het plafond. 'Het licht is niet goed. *Tuttavia...*' Hij maakt het koffertje, zo te zien zijn enige bagage, open en haalde er een leren etuitje uit, waaruit hij een vergrootglas liet glijden. Daardoor tuurde hij naar de vingerafdrukken en een aantal minuten ging langzaam voorbij. Uiteindelijk legde hij zuchtend het vergrootglas op tafel. 'Wie is A.N., als ik vragen mag?'

'Dat zijn de initialen van Frau Tschaikovsky's meisjesnaam,' antwoordde Regina.

'Dat denk ik niet, *signora*.'

'Hoe bedoel je?'

'Ik bedoel dat deze twee sets vingerafdrukken niet overeenkomen. Het is niet nodig om alle papillairlijnen te tellen. De ene set vingerafdrukken bevat lussen, de andere kringen. Ze zijn duidelijk, zonder enige twijfel, de vingerafdrukken van twee verschillende mensen.'

42

Nadat ze zelf de contrasterende kringen en lussen door Stammati's vergrootglas had bestudeerd, had Regina zijn uitspraak wel moeten accepteren. Eusden was gemakkelijker te overtuigen. Toen de Italiaan hem op de verschillen had gewezen, kon hij ze zelfs zonder vergrootglas duidelijk zien. Hij stopte het vel terug in de envelop en deed deze weer in zijn zak, terwijl Stammati opnieuw vergeefse pogingen deed om Brad telefonisch te bereiken en Regina verbijsterd voor zich uit zat te kijken.

'Het spijt me dat ik u heb moeten teleurstellen, *signora*,' zei Stammati, toen hij zijn belpogingen weer had opgegeven. 'Ik kan u verzekeren dat ik ook teleurgesteld ben dat ik voor zo weinig zo'n lange reis heb gemaakt.' Hij keek Eusden kwaad aan. 'Aangezien niemand me dit... fiasco kan of wil uitleggen, zal ik een ticket kopen voor de eerste vlucht die morgenochtend naar Zürich vertrekt en een kamer nemen in wat de Finnen aan vliegveldhotel te bieden hebben.' Met een ontevreden grom klapte hij zijn koffertje dicht en stond op. '*Buonanotte* allebei.'

'Hoe kán dit in hemelsnaam?' vroeg Regina toen Stammati zich uit de voeten had gemaakt..

'Anna Anderson was Anastasia niet,' zei Eusden lusteloos. 'Zo simpel is het.'

'Maar dat was ze wel. Ik weet het zeker.'

'De vingerafdrukken vertellen een ander verhaal.'

'Het moet een vergissing zijn.'

Dat was een understatement van heb ik jou daar. Als het gegeven dat Anastasia het bloedbad in Jekaterinenburg had overleefd geen deel uitmaakte van Tolmar Aksdens geheim, waar gingen die brieven van Hakon Nydahl dán over? En waarom had Clem dán

Anastasia's vingerafdrukken erbij bewaard? Marty moest de envelop hebben ontdekt toen hij het koffertje voor de eerste keer onderzocht. Hoe had Straub anders kunnen weten dat er vingerafdrukken in zaten, die konden worden vergeleken met die uit Hannover? Waarom had Marty er nooit iets tegen Eusden over gezegd? Waarom had hij het geheim gehouden? Welk spelletje had hij gespeeld toen de dood hem de pas afsneed? Eusdens gedachten pingpongden terwijl de onbeantwoorde vragen door zijn hoofd vlogen.

'We zijn natuurlijk allebei moe,' vervolgde Regina. 'Ik moet hier eens goed over nadenken als ik uitgerust ben. Jij ziet er ook afgepeigerd uit.'

'Dat ben ik ook.'

'Laten we gaan. Waar heb jij een kamer?'

'Het Grand Marina.'

'Ik heb een kamer gereserveerd in het Kämp. Ze zeggen dat het het beste hotel van Helsinki is. Na vandaag heb ik dringend behoefte aan comfort. Zullen we een taxi delen? Je hebt beloofd me uit te leggen hoe je aan die vingerafdrukken kwam. Nou, dat mag je doen bij een drankje in de bar van het hotel.'

De eerste paar kilometer van de taxirit was Regina stil, verzonken in haar eigen gedeprimeerde gedachten. Toen zei ze opeens: 'Ik denk dat ik het doorheb,' en ze greep Eusden bij zijn bovenarm. 'Het zijn niet de vingerafdrukken van Anastasia, Richard. Snap je? Grenscher heeft me bedrogen.'

'Ik weet niet of ik het wel snap,' antwoordde Eusden vermoeid.

'Werner moet hebben begrepen dat ik direct zaken zou proberen te doen met Grenscher en hij heeft dat rare kleine mannetje geïnstrueerd om mij een vervalsing te verkopen. De datum op de archiefkaarten overtuigde me ervan dat ze echt waren, want 9 juli 1938 was de dag waarop Anastasia op het hoofdbureau van de politie in Hannover moest komen voor een ontmoeting met de broer en zus van Franziska Schanzkowska. Opmerkelijk genoeg konden ze het onderling niet eens worden of ze hun vermiste zus was of niet. Maar het ligt erg voor de hand dat de politie toen haar vingerafdrukken heeft genomen.'

'Bedoel je dat je er nu aan twijfelt of ze dat überhaupt hebben gedaan?'

'Nee. Ik bedoel dat Grenscher de echte archiefkaarten nog steeds heeft. Je weet dat hij heeft ontkend ooit een aanbetaling van Werner te hebben gekregen. Míjn aanbetaling. Maar hoe langer ik erover nadenk, hoe zekerder ik weet dat hij het geld wél heeft gekregen. Het punt is dat hij is betaald om me blij te maken met een set valse vingerafdrukken.'

'Tja, dat...'

'Maar Werner is wel uitgegleden over zijn eigen slijmspoor, hè? Want wij hebben nu het vergelijkingsmateriaal uit 1909. Dat betekent dat hij zaken met ons zal moeten doen, of hij het leuk vindt of niet. Ik kan je verzekeren dat het eerste onderhandelingspunt de terugbetaling zal zijn van het aanzienlijk geldbedrag dat ik heb overgemaakt aan zijn valse samenzweerder in Hannover. Met rente – tegen een zéér hoge koers.'

Regina had zich van overtuigd dat Anna Andersons vingerafdrukken niet overeenkwamen met die van Anastasia, omdat het niet haar vingerafdrukken waren. Eusden bleef sceptisch, al nam hij niet de moeite dat te zeggen. Hij geloofde dat Straub Regina's aanbetaling had gebruikt om Marty om te kopen. Grenscher, raar mannetje of niet, was waarschijnlijk een echte handelaar. De vingerafdrukken waren een dood spoor.

Voor aanwijzingen voor wat echt de waarheid was – en voor een manier om Tolmar Aksden terug te pakken – moest hij elders zoeken. Toen ze het ingetogen chique Hotel Kämp bereikte, ging Regina naar haar kamer om een paar dingen uit te pakken en het vuil van drie vliegvelden weg te douchen, voordat ze in de bar samenkwamen voor een krijgsraad. Eusden was niet van plan het uur dat dit hoogstwaarschijnlijk in beslag zou nemen te verspillen.

De man achter de balie leende hem met alle plezier het telefoonboek van Helsinki. Hij ging zitten en begon met Lunds mobiele telefoon alle Koskinens te bellen die erin stonden. Het was een hele klus. Koskinen was een vrij veel voorkomende naam. Pas bij de dertiende die opnam, had hij geluk.

'*Hei?*'

'Kan ik alstublieft Osmo Koskinen spreken?'

'Met wie spreek ik?'

'Bent u zijn broer?'

'Ja, ik ben Timo Koskinen. Met wie...?'

Eusden verbrak de verbinding, schreef het adres op en liep terug naar de balie. 'Bedankt,' zei hij. 'Kunt u me vertellen waar dit is?' Hij hield de man het briefje voor.

'Zeker, meneer.' De man haalde een stadsplattegrond tevoorschijn en zocht in de index. Toen zei hij: 'Hier is het. In Kulosaari.' Het was duidelijk te ver om te lopen.

'Nogmaals bedankt.'

Eusden liep in de richting van de bar, bleef staan en keek op zijn horloge. Het was bijna tien uur. Tijd, zoals Marty hem zou hebben helpen herinneren, was van essentieel belang. Er was bovendien maar één zekere manier om te besluiten wat hij Regina zou vertellen. Hij draaide zich om en liep het hotel uit.

43

Naarmate het later werd, daalde de temperatuur. De kou was een onzichtbare en vijandige verschijning die Eusden in de verlaten en stille zijstraat in Kulosaari omhulde. Hij drukte op de bel naast de naam KOSKINEN in de hal van het anonieme appartementenblok waar de taxi hem heen had gebracht en stampte met zijn voeten om warm te worden.

Een minuut of wat gebeurde er niets. Toen hoorde hij de intercom klikken en vroeg een stem: '*Hei?*'

'Timo Koskinen?'

'*Kyllä.*'

'We hebben elkaar net gesproken. Ik ben Richard Eusden. Uw broer kent me. We moeten praten.'

'Wie bent u?'

'Ik weet zeker dat Osmo u alles over me heeft verteld. Waarom laat u me niet gewoon binnen? Als u dat niet doen, zal ik naar de politie moeten gaan.'

Er viel een geladen stilte. Toen zei de man: 'Wacht even, alstublieft.' Er volgde opnieuw een stilte, die langer duurde. Eusden stelde zich voor hoe de twee broers bezorgd overlegden. De stilte eindigde met een luide zoemer die abrupt de deur ontgrendelde.

Het appartement was functioneel ingericht en een beetje slordig; typisch een vrijgezellenwoning. Timo Koskinen was een dunnere, oudere, meer grimmige versie van zijn broer, wiens gezicht geen emoties verried. Osmo's vriendelijke en ontspannen houding was ingezakt en wat overbleef, waren angst en wanhoop. Zijn haar zat door de war, zijn kleren waren gekreukeld en de trilling in zijn handen was beter te zien. Er glom zweet op zijn bovenlip en hij had de lamgeslagen, lege blik van een machteloze man. Op de salontafel in de ongezellige woonkamer stond prominent een fles wodka, daarnaast stond één glas met vette vingerafdrukken erop.

'Heb je me nog iets te zeggen, Osmo?' Eusden trok zijn jas uit en hing hem op in de hal, voordat hij de woonkamer in liep. Timo liep achter hem aan naar binnen.

Osmo kromp in elkaar in zijn fauteuil en ontweek Eusdens blik. 'Ik... wist niet... wat ze gingen doen.'

'Maar je wist wel dat Pernille en ik erin werden geluisd.'

'Ja, maar... mensen doden? Ik had... nooit gedacht...'

'Dacht je dat ik ook dood was?'

Osmo wreef over zijn gezicht, alsof hij zijn gedachten schoon wilde vegen. 'Ja.'

'En misschien vond je dat maar het beste. Niemand die nog achter je aan kon komen. Nou, hier ben ik, en ik wil antwoorden.'

'Ik kan je... niets vertellen.'

'Je zult me toch iets moeten vertellen. Anders ga ik niet weg.'

'Alsjeblieft, Richard, ik...' Osmo keek hem eindelijk aan. 'Je moet me begrijpen... Hij kan ons allemaal kapotmaken... als hij dat wil.'

'Of als je hem zijn gang laat gaan. Hij is te ver gegaan. Ik ben van plan hem tegen te houden, en daar heb ik jouw hulp bij nodig.'

'Ik kán niet...'

'Ga jij maar koffiezetten, Osmo,' onderbrak Timo. Hij stapte tussen hen in. 'We zullen met deze man praten. We zullen wel moeten. Dat weet je best.'

Osmo stond moeizaam op. 'Timo,' zei hij, 'we moeten...' Opeens begon hij op zachte toon Fins te praten.

Timo schudde bij wijze van antwoord vastberaden zijn hoofd. 'De koffie,' herhaalde hij.

Osmo haalde verslagen zijn schouders op en liep met onvaste stappen naar de keuken.

Timo keek hem na en gebaarde toen naar Eusden dat hij op de bank moest gaan zitten. Hij nam plaats in de leunstoel tegenover hem. 'Hij wist echt niet wat ze van plan waren, meneer Eusden. Hij heeft er ook niet naar gevraagd. Hij zal u wel vertellen dat je daar bij Mjollnir het verst mee komt: geen vragen stellen. Heeft u Erik Lund ontmoet?'

'O, zeker.'

'Lund heeft Osmo de koffer gegeven. Die zat toen al op slot. Er hadden obligaties aan toonder in moeten zitten, hè?'

'Ja.'

'Nou, Osmo heeft de koffer naar mevrouw Madsen in het Grand Marina Hotel gebracht. Toen zijn zij en die notaris, Matalainen, weggereden, naar Osmo's huis. Hij is hierheen gekomen, zoals hem was verteld. Ongeveer een uur nadat hij hier aankwam, heeft de politie hem gebeld. Ze hebben hem verteld over de explosie. Ze wilden weten wie er in het huis waren toen het gebeurde. Hij vertelde dat mevrouw Madsen hem had gevraagd of ze het voor een vergadering kon gebruiken. Met wie en waarover... wist hij niet.'

'Trapten ze daar in?'

'Waarschijnlijk wel. Waarom ook niet? Ze hebben geen reden om te vermoeden dat hij loog. Mijn broer is een respectabel man.'

'Ja, ja. Net als alle andere mensen die ik heb leren kennen die doen wat Tolmar Aksden vraagt.'

'Hij is niet blij met wat er is gebeurd, meneer Eusden. Dat is niet alleen omdat zijn huis is ontploft, al zal Mjollnir hem daar wel voor compenseren. Waarschijnlijk zullen ze een groter en mooier huis voor hem kopen. Nee, wat Osmo dwarszit, is zijn geweten. Hij heeft geprobeerd het te verdrinken.' Timo knikte naar de fles wodka. 'Maar het komt steeds weer boven.'

'Dan moet hij naar de politie gaan en de waarheid vertellen.'

'Zou u met hem mee willen gaan?'

'Ja, natuurlijk.'

'Dan zou u een grote fout maken. Dat is waarschijnlijk precies wat Tolmar Aksden wil dat u doet.'

'We kunnen niet naar de politie gaan, Richard.' Osmo schuifelde de kamer binnen, met een grote cafetière en drie mokken op een dienblad. Hij zette het blad op de salontafel en liet zich weer in zijn leunstoel zakken. 'Het zou ons woord tegen dat van Aksden zijn. We kunnen niets bewijzen. Wij zouden alleen onszelf verdacht maken, niet Tolmar. Ik ben gezien in het hotel. We zijn samen gezien in Matalainens kantoor. Jij hebt de geheimhoudingsverklaring getekend. Ik heb als getuige getekend. Het zou lijken of wíj de boel tilden, en niet Mjollnir.'

'Het klinkt als een smoes om niets te hoeven doen,' snauwde Eusden.

'Dat zou ik waarschijnlijk ook zeggen als ik u was.' Osmo strekte zijn arm uit en drukte de filter in de cafetière naar beneden. 'Het spijt me, Richard. Lund zei dat jou niets zou overkomen. En Pernille? Ik heb geen seconde gedacht dat zij in gevaar was.'

'Wat heb je haar verteld over mijn verdwijning?'

'Ik zei dat je Café Engel had verlaten toen ik van het toilet kwam. Ze had geen tijd om me nog iets te vragen. Zij en Matalainen moesten meteen weg.'

'Verdomme.' Eusden moest zijn blik even afwenden. De bevestiging dat Pernille zou hebben geconcludeerd dat hij 'm was gesmeerd, viel hem nog zwaarder dan hij al had verwacht.

Timo leunde voorover en schonk koffie in. Het bleef een paar minuten stil, terwijl ze nadachten over de afschuwelijke gebeurtenissen van die dag. Toen zei Osmo: 'Toen de politie me belde, had die geen idee wat de explosie had veroorzaakt, laat staan hoeveel mensen er waren gedood. Er ligt een man in het ziekenhuis van wie ze denken dat hij erbij was betrokken, maar hij heeft ernstig hersenletsel. Ze weten niet of hij het zal halen. Ze zijn ook op zoek naar een man van wie ze denken dat hij op straat liep toen de explosie plaatsvond. De buren zeggen dat hij is weggerend.'

'Ik dus,' zei Eusden somber.

'Als ik jou was, denk ik dat ik terug zou vliegen naar Engeland en net zou doen alsof ik hier nooit was geweest.'

'Dat kán ik niet.'

'Maar wat kun je dan wél doen als je blijft?'

'Zorgen dat Tolmar Aksden zal boeten voor wat hij heeft gedaan.'

'Dat lukt je nooit,' zei Timo tussen twee slokken koffie door.

'Misschien niet. Maar nooit geschoten is altijd mis. Het is nog altijd beter dan leven met zijn hak op je nek.'

De twee broers wisselden een veelzeggende blik. Timo schraapte zijn keel. 'Wat wil je weten?'

'Tolmar Aksdens geheim.'

'Dat kennen wij niet,' zei Osmo. 'Dat kent niemand.'

'Bijna niemand,' corrigeerde Timo. 'Arto Falenius kent het vast wel.'

'Falenius? Hoofd van Saukko Bank?'

'Ja. Kleinzoon van oprichter Paavo Falenius.'

'Timo heeft voor Saukko gewerkt,' zei Osmo.

'Echt waar?'

'Wel tweeënveertig jaar lang, meneer Eusden. Van mijn achttiende tot mijn zestigste. Paavo Falenius leefde nog toen ik er in 1949 begon. Het is lang geleden. Een deel van de leidinggevenden had er vanaf het begin gewerkt.'

'En wanneer was het begin?'

'1899. Maar toen heette het de Falenius Bank. De naam Saukko werd pas in de jaren twintig gehanteerd. *Saukko* is Fins voor "otter".'

'Waarom de naamsverandering?'

'Dat heeft Paavo nooit uitgelegd. Hij stond erom bekend dat hij nooit iets uitlegde. Maar het was niet de enige verandering. De bank groeide in die tijd heel snel. Tot 1920 was het maar een klein bedrijfje. Toen werd ze opeens groot en concurreerde met Union Bank, de oudste particuliere bank van Finland. Daar was kapitaal voor nodig. Veel kapitaal. Niemand weet precies hoe Paavo daaraan kwam. Maar iedereen die voor hem werkte, profiteerde mee van de winstgevende manier waarop hij zijn kapitaal gebruikte, dus...'

'Is dat dan het geheim? Het geld van Paavo Falenius?' Eusden herinnerde zich de voorraad vooroorlogs geld in Nydahls appartement in Kopenhagen. 'Ooit gehoord van Hakon Nydahl?'

'Ja.' Timo keek verrast. 'Dat heb ik zeker. Hij was klant bij ons. Een heel bijzondere klant.'

'Hoezo?'

'Zijn rekening werd door de voorzitter persoonlijk beheerd, door Eino, de zoon van Paavo en de vader van Arto. Alles met betrekking tot die rekening ging naar Eino. De enige andere klant die ooit zo'n behandeling had gekregen... was Tolmar Aksden.'

'Dus op de een of andere manier hebben ze allemaal met elkaar te maken. Hakon Nydahl, Tolmar Aksden en de familie Falenius.'

'Ja.'

'Maar wát verbindt hen dan?'

'Zoals Osmo al zei, dat weten we niet, maar...'

'Maar wat?'

Voordat Timo antwoord kon geven, onderbrak Osmo hem in het Fins. De twee broers voerden bliksemsnel overleg. Al kon Eusden er geen woord van verstaan, hij had de indruk dat ze deze discussie al een aantal keren eerder hadden gevoerd. Uiteindelijk waren ze uitgediscussieerd en maakte Osmo een gebaar van overgave met zijn handen.

'Ik ken een man, meneer Eusden,' zei Timo langzaam en zorgvuldig. 'Hij heet Pekka Tallgren. Twintig jaar geleden haf hij colleges geschiedenis aan de universiteit van Helsinki. Hij wilde een boek schrijven over revolutionairen die voor de Eerste Wereldoorlog actief waren in Finland. Lenin, natuurlijk, maar er waren er nog veel meer, vooral Russen. Tallgren kwam bij ons – Saukko – om informatie vragen over Paavo's banden met die mensen. Paavo was toen natuurlijk al jaren dood. Tallgren zei dat hij kon bewijzen dat Paavo verschillende revolutionaire groeperingen financieel had gesteund. Hij vroeg of we daar archiefstukken van hadden. We stuurden zijn verzoek door naar de voorzitter. Arto had het voorzitterschap toen nog maar pas overgenomen van zijn vader. Hij leek ermee... verlegen en liet ons weten dat we Tallgren nergens informatie over mochten geven. Tallgren had al snel door dat hij bij ons niets opschoot. Hij hield op met vragen stellen.'

'Wat is er van zijn boek geworden?'

'Het is nooit uitgegeven. Jaren later, na mijn pensionering, ben ik hem tegengekomen in het park voor de sterrenwacht. Het ging niet goed met hem. Hij vertelde dat zijn uitgever kort nadat hij ons had benaderd zijn contract had opgezegd. Daarna had een van zijn studentes hem aangeklaagd voor ongewenste intimiteiten. Hij ontkende het natuurlijk. Hij werd geschorst en raakte zwaar aan de drank. Hij is nooit meer teruggegaan naar de universiteit. Uiteindelijk is hij ontslagen, zelfs al trok de student later haar klacht in.'

'Heeft Arto Falenius dat allemaal geregeld?'

'Anders Eino wel. Zelfs nadat hij de voorzittershamer aan Arto had overgedragen, had hij veel macht. Tallgren vertelde me dat zijn problemen pas goed begonnen, toen hij navraag deed naar één revolutionair in het bijzonder.'

'Wie was dat?'

'Ik kan me zijn naam niet herinneren, maar Tallgren zal het zeker nog wel weten.'

'Weet u waar ik hem kan vinden?'

'Ik had met hem te doen, meneer Eusden. Daarom heb ik hem wat geld gegeven en heb ik hem geholpen een beetje nette woning te vinden. Gelukkig hield hij op met drinken. Later heb ik... hem aan werk geholpen. Kent u Suomenlinna?'

'Nee. Wat is dat?'

'Een eilandengroep voor de haven. De Zweden hebben er in het midden van de achttiende eeuw een vesting op gebouwd, die ze Sveaborg noemden, om hun oostkust tegen de Russen te verdedigen. Later is Sveaborg in Russische handen gevallen. Weer later hebben wij Finnen er beslag op gelegd. Nu is het een toeristische attractie. Er is een museum waar je alles over de geschiedenis van de vesting te weten kunt komen. Daar heb ik Tallgren aan werk geholpen. Hij is curator in het Suomenlinna Museum en woont er ook; hij heeft een appartementje op een van de eilanden. Als ik het hem zou vragen... denk ik... zou hij wel met u willen praten. Ja, dat denk ik wel.'

'Vraag het hem dan maar.'

'Weet u het zeker?'

Eusden knikte. 'Ik ben nog nooit ergens in mijn leven zo zeker van geweest.'

44

Het was al na middernacht toen Eusden het marktplein aan de haven bereikte, maar toch stonden er nog een paar tochten naar Suomenlinna op het programma. Hij had nog nooit zo'n kou meegemaakt. Het zee-ijs kreunde en kraakte. Zijn adem veranderde in de stille vrieslucht in pluimen van ijskristallen.

De weinige passagiers, bewoners van Suomenlinna die op weg waren naar huis, kropen bij elkaar in de kajuit, terwijl de veerboot door het gebroken ijs in zijn vaarweg door de haven pufte. Eusden zat te kijken naar hun spiegelbeeld in de ramen, waaronder dat van hem – mager, uitgeput en hologig. Hij draaide Lunds telefoon om zijn as op de tafel en vroeg zich af of hij Gemma moest bellen om haar te vertellen dat... Maar aangezien hij niet wist wat hij haar moest of kon vertellen, belde hij niet.

Hij bladerde doelloos door Lunds contactlijst. Tolmar Aksden stond erin, net als Arto Falenius. Hij kwam in de verleiding een van beiden te bellen. Hij wilde dat ze wisten, al was hij zich er volledig van bewust dat het beter was als ze het niet wisten, dat hij het op hen had voorzien. Ze waren te ver gegaan. Deze keer moesten ze begrijpen dat ze zouden boeten.

Toen Eusden aan land kwam, schemerde de toren boven de hoofdpoort van de vesting door de koude mist die boven Suomenlinna hing. Er stond één man op de kade te wachten, gehuld in een ruime parka met een enorme gevoerde capuchon. 'Richard Eusden?' vroeg hij, terwijl hij één want uittrok. 'Ik ben Pekka Tallgren.' Ze schudden elkaar de hand. 'Koude nacht voor een boottocht, hè?'

'Bedankt dat u met me wilt praten, meneer Tallgren.'

'Zeg maar Pekka, Richard. Oké?'

'Oké.'

'Je zult wel denken, waarom woont die gek hier op dit bevroren eiland?'

'Timo zei dat je hier werkt.'

'Dat klopt, maar soms... voelt het een beetje als Alcatraz, met San Francisco aan de overkant van de baai. Maar goed, laten we hier niet blijven staan; anders vriezen onze ballen eraf. Ik ben met de auto.' Tallgren draaide zich om en ging hem voor naar een oud Fiatje. 'Het is niet ver naar mijn huis, maar op een nacht als deze lijkt alles ver.'

'Het spijt me dat ik je zo laat nog stoor.'

'Is niet erg. Ik slaap niet bijster goed.' Ze stapten in de auto. Tallgren deed zijn capuchon af, zodat Eusden zijn uitgesproken gelaatstrekken en baard kon zien. Hij startte de motor en reed slippend weg over een spaarzaam met zand bestrooide strook door de omringende deken van sneeuw en ijs. 'Sinds ik hier ben komen wonen, ben ik geïnteresseerd geraakt in astronomie. Je ziet zoveel meer buiten de bebouwde kom. Niet als de lucht zo dicht zit, natuurlijk. Je houdt me niet bij mijn telescoop vandaan, dat is iets wat zeker is.'

Ze reden rammelend over een smalle brug naar het volgende eiland en sloegen links af na een hoge stenen muur. 'Hoe lang woon je hier al, Pekka?' vroeg Eusden.

'Negen jaar. Wat een ballingsoord, hè? Maar om de waarheid te zeggen vind ik het prima. Ik woon in de buurt van Helsinki, maar niet erin. Dat bevalt me uitstekend. Het houdt mijn herinneringen op de juiste afstand. Timo heeft je zeker wel over mijn... problemen verteld?'

'Ja, dat klopt.'

'Hij heeft me geweldig geholpen. Meer dan hij had hoeven doen. Hij heeft dus wel iets van me tegoed. Daar bof jij bij. Ik praat anders niet over Saukko, met niemand.'

'Ik weet het. Ik waardeer het enorm.'

'Misschien is waardering niet op zijn plaats. Het kan gevaarlijk zijn... om dit soort dingen te weten.'

Ze reden over een tweede brug naar een volgend eiland en kwamen slippend tot stilstand op een binnenplaats naast tot appartementen verbouwde barakken. De meeste ramen waren donker en toen ze uitstapten, werden ze omsloten door een diepe stilte.

'Welkom in mijn wereld, Richard,' zei Tallgren.

Het appartement was klein en voelde nog kleiner aan, dankzij de uitpuilende boekenplanken aan alle muren en de torenhoge stapels boeken en kranten eromheen.

Nu hij zijn wanten en parka uit had getrokken, zag Tallgren er precies zo uit als Eusden uit de huishoudelijke wanorde zou kunnen afleiden: slordig gekleed, te lang grijs haar – een academicus van middelbare leeftijd in zijn ongeordende biotoop. Alleen was hij niet langer academicus.

'Ik heb koffie opgezet voordat ik de deur uit ging,' zei Tallgren toen Eusden in het halletje zijn jas ophing. 'Wil jij ook?'

'Lekker.' Eusden had liever een stevige borrel, maar hij wist donders goed dat hij daar niet om kon vragen.

'Kom maar naar de keuken. Daar is het 't warmst.'

Terwijl Tallgren weg was, had een koffiearoma de keuken gevuld. Er stond een elektrische percolator klaar tussen de kruimels op het aanrecht. Hij pakte een paar mokken en gebaarde Eusden plaats te nemen aan de tafel ertegenover, waar een gekreukte *Helsingin Sanomat* lag, opengevouwen bij het economiekatern dat Eusden eerder had gezien, met de foto van Tolmar Aksden en Arto Falenius. Tallgren schoof de krant opzij toen hij de mokken koffie op tafel zette.

'Ik hoop dat je het zwart drinkt, want ik heb geen melk meer.'

'Geen punt.'

'En ook geen room.' Tallgren maakte een hoofdgebaar naar de krant. 'Zo te zien hebben zij alles al afgeroomd.'

'Heb je er spijt van dat je met hen in zee bent gegaan?'

'Zeker weten.' Tallgren nam nadenkend een slok koffie, ging zitten en vouwde de krant dicht. De gezichten van Aksden en Falenius verdwenen. Hij glimlachte. 'Ik heb wel genoeg van dat stel gezien.'

'Wat kun je me...'

'Wacht even.' Tallgren hief zijn hand. 'Zo gaan we dit spelen, Richard: jij vertelt me hoe je hier terecht bent gekomen. Het hele verhaal. Als ik ervan overtuigd ben dat je niet... als spion voor die klootzakken werkt... zal ik je alles vertellen wat ik weet. Jij zit hier alleen dankzij Timo. Om geen andere reden. Ik ken je verder niet. Hij zegt dat ik je kan vertrouwen. Prima, maar vertrouwen is tweerichtingsverkeer. Eerst moet jij mij vertrouwen. Afgesproken?'

Het was feitelijk een opluchting dat hij geen andere keus had dan alles wat hij wist met iemand anders te delen. Tallgren dronk koffie en rookte een paar shagjes, terwijl Eusden vertelde welke gebeurtenissen hem naar Suomenlinna hadden gebracht. Hij haalde de envelop met de tweekoppige adelaar tevoorschijn en liet Tallgren het vel met de vingerafdrukken zien. Hij praatte over Marty en Clem, en over alle mensen met wie hij afgelopen week te maken had gehad. Hij hield niets achter. Hij gooide alles eruit.

Toen hij was uitgepraat, schonk Tallgren koffie bij en zei: 'Het is erger dan ik dacht.'

45

'Ik ga er maar van uit dat je net zoveel over de geschiedenis van Finland weet als de gemiddelde buitenlanders, Richard, niets dus,' zei Tallgren. 'Daarom zal ik proberen om het simpel te houden. Zweden gaf Finland in 1809 over aan Rusland, maar tsaar Alexander I verleende de Finnen zelfbestuur. Hij wist dat hij anders te veel problemen met ons zou krijgen. Het groothertogdom Finland, zoals het werd genoemd, maakte wel deel uit van het Russische rijk, maar niet van Rusland. Het bestierde zijn eigen zaken. Dat maakte Finland in de jaren voor de Eerste Wereldoorlog tot een vrijhaven voor antitsaristische revolutionairen – bolsjewieken, mensjewieken, anarchisten, nihilisten. Het werd Lenins tweede thuis. Stalin en hij hebben elkaar in 1905 leren kennen op een bolsjewistische conferentie in Tampere.

Ik wilde een thesis schrijven over de revolutionairen die in die tijd in Finland actief waren. Het was een fascinerend onderwerp. Het kwam niet bij me op dat het gevaarlijk zou kunnen zijn. De Falenius Bank, zoals Saukko toen nog heette, werd in veel correspondentie genoemd als verstrekker van leningen aan dat soort mensen. Arto Falenius was wel bereid om toe te geven dat zijn grootvader geld leende aan revolutionairen, maar hij ontkende dat het feitelijk om giften ging die nooit waren terugbetaald. Hij ontkende ook dat Paavo onderdak verleende aan deelnemers aan een kortstondig rood oproer dat hier in 1906 op Suomenlinna plaatsvond. Dat was vreemd. Het bewijs was eenduidig en ik kon er geen probleem in zien. Paavo Falenius sympathiseerde met het socialisme. Ik zou hebben gedacht dat je dat als bank maar al te graag naar buiten bracht.

Toen vond ik andere gegevens die het beeld vertroebelden. Dankzij *glasnost* lekte er rond die tijd allerlei nieuwe informatie uit de Sovjetunie. Ik kwam aanwijzingen op het spoor dat Lenin Paavo Falenius ervan had verdacht een dubbelspion te zijn, die de tsaristische regering in Sint-Petersburg informatie verstrekte over de revolutionairen. Of het waar is? Ik heb het nooit kunnen verifiëren, omdat ik toen pas echt Arto's aandacht trok door te vragen naar de relatie die zijn grootvader had gehad met een vage figuur die Karl Vanting heette.

Vanting was een Deen, geboren in Kopenhagen in 1884. Hij verhuisde in 1905 naar Helsinki om Lenin zijn diensten aan te bieden als actieve revolutionair. Hij speelde een belangrijke rol bij de organisatie van het oproer in 1906 en van een algemene staking later dat jaar. Het verhaal ging dat hij een gezworen vijand was van de Romanovs, omdat hij een onwettig kind was van tsaar Alexander III. Het zou best waar kunnen zijn. Men zei dat hij op de Romanovs leek. Bovendien wees mijn onderzoek uit dat zijn moeder als dienstmeisje had gewerkt in het Deense Koninklijke paleis Fredensborg. Ze werd in december 1883 ontslagen. Karl werd vijf maanden later geboren. Waarschijnlijk was haar zwangerschap de reden voor haar ontslag. De tsaar en de tsarina, Dagmar, gingen elke zomer met hun kinderen naar Fredensborg om hun Deense familie op te zoeken. De timing kan dus kloppen. Karls moeder trouwde in 1885 met een winkelier in Kopenhagen die Vanting heette, en de jongen nam de naam van zijn stiefvader aan.

Hetzelfde materiaal waarin stond dat Lenin Paavo Falenius verdacht van contraspionage noemde Vanting als zijn vermeende handlanger. Daarna wordt het een stuk onduidelijker. Vanting verliet Helsinki in 1909 met onbekende bestemming. Het was een heel werk om hem op te sporen. Hij liet de revolutionaire politiek voor wat het was en dook op op het Caribische eiland Saint Thomas, waar hij werkte als klerk voor de adjudant van de gouverneur van de Deense Maagdeneilanden. De adjudant heette Hakon Nydahl. Toen Denemarken in 1917 haar Maagdeneilandenkolonie aan de Verenigde Staten verkocht, ging Nydahl naar huis. Vanting ging niet met hem mee. Hij bleef en ging werken voor het nieuwe Amerikaanse bestuur. In het voorjaar van 1918 werd hij toegevoegd aan een Amerikaans regiment dat werd uitgezonden om in te grijpen in de Russische burgeroorlog. Hij sprak goed Russisch en ze kwamen tolken tekort.

De Russische burgeroorlog ging tussen de Witten en de Roden – grof gesteld, tussen tsaristen en bolsjewieken – in de nadagen van de Russische Revolutie. Het verloop werd bemoeilijkt doordat delen van het oude keizerrijk zich los probeerden te maken en doordat Britse, Duitse, Franse en Amerikaanse troepen probeerden territorium in te lijven en/of te verhinderen dat de Roden wonnen. En om de tsaar te redden – voor zover mogelijk. Finland verklaarde aan het eind van 1917 de onafhankelijkheid van Rusland en voerde toen haar eigen Rood-Witte burgeroorlog. Anders dan in Rusland wonnen de Witten, met de nodige hulp van de Duitsers. In mei 1918 was het allemaal achter de rug. Duizenden mensen waren gestorven en duizenden Roden waren gevangengenomen. Hier werden ze vastgehouden. Hier op Suomenlinna. De vesting werd een gevangenis.

Wat heeft dit te maken met Karl Vanting? Nou, op een dag in oktober 1918 kwamen er twee mensen op Suomenlinna aan, die naar eigen zeggen vanuit Rusland de Finse Golf waren overgestoken in een klein roeibootje. Een van hen was Vanting. De ander was een jongen in zijn tienerjaren. Vanting zei niets over zijn tijd bij het Amerikaanse leger en beweerde niet te hebben geweten wat er in Finland was gebeurd. Jammer genoeg, voor hem, herkende de commandant van de gevangenis hem als een Rode revolutionair. Hij en de jongen – wiens naam nergens is vastgelegd – werden opgesloten.

De plaatselijke omstandigheden waren in 1918 verschrikkelijk. Overbezetting. Ziekte. Hongersnood. Vanting had geen slechtere plek kunnen vinden om aan land te gaan. Hij bleef echter niet lang. Na een paar weken werden hij en zijn reisgenoot vrijgelaten toen Paavo Falenius hun borgsom betaalde. En toen... verdwenen ze uit beeld.

Daarna wordt het nog duisterder. Zoals Timo je al vertelde, luidt de onbeantwoorde hamvraag over waar Saukko Bank begin jaren twintig haar kapitaal vandaan had. Wat jij hebt gevonden, vult de hiaten in een theorie waarvan ik aanvankelijk dacht dat die te gek was om waar te zijn, maar nu... nu past het in elkaar als Lego. Een Deense uitvinding, nietwaar? *Lege godt*. Goed spelen. En ze hebben het heel goed gespeeld.

Paavo Falenius was een dubbelagent. Dat lijdt geen twijfel. Misschien zijn dat wel de beste. Het soort agent dat door beide kampen zo volledig werd vertrouwd dat je je moet afvragen aan wiens kant hij nu echt stond. Hij werd in 1869 geboren en studeerde rechten aan de universiteit van Sint-Petersburg. Een van zijn medestudenten was Peter Lvovich Bark, die eveneens het bankwezen in ging en van 1914 tot de Russische Revolutie de Russische minister van Financiën was. Hij vluchtte later naar Engeland, waar hij opklom tot *Sir* Peter Bark, een directeur van de Bank of England. Vreemd, hè? Of toch niet? Na de vermeende dood van de tsaar fungeerde Bark als executeur van zijn nalatenschap. Alleen hij wist hoeveel geld er was en waar het was. Falenius was een oude vriend van hem. Ik heb foto's van hen tweeën gevonden, toen ze roeiden in het universiteitsteam, en later, tijdens bankiersdiners in Helsinki *en* Sint-Petersburg.

Ik denk dat ik weet wat er is gebeurd. De man die in augustus 1909 in Cowes een aanslag probeerde te plegen op de grootvorstinnen Olga en Tatiana, die door de grootvader van je vriend werd verijdeld, was Karl Vanting. Het werd in de doofpot gestopt, omdat tsaar Nicolaas II wist dat hij zijn onwettige halfbroer was. Vanting werd verbannen naar de Deense Maagdeneilanden in de hoop dat hij zijn leven zou beteren. Het werkte een tijdlang redelijk, maar in 1918 ging hij met het Amerikaanse leger naar Rusland – en verdween. Toen dook hij op in Finland met een jonge reisgenoot die nooit officieel is geïdentificeerd. Welnu, ik denk dat die reisgenoot Peder Aksden was – althans, werd. Ik denk dat Sir Peter Bark een deel van het geld van de tsaar gebruikte om voor de jonge man een nieuw leven in Denemarken te financieren en om het stilzwijgen te garanderen van de mensen die dachten te weten wie hij eigenlijk was.

Wie waren die mensen? Falenius gaf ons een aanwijzing toen hij de naam van zijn bank veranderde. *Saukko*. Otter. Tolmar Aksden dook voor de naam van zijn bedrijf in de Noorse mythologie. Mjollnir. De magische hamer van Thor. Ik denk dat hij het voorbeeld volgde van de man die hem het startkapitaal voor Mjollnir verstrekte. Maar wat is de mythische waarde van een otter? In de Finse mythologie is Tuonela het land van de doden, waarvan geen reiziger ooit terugkeert. De enige uitzondering was de held Vainomoinen. Hij stak de rivier over die de grens van Tuonela vormt en werd begroet door Tuonetar, de godin van de doden. Ze bood hem het wonderbaarlijke bier van Tuonela aan. Hij dronk zo veel als hij lustte. Terwijl hij zijn roes uitsliep, spande de zoon van Tuonetar een ijzeren net over de rivier, zodat Vainomoinen niet weg kon en voor altijd vast zou zitten. Maar toen hij wakker werd en zag wat er was gedaan, veranderde Vainomoinen zichzelf in een otter en zwom door het net terug naar het land der levenden.

In 1918 was Rusland het land van de doden. Vantings jonge reisgenoot ontsnapte door zichzelf te veranderen in iemand anders. Hakon Nydahl haalde zijn zus over om de jonge man te adopteren als een soort vervanging van het kind dat ze had verloren, hij leverde een vals geboortebewijs en geld voor zijn nieuwe familie. Het geld werd verstrekt via de Falenius Bank, later Saukko. Het was afkomstig van de geheime rekeningen van de tsaar die werden beheerd door Sir Peter Bark. Paavo Falenius roomde een deel af voor eigen gebruik. Een deel van de rest kwam bij Mjollnir terecht. Een ander deel werd bewaard in Nydahls kluis in zijn appartement in Kopenhagen. De *markkaa* die zijn huishoudster had gestolen, dateerden uit 1939, zei je? Nou, in de loop van 1939 kwamen er steeds sterkere aanwijzingen dat Stalin een inval zou doen in Finland. Falenius stuurde waarschijnlijk een groot geldbedrag naar Nydahl omdat hij bang was dat de Sovjets het land zouden innemen en de bank zouden sluiten. Hij moet hebben gedacht dat ze hem naar een goelag zouden sturen als bekend werd dat hij een dubbelspion was.

Uiteindelijk zouden de Russen Finland nooit veroveren. De Duitsers raakten opnieuw betrokken. Zoals elke Finse schooljongen weet, redde vervolgens veldmaarschalk Mannerheim het land. Paavo Falenius bleef leven en zijn bank bleef bestaan. Hij overleed in 1957. Hij heeft een erg mooi graf op het kerkhof van Hietaniemi. Die arme Peder Aksden was toen natuurlijk al dood. Een ongeluk met een zeis, zei zijn dochter. Dat wil ik geloven. Scherpe messen zijn gevaarlijke werktuigen voor hemofiliepatiënten.

Begrijp je het nu, Richard? Het geld van de tsaar. De naamloze jonge man uit Rusland. De nieuwe identiteit om door het net te glippen. Hakon Nydahls zus dacht dat ze de aan hemofilie lijdende zoon van de tsaar, Aleksej, adopteerde. Idioot, nietwaar? Maar het waren ook idiote tijden. Niemand wist precies wat er met de familie was gebeurd. Het gonsde van de geruchten, maar niets was zeker. Vanting hing het verhaal op dat hij de jongen had gered om te boeten voor zijn mislukte aanslag op zijn zussen. Geloofde Falenius hem? Misschien. Het is waarschijnlijker dat hij meende anderen te kunnen overtuigen hem te geloven. Peuterde hij zo geld los bij Bark? Door te dreigen met een overtuigende oplichter? Of door hem te overtuigen dat de jongen geen oplichter was? Dagmar, de keizerin-moeder, woonde toen nog op de Krim. Ze vertrok pas in het voorjaar van 1919, zodat Bark actie moest ondernemen zonder haar te raadplegen. En hij moest achter zijn besluit blijven staan. Misschien, als hij Vantings verhaal geloofde, dacht hij dat het beter was om de tsarevitsj op het afgelegen Deense platteland mentaal en fysiek te laten bijkomen en zijn overleving geheim te houden – zelfs voor zijn grootmoeder – voor het geval de Sovjets huurmoordenaars achter hem aan stuurden. De jonge man kon zich misschien niet goed herinneren wie hij was of wat hem was overkomen. Als hij echt Aleksej was, had hij een traumatische ervaring doorgemaakt. Anderzijds, misschien heeft Bark het verhaal helemaal nooit geloofd. Misschien kwam hij alleen over de brug om de schade die een valse, door Falenius gemanipuleerde Aleksej kon aanrichten. Hetzelfde geldt voor Nydahl. Hij kende Vanting uit West-Indië. Waar meende hij bij betrokken te raken? Of deed hij gewoon wat Dagmars neef, koning Christiaan X van Denemarken hem opdroeg, om het probleem uit de weg te ruimen, voordat de oude dame thuiskwam? De mogelijkheden zijn eindeloos. Nu zullen we het nooit weten.

Wat de achtergrond ook was, het plan werkte goed. Totdat er een jonge vrouw opdook in Duitsland, die beweerde Aleksejs zus Anastasia te zijn. Veel mensen geloofden haar ook, onder wie verscheidene leden van de familie Romanov. Als zij formeel werd erkend, zou ze het beheer krijgen over de bezittingen van haar vader en zou ze erachter komen dat er een groot deel van zijn geld was verdwenen. Het was dus zaak haar tegen te houden. Hoe kon dat nu beter dan met een set vingerafdrukken die bewezen dat zij Anastasia niet kon zijn? Sinds zijn komst naar Londen had Bark machtige vrienden om zich heen verzameld. Ik denk dat hij via hen regelde dat Clem Hewitson ergens in 1925, waarschijnlijk in de herfst, naar Kopenhagen werd gestuurd met valse vingerafdrukken en met de opdracht te beweren dat hij ze in augustus 1909 had genomen aan boord van het keizerlijke jacht. Hij zou met Nydahl naar Berlijn reizen, waar Anna Anderson in het ziekenhuis lag, haar vingerafdrukken nemen en haar ontmaskeren als bedriegster.

Maar er ging iets mis. Misschien begon Hewitson te denken dat Anna echt Anastasia was en was hij niet bereid haar op valse wijze haar erfenis af te nemen. Of misschien vertelde Nydahl hem wat er in werkelijkheid speelde. Barks vriendjes in het Britse establishment zouden niets weten van zijn regeling met Falenius. Als Hewitson dát onthulde, zouden ze zich massaal achter de oren krabben. Uiteindelijk zou het alsnog in de doofpot verdwijnen. Het vingerafdrukkencomplot tegen Anna Anderson zou worden afgeblazen, maar Barks andere regeling zou door de vingers worden gezien. Met het geld van de tsaar dat bij de Bank of England lag en door Bark werd beheerd kon de nodige stilte worden gekocht. Hoe dan ook, Anna Anderson werd nooit erkend als Anastasia, niet waar? In de loop van de jaren hebben ze haar uitgeput.

Daarna moeten Clem Hewitson, de Engelse politieman, en Hakon Nydahl, de Deense hoveling, elkaar beter hebben vertrouwd dan hun superieuren. Ik denk dat ze besloten alles wat er gebeurde bij te houden, zodat ze zich zo nodig aan de hand daarvan zouden kunnen verdedigen. Ik denk dat het bij de brieven alleen daarom ging: zekerheid. Ik betwijfel of Nydahl zijn familie ooit heeft verteld dat hij ze had geschreven. Het was een slim idee: documenten in het Deens, opgeslagen in Engeland. Het is zo ongeveer een geheime code. Als je ze kon lezen, zou je weten of Nydahl geloofde dat Peder Aksden echt de tsarevitsj was. Als hij het niet geloofde, zou je ook weten dat een deel van het geld van de tsaar, dat bedoeld was voor zijn kinderen, door een Finse bankier was gestolen en door een Deense zakenman werd gebruikt om zijn eigen keizerrijk op te bouwen. Tolmar Aksden: tsaar van alle ondernemingen. Als ik gelijk heb, moest hij die brieven dringend vernietigen. Dat heeft hij nu ook gedaan. Het enige wat nog over is, zijn valse vingerafdrukken. Op zichzelf bewijzen die niets.

Het spijt me, Richard. Maar zo zie ik het. Het loopt allemaal op niets uit.'

46

'Dat laat ik niet gebeuren.' Eusden verbrak de stilte die op Tallgrens sombere conclusie volgde.

'Dapper gesproken, Richard,' zei Tallgren glimlachend. 'Er is een tijd geweest dat ik precies hetzelfde zou hebben gezegd.'

'Maar het is erger dan diefstal en fraude, Pekka. Ze hebben mensen vermoord, onder wie Tolmars ex. Pernille probeerde hem nota bene te helpen!'

'Ze had beter moeten weten.'

'Is dat alles wat je kunt zeggen?'

Tallgren keek verbaasd toen hij de woede in Eusdens stem hoorde. '*Anteeksi*. Ik was vergeten dat je haar kende. Wat was ze voor iemand?'

'Een bijzonder en dapper mens.'

Tallgren zuchtte. 'Het spijt me écht. Maar ja, ze zijn altijd al meedogenloos geweest. Als je bedenkt wat er uiteindelijk met Karl Vanting is gebeurd...'

'Wat is er dan gebeurd?'

'Hij is doodgeschoten. Ze hebben hem op oudejaarsavond 1925 gevonden in zijn kamer in Hakaniemi. Toen was dat een arme wijk. Wat Paavo Falenius hem aan geld had gegeven, moet hij hebben verspeeld. Toen heeft hij misschien om meer gevraagd. De politie hield het op zelfmoord. Misschien was het dat ook wel. Misschien ook niet. Vanavond heb ik naar het journaal gekeken. Ze interviewden de politieman die belast is met het onderzoek naar de explosie in Osmo's huis. Naar zijn idee was een gaslek de meest voor de hand liggende verklaring.'

'Ze zullen sporen van explosieven vinden.'

'Denk je? Dat ligt er waarschijnlijk aan hoe grondig ze zijn. Zelfs als ze sporen vinden, denk jij dan dat ze bewijzen vinden dat

Tolmar Aksden er iets mee te maken had?'

'Nee,' gaf Eusden toe.

'Ik zal je iets laten zien.' Tallgren stond moeizaam op en liep de keuken uit. In het voorbijgaan klopte hij Eusden troostend op de schouder.

Eusden hoorde dat de la van een archiefkast werd opengetrokken en dat er door paperassen werd gebladerd. Toen kwam Tallgren weer binnen met een uitpuilende map onder zijn arm. Hij legde deze voorzichtig op tafel. Op de voorkant stond met viltstift in blokletters geschreven: WANTING.

'De resultaten van mijn onderzoek. Ik ben bang dat je er niet blij van zult worden.'

'Wanting is... Vanting?'

'O, de spelling. Ja. De naam is waarschijnlijk oorspronkelijk Duits. De W wordt natuurlijk uitgesproken als een V. In het Engels is *wanting* 'willen', een wrange grap, nietwaar? Hij wilde heel veel. Wraak. Rijkdom, Succes. Hij heeft geen van drieën gekregen.'

Tallgren sloeg de man open. 'Mijn aantekeningen zijn allemaal in het Fins. Er zitten ook documenten tussen in het Deens en het Russisch. Voor jou zit er dus niets te lezen bij. Wel kan ik je iets laten zien.' Hij trok een foto op A5-formaat uit de stapel. De foto was afgedrukt op glanzend papier, maar was korrelig en onduidelijk, een zwart-witfoto van een menigte op een trap. In de marge was geschreven: *Helsingin Sanomat 11 Huhtikuu 1957.* 'Deze foto toont een aantal mensen na Paavo Falenius' rouwdienst die de kathedraal van Helsinki uit lopen. Let vooral op deze drie.'

Tallgren wees naar een korte man van middelbare leeftijd boven aan de trap die leek te praten met twee andere mannen, één ouder, een veel jonger dan hij. Alle drie droegen donkere overjassen. De jongste man was blootshoofds, maar de andere twee mannen droegen donkere vilthoeden. Ze hadden de rand naar beneden getrokken, zodat alleen de onderste helft van hun gezicht te zien was.

'Eino Falenius, Hakon Nydahl en Tolmar Aksden. Daar heb je ze, Richard. Eindelijk een keer samen betrapt. Ze zeggen dat Eino sterk op zijn vader leek. Hij was toen in de veertig. Nydahl was in de zeventig en Aksden was... net achttien.'

Eino Falenius was een keurig verzorgde, elegant geklede zakenman, iets te zwaar, met een klein snorretje en vertrouwelijke houding. Hij had zijn hand op de schouder van Hakon Nydahl. De oudere Deen was zo dun en recht als een potlood; hij had zijn wandelstok voor zich geplant en keek Falenius ondoorgrondelijk aan. In Tolmar Aksden kon je amper de brede, assertieve figuur herkennen wiens foto een halve eeuw later op de pagina's van dezelfde krant zou worden afdrukt. Hij was lang en slank, een jongensachtige lok viel over een rimpelloos voorhoofd. Zijn gezicht was helder en open, maar ook waakzaam. Hij keek Falenius licht fronsend aan en concentreerde zich op wat er werd gezegd – of op iets wat hij had opgemerkt.

'Wat deed een tiener van een boerderij in Jutland op de begrafenis van een vooraanstaande Finse bankier, hè? En hij was niet alleen bij de rouwdienst, maar praatte na afloop met de zoon van de bankier. Dit was lang voordat hij Mjollnir oprichtte of zaken deed met Saukko. Volgens de officiële biografie van Tolmar Aksden trok hij in 1957 zijn schapen op het droge; hij was géén vriendjes met bankiers uit Helsinki. Waar gaat dit dan over? Ik heb het aan Arto Falenius gevraagd. Ik vroeg hem om uitleg. Weet je wat hij zei? "Dat hoef ik niet uit te leggen aan iemand als jij." En hij glimlachte erbij. Die glimlach! Ik had die glimlach van zijn gezicht moeten slaan. Nou ja, het had niet veel slechter met me kunnen aflopen, hè? Iemand als ik, Richard. Iemand als jij. Ze hoeven zich tegenover ons niet te verantwoorden.'

'Dat zullen we nog weleens zien.'

'Wat wil je dan doen?'

Goede vraag. Eusden had nog maar een vage voorstelling van het antwoord. Wegrennen? Opgeven? Afschrijven als een dwaze stunt van Marty waar hij geen aandeel in had? Hij kon het niet. De rest van zijn leven zou vervlakken tot een verontschuldigend gemompel als hij niet in elk geval probeerde de moordenaars van Pernille voor de rechter te slepen. 'Heb je een cassetterecorder?'

'Ja.'

'Mag ik die lenen?'

'Natuurlijk, maar...'

'Weet je waar Arto Falenius woont?'

'Ja. Hij heeft een villa in de buurt van Kaivopuisto Park. De ambassadewijk. Heel chic. Zijn vader en grootvader hebben er vóór hem gewoond. Villa Norsonluu, aan Itäinen Puistotie. Wil je ernaartoe?'

'Tolmar Aksden is de stad uit. Dan blijft alleen Falenius over. Hij is waarschijnlijk sowieso het gemakkelijkst te breken van de twee.'

'Breken?'

'Ik zal zorgen dat hij uitleg geeft aan iemand als ik. En dat neem ik op.'

'Dat laat hij nooit toe.'

'Ik ben niet van plan hem bijster veel keus te laten. Weet jij iets van vuurwapens?'

'Ach, ik heb de vereiste acht maanden in dienst gezeten. Ze hebben me laten schieten met een geweer. Ook hebben ze me het uit elkaar laten halen en weer in elkaar laten zetten.'

'Dat is meer dan ik ooit heb gedaan. Het punt is, ik heb een wapen, een automatisch pistool. In mijn jaszak. Ik ben niet van plan het te gebruiken, maar ik moet de indruk wekken dat ik weet hoe ik ermee moet omgaan. En ik wil geen ongelukken.'

'Wil je Falenius onder schot houden en een bekentenis afdwingen?'

'Precies.'

'Ben je gek geworden?'

'Waarschijnlijk, ja.'

'Zelfs al zou je dat lukken, dan is het... nog geen wettig bewijs.'

'Dat kan me niet schelen. Dan heb ik het tenminste en dan zal ik zien hoe ik het kan gebruiken.'

'Je bent écht gek.'

'Ik vraag je niet om mee te gaan, Pekka. Geef me gewoon die cassetterecorder, laat me zien hoe het pistool werkt en wens me geluk.'

Eusden sliep een paar uur op de bank in Tallgrens zitkamer. Hij lag in de droomloze bewusteloze toestand van iemand die volkomen uitgeput is. Hij werd wakker voordat het licht werd, at met lange tanden pap en dronk iets minder tegen zijn zin een mok sterke zwarte koffie. Toen bracht Tallgren hem door de bevroren ochtendschemer over de bruggen van Suomenlinna naar de kade, waar hij op de eerste veerboot van de dag stapte. Tallgren had zijn best gedaan om hem uit te leggen hoe het mechaniek van het pistool werkte en had hem de fijne kneepjes van de cassetterecorder bijgebracht. Verder uitte hij alleen de mening dat wat Eusden van plan was, dwaas was. Een bewonderswaardig soort dwaasheid weliswaar, maar niettemin dwaas.

'Ik ben bang dat je de grootste vergissing van je leven begaat, Richard,' zei hij, toen Eusden uit de auto stapte.

'Ik denk van niet,' antwoordde Eusden met een wrang lachje. 'Niets doen zou een nog grotere vergissing zijn.'

47

Als het zomer was geweest, zouden de roomkleurige gevelspitsen van Villa Norsonluu warm hebben gegloeid in de zon, beschut tussen het groen, terwijl duiven vredig koerden. Deze zonsopgang aan het eind van de winter gaf een heel ander beeld. Sneeuw bedekte het grootste deel van het dak, lag op de takken van bladloze bomen en vormde een witte deken over de tuin. Uit de duiventil die Eusden door de heg had gezien kwam geen geluid of beweging en ook het huis erachter was volkomen stil.

Nu hij hier stond, omgeven door stilte, begon Eusden zich af te vragen waar hij mee bezig was. Misschien was het echt dwaas. Hij keek over straat en zag in de verte de Tricolour en de Union Jack wapperen boven de Franse en Britse ambassades. Dit moest wel de meest schandalige, vernietigende en onverstandige plek ter wereld zijn om te doen wat hij op het punt stond te gaan doen.

En wat gíng hij eigenlijk doen? Hij was vergeten Tallgren te vragen of Falenius alleen woonde. De grootte van het huis wekte de indruk van niet. Was hij getrouwd? Had hij kinderen? Was Eusden serieus van plan om, zwaaiend met een pistool, een tafereel van huiselijke normaliteit binnen te dringen, eisen te stellen en stappen te zetten die hij nooit meer ongedaan kon maken?

De toegang tot de villa werd versperd door een hoog, dicht hek. Er was geen camera te zien, al kon er natuurlijk een aan het huis zijn bevestigd, klaar om elke inbreuk die hij deed vast te leggen. Hij stond in de luwte van de heg op zichzelf in te praten om iets te doen, om de twijfel en angst die hem overvielen te overwinnen. Hij kon over de muur achter hem klimmen of door de heg kruipen. Het waren de enige manieren om binnen te komen. Hij moest het proberen, en liefst een beetje rap. Hoe langer hij het uitstelde, hoe groter de kans werd dat iemand hem zag.

Opeens doorbrak een geluid de stilte. Er ging een deur open, elektronisch bediend. Eusden tuurde door de heg, maar kon niets zien. Toen werd er een auto gestart met een schor gegrom. Op hetzelfde moment ging het toegangshek zoemend open, draaiend om de dure, geautomatiseerde scharnieren. Dikke banden knarsten over met sneeuw bedekt grind. Achter de heg bewoog een vorm, laag, licht en metaalachtig, ergens naartoe.

Falenius ging weg. Eusden moest hem tegenhouden. Hij rende naar het hek en sloot zijn vingers om het pistool in zijn jaszak. De oprit draaide in de richting van het huis uit het zicht. Hij stond te wachten totdat hij de auto zag, en terwijl hij wachtte vroeg hij zich af wat hij moest doen. Toen verscheen er een Bentley om de hoek, zilvergrijs en prachtig gestroomlijnd. Een glimp van de chauffeur was genoeg. Het was Arto Falenius.

Als Eusden het pistool trok, wat, vroeg hij zich af, zou Falenius dan doen? Stoppen? Of juist met vol gas op hem af rijden? Kon die schuin aflopende, getinte voorruit kogelwerend zijn? Er moest een andere manier zijn, een manier die voor hen allebei veiliger was. Hij ging op zijn knieën zitten en strekte zich uit over het trottoir voor de oprit.

De Bentley kwam voor hem tot stilstand. Falenius claxonneerde twee keer kort. Eusden bewoog niet. Het enige wat hij vanuit zijn liggende positie van de auto kon zien, waren de koplampen, de nummerplaat en het rooster van de radiator met de karakteristieke Bentley-B erboven. Hij hoorde de koeling loeien, toen sloeg het autoportier dicht. Arto Falenius, al even bekrijtstreept als op zijn foto in de krant, liep op hem af. Zijn glanzende brogues knerpten op grind en ijs. Hij zei iets in het Fins; het klonk ongeduldig. Eusden ging met overdreven veel moeite overeind staan.

'Sorry,' mompelde hij. 'Ik ben zeker uitgegleden.'

'Gaat het wel?' vroeg Falenius niet al te bezorgd.

'Ja. Prima, bedankt. Dat kun je van jezelf niet zeggen.' Eusden trok het pistool uit zijn jaszak en richtte het op Falenius' middenrif. 'Doe precies wat ik zeg.'

'Wat ís dit?' Falenius keek geschokt, kwaad en geschrokken tegelijk.

'Wat denk je?'

'Wil je... geld?'

'Nee. Ik wil een lift. En ik wil praten.' Eusden hield het pistool op Falenius gericht, terwijl hij naar het rechterportier van de Bentley liep en dat opentrok. 'Stap in. We gaan.'

'Dit kun je niet doen.'

'Maar ik doe het toch. Stap in. Nu!'

Falenius haalde snel adem toen hij naar de auto liep. Terwijl hij achter het stuur ging zitten, liet Eusden zich voorzichtig op de stoel zakken. De portieren sloegen dicht en sloten de kou van de vroege ochtend buiten.

'Rijd naar de kust.'

'Wie ben jij?'

'Richard Eusden.'

'Ik... heb nog nooit van je gehoord.'

'Echt niet? Nou, je goede vriend Tolmar Aksden wel. Over hem gaan we het hebben. Rijden.'

Er was weinig verkeer op de kustweg en niemand stopte om uit te kijken over de bevroren haven, die was bedekt met sneeuw en uiterlijk alleen verschilde van Kaivopuisto Park aan de andere kant van de weg doordat het platter was. Toen Falenius de motor afzette, werd zijn oppervlakkige ademhaling in de stille Bentley goed hoorbaar. Hij keek Eusden niet aan, maar keek door de voorruit naar de grijze klompjes van eilandjes die verspreid lagen over de witbeklede zee. Hij likte over zijn lippen en vroeg schor: 'Wat wil je weten?'

'De waarheid.' Eusden zette de cassetterecorder tussen hen in op het dashboard en drukte op de opnameknop. 'In je eigen woorden.'

'De waarheid? Waarover?'

'Over je relatie met Tolmar Aksden.'

'Hij is de nieuwe eigenaar van Saukko Bank. We zijn zakenpartners. En vrienden. Dat is alles.'

311

'Luister, Arto. Ik weet al wat je me gaat vertellen, maar ik moet het je horen zeggen. Officieel. Lieg dus niet tegen me. Dat kan fatale gevolgen hebben. Begrijp je?'

Falenius slikte moeizaam. 'Ik begrijp het.'

'Mooi. Ik zal je een paar vragen stellen. Daar hoef je alleen maar een eerlijk antwoord op te geven. Is dat duidelijk?'

'Ja.'

'Je naam luidt Arto Falenius, zoon van Eino Falenius, kleinzoon van Paavo Falenius, de oprichter van Saukko Bank. Correct?'

'Correct.'

'Waar kreeg Paavo al zijn geld vandaan – waar kwam begin jaren twintig die enorme geldstroom vandaan die niemand kan verklaren?'

'Hij... had een paar grote investeerders gevonden.'

'Was een van hen Sir Peter Bark, die investeerde namens tsaar Nicolaas II?'

Falenius zuchtte en boog zijn hoofd, alsof hij zijn grootste angst onder ogen moest zien. '*Kristus!* Dit niet. Alsjeblieft, dit niet. '

'Heeft Bark het geld van de tsaar in Saukko Bank gepompt?'

'Dat weet ik niet.'

'*Dat weet je niet?*'

'Echt niet. Mijn vader heeft me nooit genoeg vertrouwd om me het hele verhaal te vertellen. Tolmar zegt altijd dat het beter is als ik het niet weet. Het geld van de tsaar? Dat zou best kunnen. Als jij zegt dat het zo was, oké. Dan dat was dat zo. Ben je nu tevreden?'

'Nee.'

'Dat dacht ik al. Ga dus maar je gang. Vraag maar naar mijn grootvader, maar die Bark, Hakon Nydahl, Karl Wanting. Vraag maar en vertel me wat ik moet zeggen. Dan zeg ik het wel. Ik ben te jong om een van hen te hebben ontmoet. Maar blijkbaar moet ik met hun geesten leven.'

'Je zult toch wel weten dat je grootvader via Nydahl geld naar de Aksdens heeft doorgesluisd.'

'Ja, dat weet ik, maar niet waarom. Niet precies. Je houdt Tolmar niet te vriend door je neus in zijn zaken te steken. Bovendien is hij nu mijn baas. Hij is eigenaar van Saukko. Ik ben gewoon een van zijn werknemers.'

'Waarom heb je de bank verkocht?'

'Die verkoop was jaren geleden al gepland. Tolmar is feitelijk al eigenaar sinds ik bestuursvoorzitter ben geworden. Hij heeft een deal gesloten met mijn vader. Daar maakte ik deel van uit.'

'En wat moest je daarvoor doen?'

'Aandelen verwerven in een aantal grote Russische bedrijven, zodat Tolmar de Russische markt kon betreden zonder dat het iemand opviel.'

'Ze zijn er inmiddels wel achter.'

'Het moest ooit uitkomen. Hoe dan ook, dat is Tolmars probleem. Ik doe alleen wat hij zegt.'

'Waarom hoor ik dat iedereen toch steeds zeggen?'

Falenius glimlachte flauwtjes. 'Omdat hij er goed in is mensen te overtuigen dat ze hem moeten gehoorzamen.'

'Wat weet jij van de explosie, gisteren, in het huis van Osmo Koskinen?'

'Wat ik op het nieuws hoor. Gaslek, misschien?'

'Je weet toch dat Pernille Madsen, Tolmars ex-vrouw, een van de dodelijke slachtoffers was, hè?'

'Echt?' Falenius keek oprecht geschokt en verbijsterd. Het leek erop dat hij het echt niet had geweten. 'Pernille?'

'Ja.'

'Ik had nooit gedacht dat hij...' Falenius schudde zijn hoofd. 'Ik weet niet wat ik moet zeggen.'

'Hij heeft jou medeplichtig gemaakt aan moord, Arto. Hoe voelt dat?'

'Het maakt me misselijk. Fysiek onpasselijk. Maar je moet begrijpen dat ik er niets van wist.'

'Omdat je het niet wilde weten.'

'Oké, zo kun je het ook stellen, maar toch...' Falenius keek Eusden smekend aan. 'Je hebt de verkeerde man voor je. Het is niet mijn schuld. Je zou je vragen aan Tolmar moeten stellen. Niet aan mij.'

'Als ik dat kon, zou ik dat ook doen.'

'Ik kan je wel vertellen waar hij is.'

'O ja?'

'Hij verschuilt zich. Nu begrijp ik waarvoor. We hebben in de loop der jaren heel wat... smerige spelletjes gespeeld, maar... nooit moord.'

'Waar verschuilt hij zich?'

'We hebben een *kesämökki* – een zomerhuis – aan het Päijän-nemeer. Daar is hij naartoe gegaan. Hij gaat er vaak heen. Om te ontspannen. Om na te denken.' Falenius leek te geloven dat hij Eusden op zijn hand kreeg. 'Ik kan je... precies vertellen waar het is. Hij is er alleen. In deze tijd van het jaar is er helemaal niemand.'

'Je hoeft me niet te vertellen waar het is, Arto. Je hoeft me er alleen maar heen te brengen.'

'Nee, ik kan niet uit Helsinki weg. Ze zullen me missen. Het is... een rit van tweehonderd kilometer.'

'Dan kunnen we maar beter gaan, vind je niet?' Eusden reikte naar voren en pakte de cassetterecorder. Je hebt gelijk. Er valt niets meer te zeggen. We zullen Tolmar zelf aan het woord laten.'

PÄIJÄNNEMEER

48

Vroeg in de middag kwam de *mökki* van de familie Falenius, op een van de vele inhammen langs de kust van het Päijännemeer, in het zicht. De eerste helft van de rit waren ze goed opgeschoten op de snelweg. Hun enige beperking was dat Eusden erop stond dat Falenius zich aan de maximumsnelheid hield; hij kon niet riskeren dat ze de aandacht van de politie trokken. Nadat ze van de grote weg waren gekomen, was hun voortgang vertraagd door sneeuw en ijs. Ze waren ingesloten door bossen. Er was steeds minder verkeer overgebleven en uiteindelijk waren ze de enigen op de weg, in een winterse wereld van stilte, grijs licht en dekkend wit. Het ongelijke pad dat ze hadden gevolgd sinds ze van de laatste geasfalteerde weg waren gekomen, kwam vanuit een met sneeuw overladen dennen- en sparrenbos uit op een vlakte met kale essen- en esdoornstammen terwijl het bevroren oppervlak van het meer zich plat en mat-wit voor hen uitstrekte. En daar, naast een met sneeuw bedekte weide, stond de *mökki* – een eenvoudig houten chalet. Er kwam rook uit de schoorsteen en naast een houtopslag stond een Range Rover geparkeerd.

Falenius ging naast de Range Rover staan en zette de motor af. Hij zag er uitgeput en wanhopig uit. Tijdens de lange rit had Eusden weinig gezegd. Het feit dat Falenius daardoor alle tijd kreeg om het ergste te denken, had zijn tol geëist.

'Hij moet ons hebben gehoord,' zei de Fin schor. 'Waarom komt hij niet naar buiten?'

'We zullen zien, maar geef me eerst de autosleutel.'

Falenius trok de sleutel uit het contactslot en reikte deze aan. 'Wat ga je met ons doen?'

'Dat heb ik al gezegd. Ik wil het hele verhaal vastleggen. Als jullie me dat vertellen, kunnen we allemaal gezond en wel weer weg.'

'Ik werk toch mee? Vergeet dat niet. Als je problemen krijgt met Tolmar, kan ik er niets aan doen.'

'Ik zal het niet vergeten. Laten we gaan.'

Ze stapten uit de auto. De kale omtrekken van het huis doemden op in de koude mist. Als Tolmar Aksden zich had willen verschuilen, was hij naar de juiste plaats gekomen. Niemand zou hem hier komen zoeken, tenzij ze hem dringend nodig hadden.

Eusden gebaarde naar Falenius om hem voor te gaan. Langzaam liepen ze om het chalet heen naar de voordeur. Het dak liep door tot over een met planken belegde veranda. Tussen het chalet en de kust lag een sneeuwbult in de vorm van een roeiboot. Daarachter was een steiger in het water gebouwd. Falenius riep Aksdens naam toen hij bij de deur aankwam. Er was geen antwoord.

'Kijk binnen,' zei Eusden.

Falenius duwde de deur open en stapte naar binnen. Hij riep opnieuw. Eusden stond achter hem in de deuropening. De warmte van een kachel dreef zijn kant uit. Er waren een grote tafel en wat stoelen, een bank, leunstoelen en een kleed voor de kachel. Rechts zag hij een goed uitgeruste keuken. Enkele deuren gaven toegang tot kamers buiten zijn blikveld. Op de tafel lagen boeken, papieren en een laptop, ernaast stonden een koffiepot en een mok. Falenius raakte de pot aan en keek om naar Eusden. 'Nog warm.'

'Dan kan hij niet ver weg zijn. We zullen...'

Twee korte stoten op de claxon van de Bentley doorbraken de stilte. Eusden stapte bij de veranda vandaan en liep naar de hoek van het chalet. Een lange, zwaargebouwde figuur gekleed in een gevoerde parka en met een pet met oorkleppen op stond naast het open portier van de auto. Toen hij het dichtsloeg, werd een geweer zichtbaar. Hij keek Eusden met koele nieuwsgierigheid aan.

'Waar is Arto?' Zijn stem was bars en zijn toon bevelend. Hij moest het pistool in Eusdens hand zeker kunnen zien, maar besteedde er geen aandacht aan.

'Hier,' antwoordde Eusden. Hij stapte achteruit om Falenius te laten passeren.

'Je weet dat je hier niet mag komen, Arto,' zei Aksden.

'Deze vent gaf me geen keus, Tolmar.' Falenius liep snel op zijn vriend af, alsof hij hem de bescherming zou geven die hij nodig had. 'Hij zegt...'

'Laat hem voor zichzelf spreken.'

Eusden liep op een voorzichtige afstand achter Falenius aan. Aksden hield het geweer losjes in zijn hand. Er ging geen dreiging van uit, maar toch... het was een wapen. Eusden was niet langer in het voordeel. 'Weet je wie ik ben, Tolmar?'

Aksden knikte. 'Jazeker. Lund zei al dat je nog leefde. Wat doe je hier?'

'Ik wil de waarheid weten.'

'Dat is een hele wens, mijn vriend.'

'En blijkbaar ook een gevaarlijke wens.'

Aksden keek Falenius aan met een blik van verveelde teleurstelling. 'Je had hem hier niet heen moeten brengen, Arto. Dat was dom van je.'

'Hij hield me onder schot.'

'Een loos dreigement, idioot. Hij is geen moordenaar. Of wel, Eusden?'

'Misschien heb je een moordenaar van me gemaakt.'

'Dat denk ik niet.'

'Wil je het soms uitproberen?' Eusden daagde Aksden uit met zijn blik, maar hij zag geen spoor van zwakte in de staalblauwe ogen van de Deen.

'Als het moet.'

'Ach, we komen hier toch wel samen uit,' pleitte Falenius.

'Dat denk ik niet. Het is niet zo simpel als jullie beiden denken. Heeft iemand je gevolgd, Arto?'

'Mij gevolgd? Nee, natuurlijk niet.'

'We zijn niet gevolgd,' zei Eusden stellig. Hij was er zeker van, al vroeg hij zich af wie hen volgens Aksden had kunnen volgen. 'Politie achter je aan, Tolmar?'

'Niet dat ik weet.' Aksden schonk hem een strak, ironisch glimlachje. 'Kijk onder de auto, Arto.'

'Waar moet ik op letten?'

'Alles wat anders is dan anders.'

Falenius knielde en keek onder de Bentley. Er was iets wat zijn aandacht trok. Hij boog dieper voorover. '*Kristus*, wat is dat?'

'Waar lijkt het op?'

'Een doosje. Met een... rood flikkerlichtje.'

Aksden gooide zijn hoofd in zijn nek en zuchtte. '*Satans også.*'

'Wat is het?' vroeg Eusden.

'Een zendertje, vermoed ik. Waarschijnlijk gisteren aange-bracht. Je had alleen maar hoeven kijken, Arto, dan had je het gezien. Maar je zíet nooit iets, hè?' Aksden keek achterdochtig naar de bomen. 'We moeten naar binnen.'

'Wie volgt me dan?' vroeg Falenius terwijl hij opstond. 'Wat...'

De kogel raakte hem in zijn rug en benam hem de adem. Hij keek eerst verbaasd en vervolgens lichtelijk gepijnigd. Hij viel op zijn knieën, zwaaide even heen en weer en zakte toen voorover.

'Rennen!' schreeuwde Aksden.

Eusden rende al, naar de beschutting van het chalet. Er ketste een kogel af van het chassis van de Range Rover. Een volgende kogel versplinterde een van de ramen. Eusden haalde heelhuids de veranda, met het chalet tussen hem en de schutter in. Aksden sprong achter hem aan. Het schieten stopte.

'Dit is jouw schuld, Eusden,' hijgde Aksden. 'Dat moet je begrij-pen, jij stuk...' Hij maakte zijn zin niet af, maar schudde zijn hoofd. 'Ik had nog maar vierentwintig uur nodig. Dat was alles. Nog maar vierentwintig uur.'

'Ik weet niet waar je het over hebt. Wie schiet er op ons?'

'Denk je dat ik weet hoe hij heet? Hij is een jager. En ik ben zijn prooi. Waarschijnlijk had hij me geraakt als Arto niet net was opgestaan.' Aksden ontgrendelde het geweer, keek om de hoek van het chalet, vuurde een schot af en sprong achteruit.

'Zie je hem?'

'Nee. Hij verbergt zich tussen de bomen. Dat schot was puur bedoeld om hem op zijn plek te houden.'

'Wie heeft hem gestuurd?'

'Heeft de Amerikaan je over Olsen verteld?'

'De Amerikaan? Als je Brad bedoelt, ja. Hij heeft Olsen gedood, hè?'

'Klopt. Daar was de Oppositie niet blij mee. Ze raakten niet alleen een man kwijt die ze vertrouwden, maar ook de informatie die hij hun over mij had kunnen geven. Bovendien dachten ze dat ik het had geregeld. Daarom zetten ze een prijs op mijn hoofd om me te dwingen met hen te onderhandelen. Slimme tactiek. We hebben met elkaar gesproken. Ze waren bereid de prijs op mijn hoofd in te trekken als ik Brad doodde om mijn goede wil te tonen. Daarna zou er een commercieel samenwerkingsverband volgen. Het was een veel betere deal dan ik anders had kunnen krijgen, maar het treedt pas in werking als ze de bevestiging horen dat Brad en zijn team dood zijn. Het enige wat ik tot die tijd hoefde te doen was buiten het bereik van hun huurmoordenaar blijven. Dat zou me ook zijn gelukt als jij en Arto hem niet bij me hadden gebracht.'

'Wie zijn die mensen – de Oppositie?'

'Zakenlieden, Eusden. Van het Russische soort. Ik begin net wat respect te verdienen doordat ik het tegen hen opneem. *Pokkers også*, nu ziet het ernaar uit dat het misschien te laat is.'

'Denk jij dat het mij iets zou kunnen schelen als die man jou zou doden?'

'Nee. Maar het zou je wel iets moeten schelen, want hij zou jou ook doden. Puur omdat je hier bent.' Aksden trok zijn pet af en knipperde een paar keer met zijn ogen, alsof hij zo zijn blik scherp wilde krijgen. Toen stapte hij weer naar de hoek van het chalet en vuurde nog een schot af. 'Deze keer zag ik wel iets,' zei hij toen hij achteruit stapte. 'Ik denk dat hij heel langzaam dichterbij komt.'

'Kunnen we iemand bellen, om hulp vragen?'

'Het zou uren duren voordat er iemand kwam. Maar ga je gang – probeer maar.' Aksden trok en telefoon uit zijn parka en wierp deze naar Eusden. 'Bel één-één-twee.'

'Er is geen signaal.'

'Dacht ik ook. De zender onder de Bentley blokkeert ook het signaal. Hij is een professional, Eusden. Begrijp je het niet? Hij weet dat we in de val zitten. Hij zal wachten totdat we naar de auto rennen. Dan schiet hij ons allebei neer. *For Guds skyld*, waarom ben je hierheen gekomen? Waarom heb je god niet op je blote knieën gedankt toen je aan die Amerikaan ontsnapte? Waarom ben je niet naar Engeland teruggegaan?'

'Ik wilde dat je gestraft zou worden voor de moord op Pernille. Daarvoor zul je branden in de hel, Tolmar.'

'Jij en Pernille?' Aksden fronste naar hem, alsof hij nadacht over een punt dat hem tot nu toe was ontgaan. 'Dat had ik kunnen weten.'

'Je hebt haar vermoord.'

'Ik heb haar niet gedwongen naar Helsinki te gaan. Ze ging alleen omdat ze dacht dat ze de brieven in handen kon krijgen. Ze is altijd al nieuwsgierig geweest naar mijn geheimen.'

'Ze ging in het belang van Michael.'

'Ha!' Aksden stak zijn hand uit alsof hij Eusden bij zijn keel wilde grijpen. Zijn grootte en massa manifesteerden zich opeens op ontzagwekkende wijze. Eusden hield echter het pistool tussen hen in, met de loop op Aksdens borst gericht. Askden stopte en deed een stap achteruit. 'Luister eens,' zei hij en hij veegde met zijn hand over zijn mond. 'Zolang die scherpschutter daar rondspookt, moeten we elkaar helpen. Samen maken we nog een kans, de enige kans die we krijgen. Wil je blijven leven, Eusden, of wil je dood? Zo simpel ligt het.'

49

Er was maar één antwoord denkbaar op Tolmar Aksdens vraag.
'Wat stel je voor?' vroeg Eusden. Hij keek de oudere man twijfelend
aan. Door het vizier van een telescopische lens gezien, stelden zijn
mentale en fysieke kracht bitter weinig voor. Maar niets in Aksdens
rustige blik en vastberaden houding wees erop dat hij bereid was
dat toe te geven.

'Ik kan hem raken, Eusden. Hoe ver zal hij van ons verwijderd
zijn? Pakweg honderd meter? Ik heb wel op grotere afstand elan-
den geraakt. Ik heb een bril nodig om te lezen, maar op een
afstand... mis ik niet. Dan moet ik hem wel eerst zien. Ik moet goed
kunnen richten.'

'Denk je dat dat je lukt?'

'Alleen als we hem uit zijn dekking lokken. Dat zul jij moeten
doen, mijn vriend. Het is de enige mogelijkheid.'

'Ik ben je vriend niet, Tolmar.'

'Totdat die scherpschutter dood is wél. Tot die tijd ben ik ook
jouw vriend. We moeten hier levend uit komen, Eusden. Het is hij
of wij. Jij moet ervoor zorgen dat hij zichzelf laat zien.'

'Hoe?'

'Loop naar de andere kant van de veranda en ren daarvandaan
naar de houtopslag. Je wordt het grootste deel van de afstand
gedekt door de auto's en er zijn bomen achter je. Hij zal op je
schieten. Dat is tamelijk zeker. Op die afstand, met die dekking en
als je snel rent, mist hij je geheid, maar ik mis hem niet. Dat bestaat
niet. En dan hebben we hem.'

'Verwacht je van mij dat ik op me laat schieten?'

'Ja. Tenzij jij beter met een geweer overweg kunt dan ik.'

Eusden probeerde uit te rekenen hoe groot de kans was dat hij
geraakt zou worden. Vermoedelijk heel wat groter dan Aksden

beweerde, maar er was geen alternatief. Niets doen was geen optie. Dat was in elk geval zeker.

'We moeten dit nú doen, Eusden. Hij komt steeds dichterbij en maakt zo de foutmarge steeds kleiner. We moeten nu handelen.'

Eusden keek om de hoek van het chalet naar de weg die hij moest afleggen. Zoals Aksden had aangegeven, zou hij het inderdaad moeten kunnen redden. Hij was zich er echter van bewust dat het helemaal afhing van de nauwkeurigheid en alertheid van de huurmoordenaar. Het enige wat hij kon doen, was er het beste van hopen. Het moest gebeuren. Er was geen andere manier. En hoe langer hij aarzelde, hoe kleiner zijn kans werd. Hij keek om naar Aksden en knikte. Aksden knikte terug. Het was tijd om te gaan.

Hij stapte van de veranda af en liep op een sukkeldrafje langs de muur van het chalet. Toen boog hij zijn hoofd naar beneden en rende zo hard hij kon, met de houtopslag voor ogen, en de dekking die hij erachter kon vinden. Het was niet ver. Het was zelfs dichtbij, erg dichtbij. Hij hoorde een schot en het fluiten van een kogel achter zijn rug. Hij zou het redden, dat was zeker. Wanneer zou Aksden schieten? Wanneer...

De kogel raakte zijn voorste voet. Hij viel alsof hij struikelde en de pijn sneed omhoog door zijn been. Hij viel in de sneeuw en toen hij omlaag keek, zag hij het bloed uit zijn enkel vloeien. Hij hoorde nog een schot, toen klonk in de verte een gil van pijn die abrupt afbrak. De zijwand van de houtopslag was nog geen meter bij hem vandaan. Hij probeerde op te staan, maar de enkel kon zijn gewicht niet dragen. Zijn kreet van pijn kwam zo onmiddellijk dat deze bij iemand anders vandaan leek te komen. Hij viel opnieuw en begon naar voren te kruipen.

'Ik heb hem geraakt,' riep Aksden van de andere kant van het chalet. 'Blijf liggen, terwijl ik bij hem ga kijken.'

Eusden bereikte de hoek van de houtopslag en leunde ertegenaan. Hij was buiten adem. Zijn onderbeen voelde warm van het bloed dat uit hem vloeide. Hij had een rood spoor in de sneeuw achtergelaten. Hij zag Aksden door de wei naar de bomen lopen met het geweer voor zich. Naast een van de esdoorns lag een in elkaar gedoken figuur. Aksden had de man geraakt.

Aksden vertraagde zijn pas toen hij zijn slachtoffer naderde en stopte op een paar meter afstand. Hij zette het geweer tegen zijn schouder, richtte en vuurde. De figuur schokte toen de kogel hem raakte. Toen stapte Aksden naar voren, schoof met zijn voet het jachtgeweer bij de scherpschutter vandaan en boog om het op te rapen.

Langzaam liep hij in de richting van Eusden. Pakweg een minuut later riep hij: 'Heeft hij je geraakt?'

'Ja,' riep Eusden terug. 'Mijn enkel.'

'Dat is jammer. Dan kun je zeker niet lopen.' Aksden ging steeds langzamer lopen. 'Of rennen.' Hij bleef staan, legde voorzichtig zijn geweer op de grond en pakte toen het jachtgeweer van de scherpschutter met beide handen vast.

'Wat ben je aan het doen?'

'Wat ik moet doen, Eusden. Op deze manier lijkt het of hij jou heeft doodgeschoten voordat ik hem te pakken kreeg.'

'Blijf staan.' Eusden trok het pistool uit zijn jaszak en richtte het. Hij vroeg zich af of zijn hand van angst zo trilde, of dat hij verzwakt was – en of Aksden het daarvandaan kon zien.

'Ik hoef niet dichterbij te komen. Ik kan je hiervandaan wel doodschieten.'

'Laat dat geweer vallen of ik schiet.'

'Prima. Schiet maar. Je mist toch. Ga je gang. Laat zien dat ik gelijk heb.'

Hij hád gelijk. Dat wist Eusden donders goed. Hij wist ook dat, zodra hij begon te schieten, Aksden zeker zou terugschieten. Hij liet zijn pistool zakken. 'Wacht!' riep hij.

'Waarop?'

'Er zijn bepaalde dingen die je moet weten.'

'Dat klopt, mijn vriend. Maar ik geloof niet dat jij ze aan me zult vertellen.'

'Wat doet je broer in Helsinki?'

'Lars is niet in Helsinki.'

'Dat is hij wel. Ik heb hem gisteren zelf gezien.'

'Je liegt.'

'Nee, hij was er echt. Hij volgde Koskinen en mij naar het kantoor van Matalainen. Heeft Lund je dat niet verteld? Ik heb het wel tegen hem gezegd. Zal ik je vertellen wat ik denk? Ik denk dat Lars probeerde te doen waar je Pernille van beschuldigde: de brieven te pakken krijgen. Je hebt het geheim niet met hem gedeeld, hè? Althans, niet het hele verhaal. Je houdt het voor je. Zelfs je familie weet van niets. Waarom niet, Tolmar? Waarom durf je hen niet te vertrouwen?'

'Mijn familie gaat jou niks aan, Eusden. Omdat jij je neus in onze zaken hebt gestoken, sterf je hier ver van huis in de sneeuw.'

'Als je me doodt, bega je een grote vergissing.'

'En jij gaat me nu natuurlijk uitleggen waarom.'

Ja, inderdaad. Hij moest wel. Zijn hersenen draaiden op topsnelheid om de hiaten aan te vullen tussen wat hij wist en wat hij – goed – moest raden. 'Denk jij nou echt, Tolmar, dat jouw vader de tsarevitsj was? Ik bedoel, écht? Ik denk van wel. Ik denk althans dat je dat altijd hebt wíllen geloven. Daarom bouw je nu een zakenimperium op in Rusland, ter compensatie van het echte rijk waar je meende recht op te hebben. Ik vermoed dat die informatie voor je nieuwe vrienden daar als een onaangename verrassing zou komen. Natuurlijk, het zou allemaal onzin kunnen zijn, niet dan? Wie trof Karl Wanting nu echt in Siberië? Een aan hemofilie lijdende boer die een beetje op Aleksej leek? Een leugen die hij en Paavo Falenius aan je familie konden verkopen, zodat ze zichzelf – en uiteindelijk jou – aan het geld van de tsaar konden helpen? Of was jouw vader echt de tsarevitsj – de enige echte Aleksej? Hij moet het je toch hebben verteld.'

'Je weet niet waar je over praat.'

'Hij hééft het niet verteld, hè? Dat is het. Dat is je probleem. Hij heeft het nooit gezegd. Toen hij stierf was je nog te jong. Je grootvader heeft je het verhaal pas jaren later verteld. Misschien heeft hij gewacht totdat Paavo Falenius ook overleden was. Wanting was toen al lang dood. Maar je grootvader wist alleen wat hij van hen mocht weten – en geloven. Je kunt er niet op bouwen. Je kunt evenmin met zekerheid zeggen dat het waar is als dat het níet waar is. Nou, ik kan je de zekerheid geven die je nodig hebt. Als je het lef hebt om de confrontatie aan te gaan.'

'Kun jíj me die geven?' Aksdens zwakte bleek uit zijn vraag. Eusden was achter zijn verdedigingslinie doorgedrongen.

'Niet alles is bij de explosie verloren gegaan. Brad heeft iets achtergehouden om na afloop aan de hoogste bieder te kunnen verkopen. Wat verwacht je anders van zo'n stuk tuig?'

'Wat was het?'

'Twee sets vingerafdrukken die Clem Hewitson had genomen. De eerste aan boord van het keizerlijke jacht voor de kust van Cowes in augustus 1909. De tweede in Aksdenhøj in oktober 1925. Ze bewijzen – definitief – of jouw vader de tsarevitsj was of niet. Als hij dat was, moeten de twee sets overeenkomen. Zo niet...'

Aksden zette het geweer tegen zijn schouder. 'Waar zijn ze?'

'Eén set heb ik in mijn binnenzak. De andere ligt in een kluis in het Grand Marina Hotel in Helsinki waar alleen ik bij kan.'

'Laat me zien wat je hebt.'

Eusden haalde de envelop tevoorschijn en hield deze omhoog. 'Waarschijnlijk kun je daarvandaan het wapen niet zien, Tolmar. Laat ik je daarom vertellen wat het is: de tweekoppige adelaar van de Romanovs. Wil je het van dichtbij zien?'

'Gooi je pistool opzij.'

'Oké.' Eusden gooide het pistool ongeveer een meter verder in de sneeuw. 'En nu?'

'Blijf stil zitten.'

Aksden liep langzaam naar hem toe met het geweer voor zich uit. Zijn gezichtsuitdrukking was vastberaden en waakzaam. Daarnaast brandde er nog iets anders in zijn ogen. Het was sterker dan nieuwsgierigheid, sterker dan de behoefte aan zekerheid: bezetenheid.

Aksden bleef een meter voor Eusden staan en richtte het geweer op hem. Hij keek even naar de tweekoppige adelaar en zei: 'Laat me zien wat er in de envelop zit.'

Eusden trok de envelop open, trok het vel eruit en draaide het om, zodat Aksden het kon zien. Hij hoorde hem zijn adem inhouden.

Aksden keek naar de vingerafdrukken in rode inkt en naar wat eronder stond: *A.N. 4 viii '09.*

'A.N.,' mompelde hij. 'Aleksej Nikolajevitsj.'

Het geweer was nog steeds op Eusden gericht, maar Aksden had al zijn aandacht bij de brief die Eusden met hem voorhield. Het was de kans waar Eusden op had gewacht. Het was zelfs zijn enige kans. Hij schoof naar voren, draaide op zijn heup en haalde uit met zijn niet-gewonde voet. De Deen viel met een schreeuw achterover toen zijn been onder hem uit werd geschopt. Het geweer ging af, maar het schot ging de lucht in. Toen Aksden met een smak op zijn rug landde, rolde Eusden de andere kant op en sprong naar het pistool. De pijn in zijn enkel was nu niet belangrijk. Hij greep het pistool, drukte zich omhoog en draaide tegelijkertijd.

Maar Aksden was ook alweer rechtop komen zitten, met vlammende ogen en zijn mond verwrongen van woede. Hij zwaaide het geweer in de richting van Eusden. Zijn vinger kromde zich om de trekker. Eusden strekte zijn arm recht omlaag naar Aksdens gezicht. Met een daverend lawaai gingen beide wapens af.

50

Als je maar lang genoeg omhoogkeek, leek de kleur van de grijze hemel te veranderen in heel licht blauw. Toen zijn oren zich hadden aangepast, maakte de stilte plaats voor het incidentele ruisen van wind en het krassen van kraaien ergens in het bos. Alleen de knagende kou van de lucht boven hem en de sneeuw onder hem haalde Eusden uit zijn droomtoestand, die net zo goed enkele seconden of vele minuten had kunnen duren – dat kon hij niet achterhalen. Toen hij probeerde overeind te komen was de pijn in zijn rechterzij scherp en diep. Het bloed was door zijn jas gelekt. Hij kon niet zeggen hoe ernstig deze tweede wond was, maar hij leefde nog. Dat was zeker, althans, hij dacht van wel.

Hij leunde op zijn ellebogen en zag het lichaam van Tolmar Aksden iets meer dan een meter bij hem vandaan liggen. Het geweer lag over zijn borst en één hand rustte nog op de kolf. Zijn gezichtsuitdrukking was een verstarde mengeling van woede en verbazing. Boven zijn linkerwenkbrauw zat een keurig gaatje en de sneeuw achter zijn hoofd was doordrenkt met bloed.

Eusden voelde zich zwak, licht duizelig en vreemd genoeg heel tevreden. Niets wat hij zag kwam helemaal echt over. Hij nam aan dat zijn hersenen een spelletje met hem speelden, een verdedigingsmechanisme om de intredende dood te verzachten. Het verzachtte de pijn die hij voelde niet, maar vervreemdde hem er op de een of andere manier van, alsof hij vanuit een warme, veilige plek met een zekere behaaglijke onverschilligheid naar zichzelf keek. Het maakte het idee om weer te gaan liggen en omhoog te kijken erg aantrekkelijk.

'*Je mag niet gaan liggen, Coningsby,*' zei Marty.

De stem leek van achter hem te komen. Toen hij zijn hoofd draaide, was er niemand. Toch had hij het gevoel dat er iemand was geweest. Het leek op het trillen van een blad, nadat een dier in het struikgewas was verdwenen: een teken zonder een waarneming.

'Dit is allemaal jouw schuld,' zei Eusden hardop. 'Dat weet je toch wel, Marty?' Er klonk geen rancune in zijn stem. Het had meer van een vriendelijk verwijt. 'Je wordt bedankt dat je me in de problemen hebt gebracht. Het is wel de laatste keer.'

'*Je mag niet gaan liggen, Coningsby.*'

'Wat wil je dan dat ik doe?'

'*Dat je een ontroerende lofrede houdt op mijn begrafenis.*'

'En dan moet ik er natuurlijk wel heen.'

'*Dat is wel gebruikelijk.*'

'Ja. Dat is zo.'

Eusden probeerde rechtop te gaan zitten. Hij voelde een pijnscheut in zijn zij. Waarschijnlijk had de kogel een rib geraakt. Hij dacht er liever niet over na wat voor schade het projectiel nog meer had aangericht. Opstaan leek in elk geval geen optie. Hij kon niet om hulp bellen. Nu hij dichter bij het kastje onder de Bentley was, werd het signaal nog sterker geblokkeerd dan toen hij nog op de veranda stond. Als hij in de Bentley kon klimmen, zou hij in principe kunnen wegrijden om hulp te zoeken. Hij had de sleutel in zijn zak. Maar principes vormden nog lang geen haalbare praktijk. Bewegen leek hem iets wat hij beter nog even kon uitstellen, al vertelde een deel van zijn bewustzijn hem dat hij zich het niet kon veroorloven om te wachten.

Hij strekte zijn armen. Dat voelde alsof hij zich in een ijskoud bad liet zakken. Hij begon te rillen en zag het vel papier met de vingerafdrukken erop naast het pistool in de sneeuw liggen. Daar waren ze dan: de unieke sporen van de aanwezigheid van een mens op deze planeet. *A.N.* Anastasia Nikolajevna. Of Aleksej Nikolajevitsj. 'Of wie dan ook, hè, Clem?'

'*Jij hebt dus mijn verhaal gecontroleerd, hè, knul? We maken nog wel een echte rechercheur van je.*'

'Volgens mij is dat je aardig gelukt. Niet dat het me goed heeft gedaan.'

Eusden herinnerde zich dat hij Clem eens had gevraagd hoe hij het vier jaar in de loopgraven had volgehouden zonder te worden gedood of gewond te raken. Nu hoorde hij het antwoord weer dat de oude man hem had gegeven. *'Je moest vooruitdenken, knul, als je wilde overleven. Als je dat niet deed, was het afgelopen met je.'* (Hij nam een trekje van zijn pijp.) *'Je moest natuurlijk ook weer niet té ver vooruitdenken, dan kon je het ook wel schudden.'* (Weer een trekje.) *'Ik ging er altijd van uit dat een minuut of vijf lang genoeg was.'*

'Vijf minuten? Oké, Clem. Ik zal het proberen.' Eusden greep het vel papier, vouwde het zo goed mogelijk op en stopte het in zijn broekzak. Het pistool liet hij liggen. Hij rolde zich op zijn heup en begon in de richting van de Bentley te kruipen, waarbij hij zich met zijn goede been afzette in de sneeuw. Het rillen werd steeds heviger en hij ademde piepend. De pijn zwol op in zijn lichaam, maar hij ging door. Opeens kreeg hij het belachelijk warm. Het zweet brak hem uit, maar nog steeds ging hij door.

Toen hij de auto bereikte, beloonde hij zichzelf met een moment rust. De pijn ebde weg. Hij strekte zijn hand uit om het portier open te trekken. Het lukte hem om het een klein stukje open te krijgen, maar het leek onmogelijk het portier helemaal open te trekken. Het voelde ongelooflijk zwaar. Hij drukte zich tegen de zijkant van de auto, drukte zijn arm door de kier en duwde met de weinige kracht die hij nog in zich had. Het was net genoeg.

Er ging een onmeetbare tijdsspanne voorbij, terwijl hij met zijn kin op het zachte leer van de bestuurdersstoel leunde en zich bezon, alsof het een ondoorgrondelijk vraagstuk was waar hij niet persoonlijk bij betrokken was, op de vraag hoe hij het beste de auto in kon komen. Er leek geen gemakkelijk antwoord op te zijn. Hij telde terug vanaf tien naar één en na twee valse starts trok hij zichzelf domweg naar binnen, waarbij hij zich aan het stuur vasthield alsof zijn leven ervan afhing. Op een helder moment besefte hij dat dat ook zo was.

Hij trok zijn gewonde been naar binnen en viel weer bijna uit de auto toen hij het portier dichttrok. De warmte die tijdens de rit vanuit Helsinki was opgebouwd, vouwde zich als een donzen dekbed om hem heen. Het zou gemakkelijk zijn, zo vreselijk gemakkelijk, om eraan toe te geven en in slaap te vallen, maar hij wist dat hij dan nooit meer wakker zou worden. Hij stak de sleutel in het contactslot en startte. De motor reageerde met nauwkeurig afgestelde kracht. Hij schakelde de versnellingspook naar Drive en gaf voorzichtig gas. De auto kwam in beweging. Hij stuurde de Bentley in een wijde cirkel langs het lichaam van Arto Falenius, over de wei naar het pad waarover ze waren gekomen. Elke hobbel van samengepakte sneeuw, elke lichte golfbeweging veroorzaakte pijnscheuten in zijn lichaam. En dan had de Bentley nog een geweldige vering. Hij wist dat het een stuk erger had kunnen zijn en hij begon te geloven dat hij het echt kon redden. Hij reed langzaam over het pad, bij de *mökki* en de lichamen vandaan, het bos in naar de hoofdweg – naar de beste kans om te overleven.

De Bentley reed zichzelf. Het enige wat Eusden hoefde te doen, was sturen. Zijn concentratie werd minder en hij kon niet meer scherp zien.. Hij vroeg zich af of de schemer inviel. De wereld achter de voorruit leek vaag en de randen van gezichtsvermogen werden steeds waziger. Het pad voor hem kronkelde tussen de met sneeuw overdekte bomen door. Hij hield zijn voet op het gaspedaal, zijn handen op het stuur. Hij moest gewoon doorrijden. Hij moest...

Er volgde een schok, de Bentley slingerde heftig en reed opeens van een korte helling recht op een bomenrij af. Waarschijnlijk was hij op de een of andere manier van het pad geraakt. Hij zette zijn voet op de rem. De auto slipte en gleed naar links. Daar stonden al net zoveel bomen als voor hem en de auto knalde recht tegen een boom aan.

Eusden was vergeten zijn riem om te doen. Hij had weliswaar niet hard gereden, maar toch werd hij door de schok tegen het stuur aan gesmakt, zodat de claxon begon te loeien. Hij lag over het stuur en zag met een zekere afstandelijke nieuwsgierigheid de stoom uit de kapotte radiator opstijgen, terwijl er uit de boom sneeuw en dennennaalden op de motorkap vielen.

Uiteindelijk duwde hij zichzelf achterover in de stoel. De

claxon hield op met loeien. Alle adem leek uit zijn lichaam te zijn geperst. Hij vond het moeilijk om te bedenken wat hij nu moest doen. Hij vroeg zich af hoeveel bloed hij kwijt was geraakt en hoeveel bloed hij zich nog kon veroorloven kwijt te raken. Ach, het had geen zin zich dat af te vragen. Hij zou er snel genoeg achter komen. Tot die tijd...

Hij dwong zichzelf zijn gedachten te ordenen. Hij schakelde de auto in zijn achteruit en gaf gas. De banden sponnen rond, maar hadden geen grip. De Bentley ging helemaal nergens meer heen, net zo min als Eusden. Hij zette de motor uit.

Een diepe rust daalde neer. Een straal zonlicht, de eerste die hij in Finland had gezien, kleurde de grijze sneeuwmassa om hem heen tot een korrelig roze. Hij leunde achterover en genoot van de schoonheid ervan. Op dat moment voelde het bos heilig aan. Hij zou nog wel een tijdje warm blijven in de auto. Anders startte hij gewoon de motor weer.

'Ik bied je een kans om je leven om te gooien,' had Pernille tegen hem gezegd op de veerboot vanuit Zweden. Eusden glimlachte zacht om wat hem nu minder als tragedie dan als ironie voorkwam. Hadden ze het maar geweten. Ze konden geen van beiden hun toekomst vormgeven of omgooien. Ze waren op dat moment allebei onderweg naar hun dood.

'*Verman jezelf, Coningsby. Je had mij ook moeten laten rijden. Ik heb altijd al beter kunnen rijden dan jij. Bel nu in godsnaam om hulp en zorg dat we hier weer weg komen.*'

Eusden nam niet de moeite te antwoorden dat het kastje nog onder de auto zat. Hij zou nog steeds geen signaal hebben. Zelfs als het van de auto was geslagen, zou dit dichte bos nog geen signaal doorlaten. Hij trok Lunds telefoon uit zijn zak en drukte op het groene knopje. Zoals hij al dacht: geen signaal. 'Sorry, Marty,' mompelde hij.

Eigenlijk was het een opluchting. Nu kon hij niets meer doen. Hij kon ophouden met vechten. Hij hoefde zelfs niet meer vijf minuten vooruit te denken. Hij sloot zijn ogen en het duister verwelkomde hem als een trouwe vriend.

JYVÄSKYLÄ

51

De afgelopen achtenveertig uur waren in een zwart gat verdwenen. Ze bestonden nog als een herinnering, maar die was zo donker en compact dat Eusden er niet bij kon. Dat was op meer dan één manier eigenaardig, aangezien het feit dat hij nog leefde niet strookte met de laatste verwachting die hij zich nog wel kon herinneren.

Toen hij weer bij bewustzijn kwam, werd hij eerst begroet door enkele verpleegsters. Daarna kwam er een arts met een zachte stem binnen, die hem vertelde dat hij geluk had gehad. Toen hij bewusteloos was geraakt, was hij dankzij de schuine hoek waarin de auto stond weer op het stuur gevallen, en op de claxon. Hij was er niet wakker van geworden, maar doordat het verder zo stil was, had het geluid de aandacht getrokken van een elektrotechnicus die een halve kilometer verderop een elektriciteitsleiding repareerde. Hij had het geluid herkend voor wat het was. Eusden was bij hen in het Centrale Ziekenhuis in regiohoofdstad Jyväskylä gebracht, waar ze zijn enkel hadden gezet, zijn gebroken ribben rechtgezet, zijn wonden schoongemaakt en gehecht, verloren bloed aangevuld en zijn inwendige organen gecontroleerd. Beide kogels hadden zijn lichaam verlaten zonder onherstelbare schade aan te richten. En het buisje dat uit zijn borst stak, was alleen vanwege een kleine pneumothorax in de rechterlong die werd veroorzaakt door een van zijn gebroken ribben. Volgens de dokter zou hij geheel herstellen, al zou dat wel even kunnen duren. 'Uw lichaam heeft het zwaar te verduren gehad, meneer Eusden. Het zal u zelf wel vertellen hoelang het nodig heeft om eroverheen te komen.'

Op iets andere toon vertelde de dokter hem vervolgens dat de politie grote interesse had in zijn conditie. Er zat een politieman op de gang, wiens baas liefst zo snel mogelijk met Eusden wilde praten. 'Ik zal hem moeten meedelen dat u nu voldoende bent opgeknapt om te worden ondervraagd.' Daar leek niets tegenin te brengen, al had Eusden zelf zo zijn twijfels. 'Dan hebben we nog de media op het parkeerterrein,' vervolgde de dokter. 'De dood van Tolmar Aksden... onder deze omstandigheden... is groot nieuws.' Toen zei hij iets wat zo verrukkelijk onverwacht was, en zo verbijsterend, dat hij de dokter moest vragen het te herhalen en toen nog dacht dat hij hallucineerde, totdat de dokter hem geruststelde. 'Het is voor mevrouw Madsen erg lastig geweest om naar het ziekenhuis te komen, omdat de journalisten en fotografen haar niet met rust laten.'

Pernille was niet dood. De dokter begreep natuurlijk niet waarom Eusden zo verbijsterd reageerde toen hij haar naam noemde. Ook kon hij geen antwoord geven op de schijnbaar stompzinnige vraag: 'Hoe kan zij nu nog leven?' Het simpele feit, dat voor hem zo vanzelfsprekend was, was dat het zo was. En zij wilde Eusden net zo dringend zien als inspecteur Ahlroos.

Ahlroos kwam echter als eerste. Een tengere man met donker haar, een beroepshalve waakzame blik die nooit met zijn ogen leek te knipperen. Hij ging vergezeld van een gezette assistent die door de kamer sloop en het erg druk had met kauwgom kauwen en uit het raam kijken, terwijl zijn baas de vragen stelde. En hij had heel wat te vragen.

De inspecteur had er misschien rekening mee gehouden dat zijn ondervraagde voorzichtig of ontwijkend zou antwoorden. Eusden begreep dat hij waarschijnlijk of mogelijk van moord werd verdacht. Hij nam aan dat hij er verstandig aan zou doen om helemaal niets te zeggen, totdat hij een advocaat in de arm had genomen. Hij was echter zo euforisch door het nieuws dat Pernille nog leefde, dat hij Ahlroos alles vertelde wat hij wilde weten, en waarschijnlijk zelfs meer, al was dat nog altijd minder dan de hele, rijk gefacetteerde waarheid. Het enige wat hij ervoor terug verlangde, was een antwoord op de vraag die hij de dokter al vergeefs had gesteld: 'Hoe kan ze nu nog leven?'

Na lang aandringen kreeg hij uiteindelijk een gedeeltelijke verklaring. 'Mevrouw Madsen is nooit naar het huis in Munkkiniemi toe gegaan, meneer Eusden. Ze vertelde ons dat ze Lars Aksden in haar plaats had laten gaan. Hij is bij de explosie omgekomen. Waarom ze hebben geruild, moet u haar maar vragen.'

Een paar uur later kreeg Eusden daar de gelegenheid voor. Toen Pernille de kamer binnen kwam, bleef ze in de deuropening staan en ze glimlachten elkaar ongelovig toe. Toen liep ze naar hem toe, kuste hem op zijn wang en ging op de stoel naast zijn bed zitten. Ze droeg hetzelfde zwarte ensemble als toen ze kennismaakten in Stockholm. Ze zag er moe en gespannen uit – en wonderbaarlijk levend.

'Ik dacht dat je was weggelopen,' zei ze, nog steeds glimlachend.

'En ik dacht dat jij dood was.'

'Ik ben blij dat we er allebei naast zaten.'

'De politie zei dat Lars voor je in de plaats was gegaan.'

'Iemand binnen Mjollnir tipte hem over wat er aan de gang was. Hij weigerde me te vertellen wie het was, en nu zullen we het waarschijnlijk nooit weten. Hij zag zijn kans om erachter te komen wat het familiegeheim nu echt inhield en ik was zo... teleurgesteld... dat je ervandoor was gegaan... dat ik niet probeerde het hem uit het hoofd te praten. We ontmoetten elkaar op weg naar Koskinens huis. Ik stapte uit, hij stapte in. Matalainen moest wel akkoord gaan. Hij had geen tijd om erover in discussie te gaan. Ze reden weg – hun dood tegemoet. Toen ik hoorde over de explosie, besefte ik dat Tolmar ons had bedrogen – en ons daarbij per ongeluk een loer had gedraaid. Ik verkaste naar een ander hotel, zodat niemand zou weten waar ik was, en probeerde te besluiten wat ik moest doen. Uiteindelijk ben ik naar de politie gegaan. Ze geloofden me natuurlijk niet. Toen kwam hier het bericht vandaan dat Tolmar, Arto Falenius en nog een man dood waren aangetroffen – en dat jij in het ziekenhuis lag. Dat was wel het laatste wat ik verwachtte.'

'De Oppositie stuurde een huurmoordenaar op Tolmar af,

maar hij schoot per ongeluk Falenius heer. Toen schoot Tolmar de huurmoordenaar dood. En daarna...' Eusden keek Pernille even onderzoekend aan alsof haar gezicht een aanwijzing bevatte voor wat zij dacht dat hij had gedaan. 'Het was hij of ik.'

'Ik ben blij dat jij het niet was.'

'Michael ziet dat waarschijnlijk heel anders. Hoe gaat het met hem?'

'Niet goed. Hij heeft zowel zijn oom als zijn vader verloren. Hij is...' Ze haalde haar schouders op. 'Ach, je kunt het je wel voorstellen.'

'Ik doe mijn best.'

'Hij is bij Elsa, in Helsinki.'

'Bedankt dat je me bent komen opzoeken. Het is... vast niet gemakkelijk geweest om weg te gaan.'

'Ik ben al een aantal keren hier geweest.'

'Dat heb ik gehoord. Blijkbaar heb je daarbij de journalisten van je af moeten slaan.'

'Hen kan ik wel aan. Ik zit meer in over de politie. Wat wilden ze weten?'

'Alles. En dat heb ik hun ook verteld. Nu zou ik jou ook alles moeten vertellen. Over wat er aan het meer is gebeurd.'

'Dat kan wachten. De dokter zegt dat je veel moet rusten. Bovendien heb je een advocaat nodig. Daar kan ik je bij helpen.'

'Ik blijf gewoon de waarheid vertellen, Pernille. Dat is zo ongeveer het enige dat ik naar mijn gevoel kán doen.'

'Ze hebben Erik Lund gearresteerd.'

'Mooi zo.'

'En die arme Osmo Koskinen ook. Maar ik vermoed dat ze hem wel snel zullen laten gaan. Dat neemt niet weg dat jij echt een advocaat nodig hebt.'

'Goed. Als jij het zegt.'

Er viel een stilte die absoluut niet ongemakkelijk aanvoelde. Toen zei Pernille: 'Ik heb die Amerikaanse vriendin van je ontmoet, Regina Celeste, in Helsinki. Ze vroeg me je te vertellen dat Werner Straub daar is opgedoken.'

'Hij verdoet zijn tijd. Daar komt hij op een gegeven moment zelf wel achter, en dan gaat hij naar huis.'

'Ze vroeg me ook tegen je te zeggen dat je haar excuses verschuldigd bent.'

'Blijkbaar ben ik heel veel mensen heel veel excuses schuldig.'

Deze keer verbrak Eusden de korte stilte die volgde.

'Het spijt me van Lars, Pernille. Hij leek me een fatsoenlijk man.'

'Dat was hij ook. Ik had hem nooit... voor me in de plaats moeten laten gaan.'

'Ik ben daar wel erg blij om.'

Ze zuchtte. 'Het zal niet gemakkelijk zijn... om hier doorheen te komen. Michael is zo kwaad. Hij wil niet geloven wat ik hem over zijn vader heb verteld. Uiteindelijk zal hij het wel moeten geloven. Maar dan...'

'Misschien kan ik helpen.' Eusden stak zijn hand naar haar uit en ze pakte deze vast.

'Misschien kunnen we elkaar helpen,' zei ze zacht.

Toen hij die avond vanuit zijn bed omhoogkeek naar de schaduwen op het plafond en luisterde naar de ziekenhuisgeluiden om hem heen, vroeg Eusden zich af of Pernille en hij echt nog leefden. Of was deze flauwe hoop die hij koesterde voor een toekomst die opeens mogelijk leek alleen maar een troostende fantasie die zijn hersenen hadden bekokstoofd om het doodvriezen in een Fins bos te veraangenamen? Misschien wel, besloot hij, maar als troost werkte het verrekte goed. Het had geen zin om zich ertegen te verzetten. De tijd zou uitwijzen of het echt was of niet. Hij deed zijn ogen dicht en het donker verwelkomde hem als een trouwe vriend.

COWES

52

De hemel boven Cowes is strakblauw, de windstille lucht koel en de middagzon warm. Het is een woensdag in het midden van september, maar in het licht van de late zomer is van de naderende herfst nog niets te bespeuren. De warmte en de windstilte zijn zeker een zegen voor de passagiers in de motorboot die nu een van de steigers langs de Parade nadert. Richard Eusden en Gemma Conway keren terug van de laatste eer die ze samen hebben bewezen aan hun vriend en, in Gemma's geval, ex-man, Marty Hewitson: het uitstrooien van zijn as in het aangenaam kalme, rustig kabbelende water van de Solent.

De eigenaar van de motorboot brengt hen aan wal, aanvaardt hun dank en vaart weer weg. De twee mensen die Marty beter kennen dan wie ook blijven de boot een tijdlang staan nakijken en lopen dan langzaam weg. Terwijl ze genietend de ozonlucht inademen, zuchten ze hartgrondig. Het zonlicht glinstert op het kielzog van de Red Jet, die op weg naar Southampton vaart maakt in de haven. Eusden volgt de veerboot uit zijn ooghoek, wetende dat het niet lang zal duren voordat hij zelf het eiland Wight achter zich laat en het water oversteekt waar hij net na bijna veertig jaar voorgoed afscheid heeft genomen van zijn vriend.

Als ze de zee de rug toe draaien om Watchhouse Lane in te lopen, verbreekt Gemma de stilte die tussen hen heeft gehangen sinds ze aan land zijn gekomen. 'Ik ben blij dat we dit toch nog voor hem hebben kunnen doen, Richard. Alleen jij en ik. En Marty.'

'Ik ook. Ik vond het afschuwelijk dat ik zijn begrafenis had gemist. Dit heeft het... enigszins goedgemaakt, geloof ik, maar toch...'

'Ja?'

'Toch had ik er moeten zijn. Om te spreken aan zijn graf. Om iedereen te vertellen dat... ik van hem hield.'

'Dat heb ik hun namens jou verteld. Iedereen begreep dat je niet kon komen. Zelfs Bernie Shadbolt.'

'En Vicky?'

'Zij ook, denk ik. Ze hadden natuurlijk heel veel vragen. Vragen waar ik geen antwoord op wist.'

'Ik weet niet zeker of ik er antwoord op had kunnen geven.'

'Kunnen? Of willen?'

Eusden glimlacht spijtig. 'Allebei een beetje.' Ze komen uit bij High Street en houden stil bij de ingang van de Union Inn. Het is een pub waar Marty en hij vroeger vaak kwamen, net als Marty's grootvader, Clem Hewitson, maar nooit tegelijkertijd. 'Wil je iets drinken, Gem?' Zijn afkorting van haar naam lijkt haar bijna net zozeer te verbazen als hem zelf. Hij vraagt zich af of dit de eerste keer sinds hun scheiding is dat hij haar zo noemt. En hij vraagt zich af of zij dat zich ook afvraagt. 'Tenzij...' Hij is zich ervan bewust dat ze niet alle tijd heeft. Hun lang uitgestelde gezamenlijke afscheid van Marty is gepland als onderdeel van een late vakantie die Gemma samen met Monica op het eiland doorbrengt. Monica heeft zich diplomatiek teruggetrokken, maar Eusden vermoedt dat haar geduld eindig is.

'Ja, goed,' zegt Gemma met een ongemakkelijk glimlachje. 'Even dan.'

Ze lopen naar binnen en stappen de gezellige oude bar in die door de jaren heen weinig veranderd is. Eusden bestelt een pint bier voor zichzelf en een spritzer voor Gemma. Ze gaan aan het raam zitten en proosten op Marty. De urn waar zijn as in heeft gezeten staat naast hen in een tas op de grond.

'Ik had moeten weten dat Marty jong zou sterven,' zegt Gemma. 'Hij maakte nóóit iets af.' Ze kunnen erom lachen. 'Weet je, Richard, ik heb hem de afgelopen zes maanden meer gemist dan in al die jaren na onze scheiding.'

'Dat komt doordat je hem had kunnen spreken als je dat echt had gewild. Maar nu...'

'Nu kan het niet meer. Nooit meer.' Ze haalt diep adem. 'Ik heb het gevoel alsof we met z'n drieën in een boot de rivier zijn af gezakt en Marty aan wal is gegaan, terwijl wij doorvaren en naar hem omkijken, totdat hij langzaam uit beeld verdwijnt.'

Eusden pakt even haar hand. 'Ik zal hem ook missen.'

'Hij wilde zo graag... meer van zijn leven maken dan hij deed. Waarschijnlijk kon hij daarom het geheim dat Clem hem in dat attachékoffertje had nagelaten niet met rust laten. Het gaf hem een... roes om ermee bezig te zijn.' Ze draait zich half naar Eusden om. 'Al die dingen die je me hebt verteld toen ik je in Finland opzocht...'

'Wat is daarmee?'

'Waren die echt waar?'

'Ik heb niet tegen je gelogen, Gemma. Dat kan ik je verzekeren.'

'Nee, maar...' Ze opent het kleine rugzakje dat ze als tasje gebruikt en haalt er een krantenknipsel uit dat ze tussen hen in op de tafel openvouwt. 'Heb je dit gezien?'

Eusden kijkt naar de kop uit een *Guardian* van een paar weken geleden. BOTTEN UIT RUSSISCHE BOUWPLAATS EINDELIJK OPLOSSING RAADSEL VERMISTE ROMANOVS. Aangezien hij zelf de *Guardian* leest, kan hij het zich goed herinneren. Op een zaterdagochtend eind augustus liep hij bij zijn vaste krantenverkoper de deur uit, sloeg de krant open en zag de gezichten van de Romanovs die hem aankeken vanuit een foto uit 1915: de tsaar en tsarevitsj in hun keizerlijke marine-uniform, de tsarina en haar dochters in de jurken van lang vervlogen tijden. Ze glimlachten allemaal plechtig alsof ze wisten wat de geschiedenis voor hen in petto had. De twee lichamen die ontbraken in het massagraf in Jekaterinenburg waren eindelijk gevonden, stelde het artikel, door een plaatselijke aannemer die in zijn vrije weekend aan het graven was geslagen. De zaak was eindelijk afgesloten. 'Ik heb het gezien,' zegt Eusden zacht.

'Dit bewijst dus dat de vader van Tolmar Aksden *niet* de tsarevitsj was.'

'Is dat zo?'

'Nou? Wat denk jij ervan?'

'Ik weet het niet zeker. Maar ik kan je wel vertellen wat Marty zou zeggen.'

'Ga je gang.'

'Ten eerste is DNA als bewijs niet zaligmakend. Ten tweede slikt de Moskouse correspondent van de *Guardian* de claim van de Russen dat de ontbrekende zuster Maria was, terwijl alle onafhankelijke pathologen het er destijds over eens waren dat Anastasia er niet bij lag. Ten derde worden we geacht te geloven dat deze vent op de bonnefooi iets heeft gevonden wat een heel team van archeologen na jarenlang systematisch graven niet hebben kunnen vinden. Ten vierde was de opgraving uit 1991 duidelijk doorgestoken kaart, dus ligt het voor de hand dat dat hiervoor ook geldt. Ten vijfde kwam het nieuws enkele maanden na de dood van Tolmar Aksden en zouden de details hiervan die niet openbaar waren gemaakt best kunnen zijn doorgespeeld aan lieden die dat soort dingen in Rusland regelen. En ten zesde zouden alleen mensen die niets van de details weten – dus zo ongeveer iedereen – ervan overtuigd zijn dat dit enig verschil maakt.'

Gemma glimlacht. 'Ik dacht al dat je zoiets zou zeggen.'

'Ik zeg alleen dat *Marty* dit zou zeggen. Ik heb er geen mening over.'

'Daar spreekt de rijksambtenaar.'

'Niet meer.' Hij grijnst.

'Pardon?'

'Ik heb ontslag genomen. Eind augustus ben ik weggegaan.'

Gemma kijkt oprecht verbaasd. 'Dat meen je niet.'

'Jawel. Ik ben weg. Ik heb mijn beveiligingspasje ingeleverd, mijn bureau leeg geruimd. Mijn ambtelijke ernst afgeschud.'

'Maar waarom?'

'Ik heb iets beters.'

'Wat ga je dan doen?'

'Ik ga werken voor een Deense ontwikkelingsorganisatie die Skoler til Afrika heet. Volgende week begin ik.'

'In *Denemarken*?'

'Precies.'

'Nou, ik...' Gemma schudt verbaasd haar hoofd en neemt een slok van haar spritzer. 'Gefeliciteerd.'

'Dank je.'

'Heeft dit...' Ze fronst nadenkend haar wenkbrauwen. 'Heeft dit iets te maken met Pernille Madsen?' Ze praat door voordat hij een ontwijkend antwoord kan geven. 'Ja, hè? Dit gaat niet alleen om een nieuwe baan.'

'Misschien niet.' Hij haalt verlegen zijn schouders op. 'We zullen zien.'

Gemma's verbazing heeft nu plaatsgemaakt voor verrukt ongeloof. Ze glimlacht breed. 'In dat geval wens ik je al het geluk van de wereld.'

Twee uur later zit Eusden in zijn eentje in een koffiebar in de Fountain Arcade, drinkt een Americano en kijkt naar de wereld die langstrekt aan het water, totdat het tijd is om op de veerboot naar Southampton te stappen. Gemma is allang weg. Er is niets wat hem hier nog houdt, op dit eiland waar Marty en hij zijn geboren. Hij zal natuurlijk af en toe terugkomen om zijn zus en haar gezin op te zoeken. Of misschien komen zij bij hem op bezoek, waar hij tegen die tijd ook moge wonen. Hoe dan ook, het zal lang duren voordat hij hier weer is. Dat lijkt wel zeker.

Terwijl hij door de deuropening naar buiten kijkt, komt de bus uit Newport aanrijden. Het verleden reist niet mee. Zijn jonge zelf stapt niet het gouden zonlicht in. Bovendien staat Marty hem niet op te wachten, met kauwgom in zijn mond, handen in zijn zakken, leunend tegen de dichtstbijzijnde pilaar. Zijn herinnering aan die zaterdagen is zo dichtbij dat hij haar bijna aan kan raken. Maar nooit dichtbij genoeg. Ook dat is zeker.

Als zijn telefoon overgaat, wordt hij teruggetrokken naar het heden. Hij haalt zijn mobiel uit zijn zak en glimlacht als hij ziet wie hem belt.

'Pernille?'

'Hai.'

'Hé.'

'Waar ben je?'

'Fountain Quay. Ik zit te wachten op de veerboot.'

'Het is dus voorbij?'

'Ja, het is voorbij.'

'Ging het... goed?'

'Ja, volgens mij wel.'

'Mooi zo.'

'Ik verheug me erop je morgen te zien.'

'Ik verheug me er ook op jou te zien.'

'Gaat alles goed?'

'Alles is prima. Maar...'

'Maar wat?'

'Ik wil je iets vertellen, maar het is niet dringend. Het kan wel tot morgen wachten, als je wilt.'

'Ik weet niet of ik dat zou uithouden. Wat is er?'

'Iets wat Michael heeft gevonden toen hij Tolmars spullen aan het uitzoeken was. Ik was al blij dat hij het eindelijk deed. Waarschijnlijk moet ik ook blij zijn dat hij zijn vondst met me wilde delen.'

'Wat heeft hij gevonden?'

'Een telegram. Een heel oud telegram. Het zat in een afgesloten bureaulade in Tolmars werkkamer. Het was naar Paavo Falenius in Helsinki gestuurd vanuit ergens in Rusland. Ik kan de plaatsnaam niet lezen. Het is in het Russisch. Maar de boodschap en de naam van de afzender zijn in het Engels. Het is gedateerd op 25 september 1918. Waarschijnlijk heeft Falenius het aan Tolmar gegeven om... iets te bewijzen. Al bewijst het niet echt iets.'

'Is het afkomstig van Karl Wanting?' vraagt Eusden, al weet hij dat het niet van iemand anders zou kunnen zijn.

'Ja.'

'Hoe luidt de boodschap?'

'Het is maar één woord. En dan de naam van afzender. *Gevonden. Wanting.*'

OPMERKING VAN DE AUTEUR

In deze roman heb ik geen van de algemeen bekende feiten over het lot van tsaar Nicolaas II, zijn vrouw en zijn kinderen verkeerd weergegeven. Datzelfde geldt voor het leven van de vrouw die later beweerde dat ze hun dochter was, grootvorstin Anastasia. Lezers die de archieven van de *Isle of Wight County Press* willen raadplegen, zullen een bericht uit 1909 vinden over het bezoek dat de Russische tsarenfamilie in augustus van dat jaar aan Cowes bracht. Op de vraag wat er nu echt op de vroege ochtend van 17 juli 1918 in het Ipatiev-huis in Jekaterinenburg is gebeurd, luidt het meest accurate antwoord dat kan worden gegeven: dat degenen die menen zeker te weten wat er is gebeurd beslist nooit serieuze pogingen kunnen hebben gedaan om te achterhalen wat er écht is gebeurd.

Ik wil Andrew Roberts bedanken, omdat hij voorstelde dat het tijd was dat ik een boek aan dit onderwerp wijdde. Ook wil ik mijn goede vrienden Susan Moody en John Donaldson en hun goede vriend Iver Tesdorpf bedanken voor de hulp die ze me in ruime mate hebben gegeven tijdens het plannen en schrijven van dit boek. Dat geldt zeker ook voor mijn geweldige Deense vertaler (wie ik heb gezworen zijn familiegeheim over de wandelstok van tsaar Aleksander III nooit verder te zullen vertellen). Dankzij hen was het zoeken naar locaties niet alleen vruchtbaar, maar ook nog eens erg leuk. *Skål*!